RAFFAELLO E L'ARCHITETTURA A FIRENZE

COMITATO NAZIONALE PER LE CELEBRAZIONI DEL V CENTENARIO DELLA NASCITA DI RAFFAELLO (D.P.R. dell'11 ottobre 1982)

MINISTERO PER I BENI CULTURALI E AMBIENTALI

Ufficio Centrale per i Beni Ambientali, Architettonici, Artistici e Storici
Ufficio Centrale per i Beni Librari e gli Istituti Culturali

SOPRINTENDENZA PER I BENI AMBIENTALI E ARCHITETTONICI PER LE PROVINCIE DI FIRENZE E PISTOIA

COMITATO «RAFFAELLO», FIRENZE

Realizzazione editoriale a cura della redazione d'arte Sansoni

RAFFAELLO E L'ARCHITETTURA A FIRENZE
nella prima metà del Cinquecento

Firenze
11 gennaio - 29 aprile 1984

Sansoni Editore

Le manifestazioni per il V centenario della nascita di Raffaello sono poste sotto l'alto patronato di Sandro Pertini, Presidente della Repubblica Italiana

Direttore Generale per la Cooperazione Culturale del Ministero degli Affari Esteri
Dott. Francesco Saverio Rabotti - Dirigente Superiore Ministero per i Beni Culturali e Ambientali
Dott. Italo Angle - Dirigente Superiore Ministero per i Beni Culturali e Ambientali
Dott.ssa Anna Forlani Tempesti - Ispettore Centrale per i Beni Culturali e Ambientali
Direttore Generale dei Musei Vaticani
Presidente del Consiglio Nazionale delle Ricerche - Roma
Presidente dell'Accademia Nazionale dei Lincei - Roma
Presidente dell'Accademia Nazionale di San Luca - Roma
Presidente dell'Istituto Nazionale di studi sul Rinascimento - Firenze
Presidente dell'Accademia Raffaello - Urbino
Presidente dell'Istituto Marchigiano - Accademia di Scienze e Lettere ed Arti - Ancona
Presidente dell'Istituto di Studi Romani - Roma
Commissario Governativo dell'Istituto Nazionale di Archeologia e Storia dell'Arte - Roma
Presidente della Pontificia Insigne Accademia Artistica dei Virtuosi del Pantheon - Roma
Presidente dell'Ente Nazionale Italiano per il Turismo - Roma
Direttore Generale dell'Istituto dell'Enciclopedia Italiana - Roma
Direttore della Fondazione Berenson - Firenze
Rettore dell'Università di Roma
Rettore dell'Università di Firenze
Rettore dell'Università di Perugia
Rettore dell'Università Libera di Urbino
Prof. Rosario Assunto - Università di Roma
Prof. Carmine Benincasa - Università di Roma
Prof. Ferdinando Bologna - Università di Roma
Prof. Renato Bonelli - Università di Roma
Prof. Gianfranco Borsi - Università di Firenze
Prof. Cesare Brandi - Università di Roma
Prof. Arnaldo Bruschi - Università di Roma
Prof. Massimo Cacciari - Università di Venezia
Prof. Maurizio Calvesi - Università di Roma
Prof. Maria Grazia Ciardi Duprè Dal Poggetto - Università di Firenze
Prof. Guglielmo De Angelis D'Ossat - Università di Roma
Prof. Carlo Del Bravo - Università di Firenze
Prof. Umberto Eco - Università di Bologna
Prof. Marcello Fagiolo - Università di Firenze
Prof. Walter Fontana - Libera Università di Urbino
Prof. Franco Gaeta - Università di Roma
Prof. Luigi Grassi - Università di Roma
Prof. Mina Gregori - Università di Firenze
Prof. Giovanni Macchia - Università di Roma
Prof. Corrado Maltese - Università di Roma
Prof. Alessandro Marabottini - Università di Perugia

Prof. Valentino Martinelli - Università di Roma
Prof. Alessandro Parronchi - Università di Firenze
Prof. Adriano Peroni - Università di Firenze
Prof. Paolo Portoghesi - Università di Roma
Prof. Enzo Raimondi - Università di Bologna
Prof. Stefano Ray - Università di Roma
Prof. Angiola Maria Romanini - Università di Roma
Prof. Roberto Salvini - Università di Firenze
Prof. Pietro Scarpellini - Università di Perugia
Prof. Gianfranco Spagnesi - Università di Roma
Prof. Manfredo Tafuri - Istituto Universitario di Architettura - Venezia
Prof. Bruno Toscano - Università di Roma
Prof. Carlo Volpe - Università di Bologna
Prof. Pietro Zampetti - Libera Università di Urbino
Prof. Bruno Zevi - Università di Roma
† Prof. Ludovico Zorzi - Università di Firenze
Soprintendente per i Beni Ambientali e Architettonici del Lazio - Roma
Soprintendente per i Beni Artistici e Storici del Lazio - Roma
Soprintendente per i Beni Artistici e Storici delle Marche - Urbino
Soprintendente per i Beni Ambientali, Architettonici, Artistici e Storici dell'Umbria - Perugia
Soprintendente per i Beni Artistici e Storici - Firenze
Soprintendente per i Beni Artistici e Storici - Milano
Soprintendente per i Beni Artistici e Storici - Bologna
Soprintendente per i Beni Ambientali e Architettonici di Firenze e Pistoia - Firenze
Soprintendente per i Beni Ambientali e Architettonici delle Marche - Ancona
Soprintendente Archivistico per la Toscana - Firenze
Soprintendente Archivistico per l'Umbria - Perugia
Soprintendente Archivistico per il Lazio - Roma
Direttore dell'Archivio di Stato - Firenze
Direttore dell'Archivio di Stato - Perugia
Direttore dell'Archivio di Stato - Pesaro
Direttore dell'Archivio di Stato - Mantova
Direttore dell'Archivio di Stato - Modena
Direttore dell'Archivio di Stato - Roma
Direttore dell'Istituto Nazionale per la Grafica - Roma
Direttore del Gabinetto di Disegni e Stampe - Firenze
Direttore dell'Istituto Centrale del Restauro - Roma
Direttore dell'Istituto Centrale per il Catalogo e la Documentazione - Roma
Direttore dell'Opificio delle Pietre Dure - Firenze
Direttore della Biblioteca di Archeologia e Storia dell'Arte - Roma
Direttore della Biblioteca Hertziana - Roma
Direttore dell'Istituto Germanico di Storia dell'Arte - Firenze

Sede: Ministero per i Beni Culturali e Ambientali - Ufficio Centrale per i Beni Librari e gli Istituti Culturali
Segretario Scientifico: Prof. Marcello Fagiolo
Segretario Tesoriere: Prof. Ludovico Quaroni - Accademia Nazionale di San Luca
Con funzioni di collegamento per le manifestazioni del Comitato: Dott.ssa Michela di Macco

RAFFAELLO E L'ARCHITETTURA A FIRENZE
nella prima metà del Cinquecento

Firenze, Palazzo Pitti
11 gennaio - 29 aprile 1984

Coordinamento scientifico del Catalogo e della Mostra:

Angelo Calvani
Soprintendente per i Beni Ambientali e Architettonici delle provincie di Firenze e Pistoia

Collaboratori al Catalogo e alla Mostra:

Cristina Acidini Luchinat
Isabella Bigazzi
Riccardo Dalla Negra
Paola Grifoni
Paolo Mazzoni
Gabriele Morolli
Enrica Neri Lusanna
Pietro Ruschi

Rilievi grafici:

Rolando Chiodi
Elio Rodio

Rilievi fotogrammetrici:

Prof. Mario Fondelli, Ing. Lamberto Ippolito, dell'Università degli studi di Firenze
Fiorella Facchinetti
Studio Rossi

Diagnostica artistica:

E.DI.TECH - centro di diagnostica di opere d'arte

Segreteria tecnico-scientifica:

Enrica Neri Lusanna

Segreteria amministrativa:

Raoul Paggetta

Collaboratori alla segreteria amministrativa:

Barbara Arrighetti
Daniela Baldi

Progetto Mostra:

Riccardo Dalla Negra
Pietro Ruschi

Allestimento Mostra:

Studio 72 di Ugo Scaletti
(pannelli fotografici e gigantografie)
Ditta Rangoni
(strutture in legno)
Illum
(impianti d'illuminazione)

Fotografie:

Alinari
Ugo Scaletti
Vincenzo Silvestri
Archivio Fotogr. Soprintendenza Beni Artistici e Storici
Archivio Kunsthistorisches Institut in Florenz
Archivio Fotogr. Soprintendenza Beni Ambientali e Architettonici
(A. Fiumicelli, F. Luchini, P. Mannino, E. Massi, C. Siliani)

RINGRAZIAMENTI

La Direzione ringrazia tutti coloro che hanno contribuito alla redazione del Catalogo e della Mostra:

Conte Filippo Pandolfini - Marchesa Maria Pia Amaraschi Uguccioni - Marchesa Annie Uguccioni - Mons. Gualtiero Bassetti - Dr. Paola Benigni - Dr. Sabine Eiche - Dr. Stefano Francolini - Dr. Laura Giusti Baldini - Prof. Detlef Heikamp - Dr. Antonina Monti - Dr. Maria Augusta Morelli Timpanaro - Prof. Alessandro Parronchi - Prof. Ugo Procacci - Prof. Roberto Salvini - Dr. Anchise Tempestini - Prof. Luigi Zangheri - La Biblioteca del Kunsthistorisches Institut di Firenze.

DAL PALAZZO PANDOLFINI AL PALAZZO UGUCCIONI: I PERCHÉ DI UNA MOSTRA

Angelo Calvani

Quando un grande artista, quale è Raffaello, resta nella storia per la sua opera di pittore e di architetto non si può, in occasione di una celebrazione legata a manifestazioni sulla sua attività, non studiarne e mostrarne anche la produzione nel campo delle 'fabbriche'.
Una manifestazione che trascurasse questo aspetto non risulterebbe completa né dal punto di vista documentario né dal punto di vista scientifico, perché lo stesso apparato critico sarebbe carente quando non tenesse conto della reciproca influenza dei due mezzi d'espressione, quello pittorico con quello architettonico, simultaneamente presenti e interdipendenti nell'ispirazione dell'artista. Sfuggirebbe cioè ogni possibilità d'individuare quanto il pittore ha dato all'opera dell'architetto e, viceversa, quanto l'architetto ha influenzato l'opera del pittore.
Al desiderio di eliminare ogni lacuna nel senso sopra accennato, a fianco della mostra di diversi disegni e dipinti la Soprintendenza per i Beni Ambientali e Architettonici ha ordinato una mostra d'architettura raffaellesca; così nello stesso palazzo Pitti saranno presenti l'uno e l'altro dei principali indirizzi dell'opera dell'artista.
Una mostra dunque tesa soprattutto a rendere un utile servizio alla storia dell'arte per le possibilità di conoscenza che offre sull'attività architettonica di Raffaello al suo acme, sulle espressioni di un consistente periodo costruttivo, sulle influenze prodotte sull'attività edilizia dei periodi successivi, sulla vivacità e preparazione delle committenze.
Per questo i temi trattati nella mostra prevaricano i limiti della città di Firenze, alla ricerca di motivazioni recondite dell'attività di Raffaello architetto nel suo insieme, anche se, ma per la prima volta in cinque secoli, vengono esposti precisi rilievi di due fabbriche fiorentine in qualche modo legate, come meglio diremo in seguito, all'opera del grande artista.

È noto che Firenze aveva perduto, agli inizi del Cinquecento, quel ruolo di centro propulsore che aveva avuto nel secolo precedente. Firenze che aveva prodotto il primo Rinascimento perde la sua preminente posizione nell'arte, che la volontà illimitata di diversi papi hanno fatto spostare a Roma, dove era in pieno rigoglio l'influenza di Donato Bramante.
I fermenti che l'avevano portata, agli inizi del Quattrocento, ad essere la città delle avanguardie, il centro di propagazione di una nuova concezione dell'uomo e del mondo, vanno spegnendosi.
L'arte, e l'architettura in particolare, riflettono questo stato di cose: le nuove realizzazioni si presentano non più come proposte innovatrici, ma come un continuo affinamento e perfezionamento di modelli ormai consolidati,

espressione di una società (quella della Firenze del secondo Quattrocento) che, giunta al culmine di un processo di sviluppo e civilizzazione, tiene a mantenere le posizioni raggiunte senza creare soluzioni di continuità con una tradizione prestigiosa. Tradizione di un passato recente, di cui si deve tener conto per sostenere una impronta di modernismo, se non più di avanguardia; ma anche tradizione di un'epoca più lontana, a cui si attinge per mantenere vivo e attuale il ricordo dell'età favolosa del Comune di cui la Firenze contemporanea deve apparire come diretta filiazione, secondo la politica del Magnifico, che mai volle istituzionalizzare il suo potere effettivo sulla città. Il tutto mediato da un'estrema raffinatezza ed eleganza, che caratterizza del resto la società laurenziana ad ogni livello, artistico, letterario e di costume. Questa la situazione a Firenze allo schiudersi del nuovo secolo, quando Raffaello giunge nella città all'indomani di storici confronti quali la decorazione di Palazzo Vecchio ad opera di Michelangelo e Leonardo. La sua produzione fiorentina prevalentemente limitata alla ritrattistica non consente ipotesi avventurose su un'applicazione in loco del nuovo concetto di spazio che l'urbinate ha già dilatato nella pala di Brera o su un'attività architettonica che sembra iniziare solo con il soggiorno a Roma.

Palazzo Pandolfini, unica architettura a Firenze sicuramente su progetto di Raffaello, secondo quanto ci tramanda Vasari e ci conferma l'evidenza dello stile, ha una gestazione romana. L'indagine approfondita condotta sui documenti ha permesso di sganciare l'ideazione del palazzo da quel 1517 che era finora ritenuto, anche se con qualche acuta perplessità del Ray, il termine d'inizio dei lavori; e di anticiparla di qualche anno spiegandosi così più convincentemente quegli arcaismi di retaggio urbinate insiti nel palazzo, soprattutto nel lato meno 'evidente' di via Salvestrina. Emerso che i lavori erano sicuramente iniziati nel 1516 e che il progetto fu quindi dato in Roma forse già negli anni '14-'15 allorché con l'avvento al soglio pontificio di Leone X Giannozzo Pandolfini prese a frequentare la corte papale, la fabbrica si potrà situare tra le prime ideazioni di Raffaello.

Ma la sottile indagine ha permesso di evidenziare e risolvere altre incongruenze finora presentatesi nella lettura del testo architettonico: non ultima quella della porta d'ingresso alla cappella del palazzo che, rispettando l'originaria ubicazione della chiesa di San Silvestro, veniva ad affiancarsi nelle piante del Cinquecento e nelle stampe successive al portone bugnato, creando una distonia nel linguaggio architettonico. L'originario progetto, come conferma anche la veduta che si ha nel ritratto di Giannozzo, conservato presso gli eredi Pandolfini, ricusava questa soluzione, a cui si giungerà più tardi.

Altro punto risolto è la veduta che si presentava dal portone centrale: la struttura, quasi a se stante, aveva il suo ideale completamento nella fontana che chiudeva assialmente il giardino. La presenza dell'ala bassa a destra del portone, che tanti dubbi ha sollevato, trova nel silenzio dei documenti e nell'esame approfondito della cartografia ulteriori elementi di incertezza.

Le investigazioni condotte con indagini fotogrammetriche, termovisive e con accurati rilievi non avrebbero potuto rivelarsi esaurienti senza quella ricerca d'archivio che ha investigato il palazzo e il 'mondo' ad esso connesso, travalicando il momento di disamina strettamente filologica dei fatti architettonici del primo Cinquecento per aumentare i livelli di lettura fino ad estenderli al clima socio-culturale che vi si dibatteva. Ne è una prova lo

spessore che ne acquistano le figure chiave per la storia del palazzo, ovvero Giannozzo e Ferrante Pandolfini, i due vescovi troiani che emergono quali committenti di opere culturalmente avanzate ed elitarie.
La loro frequentazione di ambienti di corte papale l'uno, di accademia fiorentina l'altro, determina le loro scelte nel campo delle arti figurative e getta luce sui 'caratteri' dei due personaggi così antitetici tra loro.
Da un lato Giannozzo, brillante, spiritoso, 'pagano', *a la page* nel campo delle arti figurative, nella scia delle grandi scelte papali committente del palazzo e responsabile di un arredo impegnativo e distillato formalmente quale il soffitto a cassettoni della stanza a piano terreno. Dall'altro Ferrante, religioso, schivo e anche dotto, la cui proiezione intima all'esterno può ben configurarsi nel programma iconografico di un sincretismo cristiano-pagano che in un affresco di probabile esecuzione dello Stradano orna l'altra stanza sempre a piano terreno.
Nell'ordinamento degli argomenti in catalogo la scarsa ricettività di Firenze alle novità romane precocemente esperite con palazzo Pandolfini, è stata evidenziata non tanto in ordine alle risultanze architettoniche quanto al clima morale che ne ha costituito il *back-ground*.
Così trent'anni di quasi impermeabilità o declinazione cittadina del linguaggio architettonico 'romano' fanno sì che palazzo Uguccioni a metà degli anni cinquanta finisca per essere il parallelo non cronologico, ma linguistico dell'*apax* raffaellesco.

Le ragioni della nostra scelta di affrontare la vicenda del palazzo Uguccioni in chiusura del percorso cronologico lungo il quale si articola la mostra non risiedono dunque nelle reiterate attribuzioni a Raffaello del suo progetto, avanzate dalla letteratura artistica del Settecento ma smentite definitivamente dalla critica odierna. E tuttavia crediamo che, al pari di ogni mito e leggenda, anche le attribuzioni inesatte contengano una piccola parte, per così dire una sfumatura di verosimiglianza, che non può essere ignorata o liquidata sbrigativamente: anzi richiede di essere individuata, valutata ed intesa per quanto ne può venire di aiuto nella decifrazione dell'episodio architettonico ed artistico nelle sue numerose, talvolta sfuggenti componenti storiche e formali.
Non del tutto irragionevolmente Giovanni Bottari nel suo commento alle *Vite* vasariane avanzò la proposta di assegnare a Raffaello il disegno per il prospetto del palazzo sulla Piazza dei Signori. Le sue connotazioni di perentorio classicismo, espresse nell'impaginato dei corretti ordini architettonici, lo differenziava in modo così evidente dai palazzi costruiti a Firenze nella prima metà del Cinquecento, che la sua estraneità ai canoni costruttivi locali doveva essere evidenziata e spiegata: o con l'attribuzione a un maestro attivo nel grande cantiere della Roma papale, centro irradiatore di un classicismo erudito e monumentale (e da qui le proposte riguardanti non solo Raffaello, ma anche Michelangelo e il Vignola), o con l'ipotesi di una inattesa presenza veneta a Firenze (le attribuzioni al Palladio).
Il percorso di codificazione, reinterpretazione e infine trasgressione del patrimonio formale tratto dall'architettura antica, di cui il palazzo Uguccioni può considerarsi una tappa degna di rilievo, si svolse come è noto fuori di Firenze. E in catalogo viene seguito il percorso che getta un ponte tra le

vicende dei due palazzi illustrando il clima politico, morale ed artistico fiorentino dalla morte di Lorenzo il Magnifico al Sacco di Roma, a mostrare come la sperimentazione sull'impiego degli ordini architettonici classici sia stata in questi anni poco avventurosa, quasi mortificata da una sordina che smorzava le eventuali risonanze di origine e gusto romani. Ne fanno fede le sfortunate esperienze di Baccio d'Agnolo nel palazzo Bartolini Salimbeni in piazza Santa Trinita (1523), unico episodio in cui ai temi costruttivi propri della tradizione fiorentina si combinano – peraltro mediate e trasformate – accentazioni di gusto classicistico: quali le membrature complesse e ricercate, le articolazioni plastiche risentite delle nicchie e del cornicione, le citazioni dall'antico. Baccio, la cui sola colpa a dire del Vasari era d'aver progettato un palazzo «con ornamento di finestre quadre con frontispizii e con porta, le cui colonne reggessino architrave, fregio e cornice» (Vasari-Milanesi, 1568, V, p. 351), fu morso dall'aspro sarcasmo dei concittadini che, con la finzione di scambiarne la facciata per quella d'una chiesa, fecero capire all'architetto come simili ricercatezze d'importazione disdicessero alle dimore dei privati.
A venticinque anni di distanza, sotto il segno del potere mediceo rampante verso una sempre più esplicita autocrazia, l'astio dei fiorentini per quanto emergeva al di sopra di una mediocrità dignitosa e senza pompa sembrava placato: i tempi anzi erano maturi perché le famiglie gentilizie gravitanti attorno alla corte, ponendosi in rispettosa gara con la committenza ducale, abbandonassero l'oculata prudenza di origine mercantile per distinguersi nella larghezza dello spendere in costruzioni di palazzi cittadini e ville nel contado.
Con il prospetto del palazzo Uguccioni, negli anni attorno al 1550 le formule del 'grande' classicismo romano fanno ingresso a Firenze, con un simbolico approdo nella Piazza dei Signori di fronte al Palazzo Vecchio. Sia fiorentino, o romano, o di altra origine l'ancora sconosciuto artista che ne inviò il disegno a Giovanni, certo il prospetto dispiega sul teatro (da sempre severo, se non ipercritico) della piazza un manifesto denso di citazioni classicistiche il cui significato innovativo non viene meno anche se nella realizzazione, certo dovuta a capimastri e scalpellini locali, si insinuano morfologie proprie della tradizione fiorentina.
Con un tempismo che 'brucia' l'iniziativa medicea, il palazzo Uguccioni giunge per primo a ricordare quella ortodossa successione degli ordini vitruviani che non si era più vista a Firenze dal tempo dell'Alberti, dal palazzo Rucellai: qui però il dorico regolare del piano terreno è come riassunto e sottinteso nel bugnato rustico basamentale, cui si sovrappone direttamente l'ordine ionico. Proprio mentre il palazzo Uguccioni era in costruzione, l'Ammannati lavorava per Cosimo ed Eleonora al progetto del cortile del palazzo Pitti, che sarebbe stato costruito a partire dal 1560 circa. Il tema della sovrapposizione degli ordini si ripresenta al massimo della sua solennità: ma non sul pubblico arengo di una piazza civica bensì nella sede privata di un palazzo che, quasi villa urbana, si congiunge alla collina di Boboli in una armonica fusione di architettura e natura. Nel cortile di Pitti gli ordini classici, anziché espliciti sono come riassorbiti nella massiccia rustica della tradizione architettonica fiorentina, che ne attenua la preziosità recuperando la maschia robustezza dei bugnati di macigno medievali.
Nel palazzo Uguccioni dunque è per così dire riassunto il significato di una

lunga vicenda architettonica svolta nell'ambito del classicismo romano. Nella formazione dell'artista che l'ha progettato sono entrate le esperienze di Raffaello, e prima ancora di Bramante; i preziosismi di una precoce 'maniera' ora aggressiva, ora cesellata, come nelle invenzioni piene di erudizione e di contrasti di Giulio Romano; i modi originali e 'terribili' di Michelangelo. Appunto per il suo valore di emblematica sintesi della articolatissima, polifonica vicenda dell'architettura del classicismo (accaduta per la maggior parte fuori delle mura fiorentine) il palazzo Uguccioni è sembrato la più eloquente chiusa al discorso artistico fiorentino della prima metà del Cinquecento; e, insieme, problematica cerniera che apre nella direzione del manierismo informato, ma sostanzialmente autoctono, della generazione vasariana.

FABBRICHE DEI PANDOLFINI AVANTI IL PALAZZO

Cristina Acidini Luchinat

1. La cappella familiare nella Badia

Negli anni che precedono l'avvio dell'opera di trasformazione delle case poste in via Sangallo, nel 1514 circa[1], la famiglia Pandolfini si impegnò in una committenza di notevole rilievo e prestigio: l'articolato intervento nella Badia Fiorentina, promosso e finanziato da Battista di Pandolfo, fratello di Giannozzo vescovo di Troia.
Alla chiesa della Badia il patronato dei Pandolfini si era indirizzato da diverse generazioni, come naturale espressione di un collegamento topografico fra il complesso benedettino della Badia e le case della famiglia, nella strada oggi detta appunto dei Pandolfini. La sua testimonianza più qualificata era il sepolcro del cavaliere Giannozzo, morto nel 1456, che i suoi eredi fecero edificare nella parete settentrionale della chiesa (attuale controfacciata)[2](fig. 1). Databile alla seconda metà del Quattrocento, il monumento è riferibile alla cerchia di Bernardo Rossellino[3]; come il sepolcro di Orlando de' Medici nella Santissima Annunziata, al quale si apparenta anche per prossimità cronologica[4], si compone di un alto basamento tripartito, con specchiature di marmo rosso intervallate da lesene scanalate di marmo bianco, e di un arcosolio. Nell'ombra solenne dell'arcone è il sarcofago inghirlandato, con lo stemma familiare sul coperchio e sulla fronte anteriore una cartella commemorativa retta da due putti alati. La cassa marmorea è sorretta simbolicamente da due delfini dal profilo aguzzo, ritagliati nel marmo contro il fondale d'ombra: provenienti dallo stemma 'parlante' della casata – coniato sull'assonanza del cognome con la dizione 'dolfino' assai frequente per 'delfino' – i due animali entrano con aggressiva vitalità nella composizione architettonico-decorativa della tomba parietale.
A questo primo episodio artistico connesso con il patronato dei Pandolfini in Firenze, Battista di Pandolfo fece seguito con importanti opere di ristrutturazione architettonica di parti della Badia (fig. 2), che avevano il loro necessario complemento nella realizzazione di opere d'arte e di arredi. L'inizio dei lavori è fissato dalle fonti letterarie sulla Badia al 1495[5], cioè subito dopo la cacciata di Piero dei Medici, che aveva posto un arresto alla carriera diplomatica e politica di Battista (ambasciatore a Ferrara per le nozze del duca Alfonso d'Este, e degli Otto di Balìa nel 1492); secondo i Paatz invece occorre posticipare l'intervento al 1503[6]. È certo poi che i lavori furono ultimati prima della morte di Battista, nel 1511.
Lo scopo perseguito da Battista era dotare la Badia di una cappella sotto il patronato dei Pandolfini, dove potessero trovar posto le sepolture familia-

ri. Poiché in chiesa mancava lo spazio per costruire *ex novo* un ambiente di adeguata ampiezza, egli si rivolse alle immediate adiacenze e ottenne di appropriarsi di un piccolo edificio sacro adiacente alla chiesa di Badia: la chiesa di Santo Stefano, che affacciava il prospetto orientale sull'attuale via del Proconsolo. Come risulta dalla veduta della Badia da settentrione nel *Codice Rustici*[7], la chiesetta era già allineata con la chiesa maggiore in modo da formare sulla strada un fronte ininterrotto. A questo l'architetto della cappella, che secondo la testimonianza generalmente accettata del Vasari fu Benedetto da Rovezzano[8], si attenne con rispetto edificando il nuovo volume pressoché nei medesimi limiti di quello preesistente. Dell'antica chiesetta, la cappella dei Pandolfini ereditò il santo titolare Stefano[9].

Nell'architettura della cappella, Benedetto da Rovezzano si espresse in un linguaggio fortemente caratterizzato dall'eredità brunelleschiana. La costruzione a pianta pressoché quadrata si risolve nella nitida stereometria di un parallelepipedo cavo sormontato da una cupola emisferica sorretta da pennacchi (fig. 4): nei quattro lunettoni si aprono altrettanti oculi luciferi. Nella parete orientale, dominata dal profondo arcone centinato dove alloggia l'altare, ai lati si dispongono due porte che conducono a sagrestiole[10] e due finestre centinate (fig. 5). Le membrature architettoniche e gli elementi decorativi sono in pietra serena, in aggetto contro il piano fondale delle superfici dealbate. Nella molteplicità dei riferimenti alle architetture brunelleschiane, spicca la citazione quasi letterale dei temi della Sagrestia Vecchia (dalla cui scarsella ad esempio proviene la soluzione della parasta d'angolo ridotta ad un affilatissimo spigolo), ma non mancano ricordi del transetto di San Lorenzo e della cappella Pazzi: modi compositivi dunque ormai acquisiti da decenni alla tradizione costruttiva fiorentina, e tuttavia messi in opera con qualche caduta di qualità. Si veda ad esempio la poco felice soluzione della doppia trabeazione perimetrale: quella inferiore poggia sulle lesene di ordine corinzio e su mensole sospese coincidenti con l'asse mediano delle pareti; quella superiore, scolpita a ovoli, segna il bordo inferiore dei lunettoni e, negli angoli, l'origine dei pennacchi. Questa coesistenza di due distinte trabeazioni a poca distanza l'una dall'altra divide l'ambiente della cappella in due spazi distinti e incomunicanti, con il risultato di compromettere l'unità architettonica.

La sensibilità di Benedetto si rivela invece con maggior evidenza nelle parti scolpite: nei gruppi di frutti stilizzati in limpidi corpi geometrici nell'arco dell'altare, nei capitelli corinzi, nelle mensole fogliate e negli stemmi, tra i quali quello sull'arcone dell'altare accenna a una metamorfosi in vegetale per la presenza di due fronde ai lembi superiori dello scudo.

La cappella conserva oggi modeste tracce del patrimonio di arredi e decorazioni di cui fu certamente dotata[11]. Una notevole diminuzione è anche causata dalla copertura protettiva del pavimento, nella cui parte centrale si trovano le memorie funebri in marmo dei Pandolfini più illustri – del cardinale Niccolò, dei vescovi di Troia Giannozzo e Ferdinando o Ferrando, di Battista costruttore della cappella – poste per i voleri testamentari di Roberto Pandolfini nel 1592[12].

Inoltre, una componente di grande impegno figurativo che avrebbe trasformato la cappella in un sontuoso mausoleo non fu mai condotta a compi-

1 – Bernardo Rossellino e collaboratori, Tomba di Giannozzo Pandolfini il vecchio (morto nel 1456), seconda metà del XV secolo. Firenze, Badia Fiorentina.

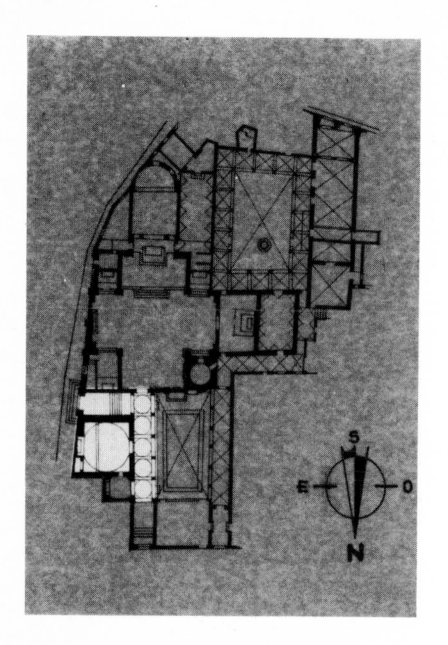

2 – *Pianta della chiesa e del convento della Badia Fiorentina (da W. e E. Paatz,* Die Kirchen von Florenz, *1955). In evidenza gli interventi pandolfiniani: il portale d'ingresso, l'atrio, l'ala orientale del chiostro porticato, la cappella familiare.*

mento. Si trattava del monumento funebre del cardinale Niccolò, il fondatore dell'imponente villa detta «La Pandolfina» per la residenza dei vescovi di Pistoia a Igno, presso Brandeglio [13]. Il cardinale affidò l'esecuzione della propria tomba a Baccio da Montelupo e ai suoi collaboratori tra i quali, secondo i ricordi del figlio Raffaello, erano Simone Mosca, Silvestro Cofacci da Fiesole, Stoldo e Giovanni Fancelli da Settignano, il «Cicilia» e Raffaello stesso [14]. Il monumento doveva costare duemila scudi, e richiedeva secondo le parole di Raffaello il lavoro di molti scalpellini: tanto che il «Cicilia» venne appositamente da Napoli «per intagliare la sepoltura si trova nella Badia di Fiorenza: non s'è mai messa in opera, perché mancò quel vescovo e poi non si seguì». Se appare indiscutibile che la morte di Niccolò, nel 1519, pose fine al progetto grandioso, altrettanto evidente però risulta dal brano dell'autobiografia di Raffaello che il monumento fu almeno iniziato, e che qualche sua parte fu scolpita dalla bottega di Baccio direttamente nel luogo di destinazione. Si propone quindi di riconoscere un elemento del sepolcro di Niccolò nel basamento in marmo di Carrara entro l'arcone della cappella dei Pandolfini: alquanto modesto e di morfologia insolita per fungere da base ad un altare, il blocco marmoreo trova invece una convincente collocazione come supporto di una articolata tomba a parete, che avrebbe dovuto inserirsi nel vano dell'arcata. Alla data d'inizio dell'impresa, che si dovrebbe situare nel 1517 [15], erano già diffusi i tipi dei monumenti parietali riccamente ornati di rilievi decorativi, nicchie e statue a tutto tondo inaugurati dal Sansovino con i sepolcri di Ascanio Sforza e Girolamo Basso della Rovere in Santa Maria del Popolo a Roma (con un'anticipazione a Firenze, nell'altare Corbinelli in Santo Spirito). Il basamento, nel quale è inserito a mo' di basso zoccolo un tratto di cornice in marmo bianco e verde (forse proveniente da un arredo romanico della vecchia chiesa), ha sul fronte anteriore due paraste in lieve aggetto ciascuna con uno scudo in rilievo, sospeso a un anello grazie a un nastro annodato desinente nei consueti svolazzi (fig. 6). Negli scudi sono scolpiti gli emblemi araldici dei Pandolfini: il rastrello con i tre gigli, la coppa con tre fiori, tre delfini di grandezza decrescente. Il rilievo spiccato accentua l'interpretazione vigorosamente naturalistica del tema araldico, soprattutto nel modellato dei delfini sodi e squamosi, inarcati nella posa pur convenzionale e stilizzata del nuoto con un impeto che fa loro dilatare (come a veri pesci) le branchie.

La mensa che sormonta il basamento, di marmo diverso, è evidentemente un'aggiunta posteriore necessaria per trasformare la base in un altare, regolarmente consacrato dalla reliquia sigillata. L'abbandono del disegno vagheggiato da Niccolò Pandolfini può spiegare quindi l'assenza di un altare confacente alla dignità della cappella, e di un dipinto che lo completasse, per tutto il Cinquecento. Solo nella prima metà del secolo successivo i Pandolfini provvidero a far dipingere nella lunetta sopra l'altare una *Storia di Santo Stefano* (oggi assai deteriorata) con ornati nel sottarco e nel fregio della trabeazione; e posero al di sopra della mensa la tela con il *Martirio di Santo Stefano* del Bilivert [16].

3 – Benedetto da Rovezzano, portale (il fregio è copia ottocentesca), 1503-11 circa. Firenze, Badia Fiorentina.

2. *Il portico nel primo chiostro*

4 – Firenze, Badia Fiorentina. Cupola della cappella Pandolfini, progetto di Benedetto da Rovezzano, 1503-11 circa.

5 – Firenze, Badia Fiorentina. Parete d'altare della cappella Pandolfini, progetto di Benedetto da Rovezzano, 1503-11 circa.

Nel suo intervento architettonico del primo decennio del Cinquecento, Battista Pandolfini fece costruire su disegno di Benedetto da Rovezzano anche l'ala di portico a cinque campate e l'androne voltato che raccorda l'ingresso sul fianco settentrionale della chiesa di Badia all'attuale via Dante Alighieri (fig. 7); la cappella affaccia nel sottoportico l'accesso dalla sobria mostra in pietra, con i pregevoli battenti lignei cinquecenteschi, scolpiti a cartigli con stemmi familiari.

Nelle cinque campate di portico, dove si esprime ancora una volta la devozione di Benedetto da Rovezzano per i grandi testi del Brunelleschi (in questo caso, per il portico degl'Innocenti), la committenza dei Pandolfini riceve la propria celebrazione attraverso il linguaggio decorativo singolarissimo dei peducci e dei capitelli (figg. 8 e 9). Qui infatti l'ordine corinzio classico è coniugato con le forme araldiche dello stemma gentilizio, per trasformarsi in un composito dove le volute angolari sono sostituite da code attorte di delfini: a coppie, gli snelli animali marini s'inchinano ai lati di un vaso baccellato centrale e da questo sorge un fiore – con due bocci, per alludere al terzetto di corolle dello stemma – che allungandosi oltre le teste dei delfini diventa un insolito *flos abaci*.

Benché accomunati dall'invenzione encomiastica, i peducci e i capitelli differiscono l'uno dall'altro nel trattamento delle forme, per la presenza di diversi lapicidi della medesima bottega. Alcuni delfini hanno corpi asciutti e secchi, altri tondeggianti e carnosi; le coppe ora hanno proporzioni armoniose e fine baccellatura, ora sono larghe e schiacciate, di fattura sommaria. Nei due capitelli mediani la coppa addirittura è omessa, e al suo posto è una corolla che genera una fronda alta e sottile.

In certe coppie di delfini il trattamento accurato e sapiente del modellato, per colpi brevi di scalpello e delicate striature, sottolinea la muscolatura nervosa dei corpi con un effetto di tensione rattenuta, che ricorda i turgidi capitelli corinzi di Benedetto nell'altare Sernigi in Santa Trinita, e più ancora nel palazzo Corsi Horne[17]; al tempo stesso però suggerisce una fresca consistenza vegetale, come di fronda soda o di baccello, in una felicissima metamorfosi che riassume con didascalica efficacia la presenza delle insegne familiari, la naturalità degli animali evocati, e infine il doveroso ricordo delle volute corinzie. Qui sul versante di una rasserenante vitalità, Benedetto sperimenta la medesima trasposizione di segni parlanti entro il sistema linguistico della tradizione che caratterizza, però in senso mortuario e macabro, i sepolcri da lui scolpiti per Oddo Altoviti nella chiesa dei SS. Apostoli (1507) e Pier Soderini al Carmine (1512).

L'enunciazione dell'emblema a ornamento e commento dell'ordine architettonico ricorre anche nel palazzo di Giannozzo in via San Gallo, dove i capitelli in pietra della loggia ostentano, entro un fregio delimitato da cornici a fogliami perle e fusaruole, schiere di delfini allineati all'inseguimento l'uno dell'altro (fig. 10). In questi elementi scolpiti (che il Geymüller assegnava dubitativamente a Baccio d'Agnolo[18] e che il Frommel ha ricondotto nell'ambito di una bottega fiorentina ancorata ai modi quattrocenteschi[19]) il rigoglio metamorfico e naturalistico dei capitelli e peducci di Benedetto alla Badia è totalmente assente: anzi l'iterazione delle eleganti sagome inarcate dei delfini – frastagliate nei contorni da pinne aguzze, fauci, lingue e bargigli – suggerisce un tema decorativo astratto.

6 – Bottega di Baccio da Montelupo (?), stemma dei Pandolfini nell'altare marmoreo della cappella familiare, 1517–19 circa. Firenze, Badia Fiorentina.

3. Il portale d'ingresso

Ancora a Battista Pandolfini si deve infine il rinnovamento dell'ingresso che dalla via oggi del Proconsolo introduce al primo chiostro e alla chiesa di Badia.

Il portale dal timpano semicircolare (fig. 3), opera anch'esso di Benedetto da Rovezzano anteriore al 1511, fu alterato nel secolo scorso da radicali restauri, che comportarono fra l'altro la sostituzione del fregio scolpito in pietra[20]. Nel fregio, i cui elementi originali si trovano nel Museo Nazionale del Bargello, Benedetto fece nuovamente ricorso al limitato repertorio formale dell'araldica dei Pandolfini componendone i segni in un ornato seriale di gusto antichizzante: i delfini si affrontano a coppie ai lati di un vaso con tre corolle, mentre le code sono legate a due a due da un altro triplice fiore. La medesima versione dell'antico tema delle belve affrontate, con una coppa o candelabra al centro, si trova anche nella decorazione del soffitto di uno studiolo nel palazzo di Giannozzo, attribuita ad Andrea di Cosimo Feltrini[21]; in questo tessuto decorativo esplicitamente ispirato ai modi della pittura romana di età imperiale, quali venivano reinterpretati dai pittori di *grisailles* e di grottesche delle inquiete generazioni a cavallo tra il Quattro e il Cinquecento[22], il carattere 'antiquario' dell'invenzione rovezzanesca risulta ancora più evidente e propriamente ambientato.

Negli anni in cui Battista programmava e metteva in opera i suoi abbellimenti nella chiesa di Badia, la famiglia godeva il possesso di qualificate dimore fuori del centro cittadino. Fino al 1504 ebbe la villa già dei Pitti (detta dei Carducci) a Legnaia, nel cui salone maggiore Andrea del Castagno aveva dipinto la celebre serie degli *Uomini e donne illustri*[23]. Battista stesso si era fatto costruire in prossimità di Lastra a Signa, luogo d'origine della famiglia, la villa di Colle Bertini con il disegno di un architetto fiorentino, nel quale si è proposto di riconoscere Benedetto da Rovezzano[24]: si tratterebbe in tal caso dell'esordio di Benedetto al servizio di Battista, che ha il suo momento più impegnativo negli episodi architettonici e decorativi della Badia. Il gusto di Battista dunque, per quanto si comprende dalle sue committenze, inclinava verso modi raffinati e contenuti che non esorbitavano dal solco di una sperimentata tradizione locale. Con Niccolò, committente del grande sepolcro affidato a Baccio da Montelupo e mai realizzato, l'aspirazione a competere con il mecenatismo delle massime casate cittadine sembra precisarsi, indirizzandosi verso un monumentalismo aulico di linguaggio più 'moderno'. Spetterà a Giannozzo, aperto alle suggestioni del gusto leoniano, collegare il nome della famiglia all'unico episodio architettonico fiorentino direttamente influenzato da Raffaello.

7 – Firenze, Badia Fiorentina. Ala orientale porticata del primo chiostro, progetto di Benedetto da Rovezzano, 1503-11 circa.

8 – Bottega di Benedetto da Rovezzano, capitello composito con delfini nel portico del primo chiostro, 1503-11 circa. Firenze, Badia Fiorentina.

9 – Bottega di Benedetto da Rovezzano, peduccio composito con delfini nel portico del primo chiostro, 1503-11 circa. Firenze, Badia Fiorentina.

10 – Firenze, palazzo Pandolfini. Lapicidi fiorentini del primo Cinquecento, capitello con delfini nella loggia.

NOTE

[1] Per quanto riguarda le fasi della costruzione del Palazzo si vedano C. L. FROMMEL e il contributo di Pietro Ruschi in questo catalogo.
[2] A proposito delle numerose e rilevanti trasformazioni dell'antico impianto che hanno determinato l'attuale configurazione architettonica della chiesa, si veda ALESSANDRO GUIDOTTI, *Vicende storico-artistiche della Badia Fiorentina*, nel volume di autori vari *La Badia Fiorentina*, Firenze 1982.
[3] Si vedano A. MARKHAM SCHULZ, *The Sculpture of Bernardo Rossellino and his Workshop*, Princeton (N.J.) 1977, e ALESSANDRO GUIDOTTI, *op. cit.*
[4] Orlando de' Medici morì nel 1455; la sua tomba è attribuita a Bernardo Rossellino e collaboratori: si vedano WALTER und ELIZABETH PAATZ, *Die Kirchen von Florenz*, Frankfurt am Main 1955, bd. I, p. 101 e A. M. SCHULZ, *op. cit.*
[5] Si vedano P. PUCCINELLI, *Cronica dell'Abbadia di Firenze*, Milano 1664 e G. B. UCCELLI, *Della Badia Fiorentina, Ragionamento storico*, Firenze 1858. La data 1495 è accolta da EUGENIO LUPORINI, *Benedetto da Rovezzano*, Milano 1964 e riportata da A. GUIDOTTI, *op. cit.*
[6] W. und E. PAATZ, *op. cit.*
[7] Marco di Bartolomeo Rustici, veduta della Badia Fiorentina da settentrione, metà del XV secolo. Firenze, Seminario Maggiore del Cestello, *Codice Rustici*, c. 25r.
[8] GIORGIO VASARI, *Le Vite de' più eccellenti Pittori, Scultori ed Architettori*, Firenze 1560, edizione a cura di GAETANO MILANESI, Firenze 1878, vol. IV, p. 535: «Fu ordine e architettura del medesimo [Benedetto da Rovezzano] la porta e vestibulo della Badia di Firenze, e parimente alcune cappelle, e in fra l'altre quella di Santo Stefano fatta dalla famiglia de' Pandolfini».
[9] Al santo furono dedicati, nella prima metà del Seicento, la pittura nella lunetta dell'arcata sulla parete di fondo e il quadro d'altare. Il nome Stefano non ricorre nelle genealogie dei Pandolfini, neppure dopo l'assunzione del patronato della cappella.
[10] I ridottissimi ambienti con precisa funzione liturgica risultano dal raccordo tra la parete occidentale della cappella e il muro esterno sulla via del Proconsolo, vale a dire dall'intercapedine trapezoidale entro la quale trova posto anche la profondità dell'arcone al centro della parete; le loro forme e dimensioni sono pertanto lievemente diverse. Nella sagrestiola a destra è presente un bell'arredo ligneo, presumibilmente seicentesco.
[11] Negli inventari della Badia sono ricordati numerosi oggetti liturgici con lo stemma dei Pandolfini abbinato a quello dei Neroni (in seguito al matrimonio di Pier Filippo con Maria di Francesco Neroni) e dei Nelli. Si tratta di cassettine in rame, reliquiari, due paci, un crocifisso in argento e smalti fatti eseguire a più riprese (1477, 1486-88, 1490, 1493). Alcuni di questi oggetti sono stati rimaneggiati e ricomposti nel cosiddetto reliquiario di San Gordiano; le due paci in argento si trovano nella Walters Art Gallery di Baltimora. Si veda A. GUIDOTTI, *Gli arredi*, in *op. cit.* pp. 112-14.
[12] L'informazione è di GIUSEPPE RICHA, nelle *Notizie istoriche delle chiese fiorentine*, Firenze 1754, vol. I, p. 197, il quale così trascrive le iscrizioni commemorative incise nel «fino marmo»: «I. NICOLAVS PANDVLPHINVS S.R.E. CARDINALIS ANNO DOM. MDXIX / II. IANNOCTIVS PANDVLPHINVS EPISCOPVS TROIAE AN.D. MD. [sic] / BERNARDVS [sic] PANDVLPH. EPISCOPVS TROIAE MDLX / III. IOANNES BAPTISTA PANDVLPHINVS PAND. FIL. / SACELLVM HOC SVMMA PIETATE / D. STEPHANO CONSTRVXIT / NEC NON EIVSDEM FAMILIAE POSTERIS / MONVMENTVM HIC SVBESSE VOLVIT / QVOD DEINDE ROBERTVS EX FILIO NEPOS / PAVIMENTO MARMOREO ORNANDVM / TESTAMENTO RELIQVIT / AN. DOM. MDLXXXXII».
[13] Niccolò iniziò la costruzione della villa con i fabbricati adiacenti nei primi anni del Cinquecento (la fontana recava la data 1508); i vescovi Lorenzo e Antonio Pucci, suoi successori, la completarono e apposero lo stemma familiare sulle due facciate. Si veda SABATINO FERRALI, *Villa d'Igno*, ne *Il patrimonio artistico di Pistoia e del suo territorio, catalogo storico descrittivo*, Pistoia 1967, pp. 217-218. Una rappresentazione tardocinquecentesca della villa e dei dintorni (compresa la fontana e una cappelletta a pianta poligonale voltata a cupola) è in un manoscritto della Biblioteca Comunale Forteguerriana di Pistoia, Raccolta Alberto Chiappelli, 316, cc. 98v-99r; pubblicata da Lucia Gai nel catalogo della mostra *Pistoia: una città nello stato mediceo*, Pistoia 1980, pp. 124-125.
[14] *Autobiografia di Raffaello da Montelupo*, 1565 circa, in VASARI-MILANESI, IV, pp. 553-54.
[15] L'opera fu interrotta nel 1519 per la morte di Niccolò; ad essa la bottega di Baccio da Montelupo aveva lavorato per circa due anni, come ricorda Raffaello (*Autobiografia*, cit.).
[16] L'attribuzione è del Richa, accolta dai Paatz e dal Guidotti. Il Puccinelli aveva attribuito il quadro d'altare a Cristofano Allori.
[17] Si veda E. LUPORINI, *op. cit.* Il preoccupante degrado della pietra serena ha causato la caduta di vari pezzi di capitelli, soprattutto delle code-volute dei delfini sul lato orientale, più esposte alle intemperie. Si è così reso possibile, sfortunatamente, esaminare da vicino la superficie e il modellato di questi pezzi (conservati nella vicina canonica).
[18] C. STEGMANN - H. GEYMÜLLER, *Der Architektur der Renaissance in Toscana*, München 1885-90.
[19] C. L. FROMMEL, *Der römische Palastbau der Hochrenaissance*, Tubingen 1973, II.
[20] Nel suo commendo alla *Vita* vasariana di Benedetto da Rovezzano, nel 1878, Gaetano Milanesi ricordava: «L'ornamento architettonico di pietra serena della porta di Badia sulla via del Proconsolo,

essendo assai guasto, fu rifatto a' nostri giorni, procurando come meglio si seppe di riprodurre e copiare l'antico» (IV, p. 535). Nell'occasione fu anche demolita e sostituita la scala settecentesca dinanzi all'ingresso.

[21] Si veda il saggio di Enrica Neri Lusanna in questo catalogo.

[22] Su questi argomenti si vedano N. Dacos, *La découverte de la Domus Aurea et la formation des grotesques à la Renaissance*, London-Leiden 1969, e C. Acidini Luchinat, *La grottesca*, nella Storia dell'Arte Italiana Einaudi, vol. XII: *Forme e modelli*, Torino 1982.

[23] Pier Filippo di Giannozzo acquistò la villa poco dopo il 1469 da Alfonso Pitti; suo figlio Alessandro la vendé a Niccolò Antinori l'8 giugno 1504. Si veda G. Lensi Orlandi Cardini, *Le ville di Firenze di là d'Arno*, Firenze 1965, p. 136.

[24] La villa fu costruita dopo il 1484; nel 1488 vi fu apposto lo stemma di Niccolò, allora vescovo di Pistoia. Filippo di Roberto Pandolfini vi aggiunse la terrazza (1623) e sistemò la cappella. Si veda G. Lensi Orlandi Cardini, *op. cit.*, pp. 172-73.

VICENDE COSTRUTTIVE DEL PALAZZO PANDOLFINI NELL'ARCO DEL CINQUECENTO

Documenti e ipotesi*

Pietro Ruschi

«alza la testa in disusato modo,
un bel palazo ornato d'ogni intorno,
tutto ricco ed adorno
di pietre, marmi, porfidi, alabastri,
non mai più visti in questa o in altra etade»
(Benedetto Varicensio)

Quando il 24 gennaio del 1494 Giannozzo Pandolfini[1], vescovo di Troia, prende in affitto dai frati del convento di Montesenario «unum ortum ... cum domo posita in populo Sancti Laurentij iuxta oratorium S. Silvestri» egli ha già ben determinata l'intenzione di costruirvi la sua nuova dimora, tanto da farlo esplicitamente mettere per scritto al notaio Ottaviano da Romena: «et promisit et solempniter convenit ... dictam domum et dictum ortum reficere et super ea redificare et dicta bona augere et meliorare omnibus suis sumptibus et expensis».
Del resto Giannozzo con la sua numerosa 'famiglia' («non che una casa metano in vilupo uno castello»)[2], tanto numerosa che la convivenza col fratello Francesco era divenuta ormai impossibile, non può certo pensare di trasferirsi nella piccola casa presa in affitto in via San Gallo, «casolare et non habitatione», come la chiama lui stesso nel suo *Libro dei ricordi*. Poco dopo la stipula del contratto di allogagione Giannozzo sembra trovarsi in difficoltà economiche – ma non è da escludere che, data la sua indole, finga di esserlo – tanto da ricorrere a una sorta di simonia facendo sì che a fra' Evangelista «sindico e procuratore» del Montesenario, venuto a Roma per trattare con lui, sia concesso il priorato di quel convento in cambio di ulteriori agevolazioni nei pagamenti dei canoni annui, e suscitando in conseguenza a Firenze quasi una sommossa popolare. Ancora nel marzo del 1504 i frati sollecitano Giannozzo affinché, rispettando gli accordi, provveda a sue spese a far riparare il tetto della chiesa di San Silvestro e della casa rimasta loro in uso, ma, nonostante due anni più tardi, il 18 febbraio 1506, il contratto di affitto venga ulteriormente perfezionato, il vescovo continua imperterrito a non pagare fino al 1511.
Fino a quest'anno infatti l'interesse di Giannozzo a dar inizio ai lavori per l'ampliamento e la sistemazione della casa in via San Gallo appare diminuito. Ma poco dopo sembra nuovamente risvegliarsi: il 18 agosto 1512 Francesco Pandolfini, dichiarandosi procuratore del fratello vescovo, firma una convenzione con i frati di Montesenario impegnandosi a fare murare

1 – Anonimo della seconda metà del XVI secolo, Ritratto del vescovo Giannozzo Pandolfini, particolare con la veduta del palazzo fra il 1528 e il 1536. Firenze, collezione Pandolfini.

* Per i documenti citati nel testo si rimanda direttamente alla consultazione del regesto *ad annum*.

entro un mese «cum solido et integro muro cum calcina» la porta di comunicazione fra la chiesa e la casa affittata, tutte le aperture o finestre che si affacciano verso la chiesa, e a far costruire, entro diciotto mesi, una 'volta' sotterranea di fronte all'abitazione dei frati, una scala che porti nella casa a loro rimasta in uso e un muro che, congiungendosi con quello del convento di San Pietro al Murrone, venga a dividere l'orto del vescovo da quello del convento.

Anche se poi Giannozzo non condividerà l'accordo stipulato dal fratello («Francesco nostro fratello ... dixe loro era nostro procuratore, et non ci ricordiamo che fusse procuratore ... et fecion certo contratto di detto debito contra la mia intentione»), tanto che da allora i rapporti fra i due vanno definitivamente deteriorandosi, gli impegni assunti da Francesco sembrano presumere l'inizio dei lavori al malridotto 'casolare'.

Certo è che nel febbraio del 1516, ottemperando finalmente agli impegni assunti, i lavori alla chiesa sono quasi ultimati, tanto che si sta sistemando l'altar maggiore, e si provvede anche alla definizione di accordi collegati al progetto di costruzione, che evidentemente a quella data già esisteva. Viene infatti stabilito che il vescovo può liberamente utilizzare la scala, probabilmente l'unica a quel tempo esistente, che dall'oratorio conduceva alla sua abitazione, mentre la chiesa e la sacrestia dovranno restare in uso ai frati; inoltre non potranno essere eseguite demolizioni nell'ospizio e nel chiostro, né dovrà essere abbattuto il muro divisorio fra le due proprietà. Si stabilisce infine che il vescovo non potrà «far murare né smurare in decta chiesa, né ne li antedetti lochi [la sacrestia e la scala] excepto sopra l'archo di detta cappella et sacrestia et scala, che verrà alto braccia dodici cioè dal piano di terra, che detto vescovo et sui successori potranno murare, come si dice, per uso loro, dalle dicte dodici bracce in sù».

Come abbiamo già osservato il contratto del 18 febbraio 1516 costituisce il termine *ante quem* per l'inizio dei lavori al palazzo, ma non ci fornisce indicazioni circa la data del progetto, pur confermandone indirettamente non solo l'esistenza, ma anche come esso prevedesse la costruzione di un edificio di almeno due piani, di cui il secondo avrebbe dovuto essere edificato sopra la chiesa di San Silvestro, inglobandola senza demolirla. Se prendiamo per buona la notizia, purtroppo priva di indicazione delle fonti, di Jodoco Del Badia[3], che già sul finire del 1515 Leone X, di passaggio da Firenze, si soffermava a visitare la nuova dimora di Giannozzo, certo ancora in costruzione («nos qui dum Florentie, postquam ad summi Apostolati apicem fuimus assumpti, essemus, huiusmodi aedificia, qui super bonis predictis construi fecisti, inspeximus» ricorderà in effetti il papa nel suo 'breve' del febbraio 1520 a Giannozzo), la data del progetto va collocata prima di quell'anno e verosimilmente prossima, se non anteriore al contratto del '12, se non addirittura alla convenzione del 1511. Il progetto di Raffaello non può dunque essere messo in relazione, così come quasi sempre è stato fatto, con la breve visita che egli compì a Firenze alla fine del '15, su invito del papa: del resto sono documentati alcuni soggiorni di Giannozzo a Roma certamente divenuti più frequenti dopo il 1513, quando Leone X fu consacrato papa, ed è quindi possibile che l''amicizia' fra Raffaello e Giannozzo e la successiva stesura del progetto, sia avvenuta proprio fra il '13 e il '14, quando il Sanzio era ormai a Roma, impegnato

2 – Firenze, palazzo Pandolfini. Facciata.

3 – Veduta del convento di San Pietro in Murrone in via San Gallo. Firenze, Seminario Maggiore, Codice Rustici, 1450 circa, c. 13.

4 – Firenze, palazzo, Pandolfini, prospetto nord. Particolare dell'attacco della cornice marcapiano al bugnato d'angolo.

nel proseguimento dei lavori alle Stanze e poi, dall'aprile del '14, in San Pietro. Non è tuttavia da scartare l'ipotesi che Raffaello abbia redatto il 'disegno' per il palazzo in anni precedenti al '12, visto che Giannozzo fino dal 1494 aveva già espresso la volontà di costruire la sua nuova dimora in via San Gallo, e in questo caso dovremmo pensare che la conoscenza fra i due sia avvenuta durante il primo soggiorno fiorentino di Raffaello, durato quasi quattro anni e terminato nel 1508. Tale ipotesi, cui peraltro non ostano i documenti, trova conforto nell'analisi del testo architettonico, dove, come ha sottolineato Stefano Ray[4], sono evidenti aspetti arcaicizzanti – la mancanza degli ordini, la rigidità dell'insieme accentuata dalle ininterrotte superfici a intonaco, l'elaborazione di un unico prospetto in facciata, la semplice loggia tripartita – certo inflessi, attraverso il 'provincialismo' del Sangallo, all'ambiente fiorentino, ma forse non immuni da reminiscenze urbinati; aspetti arcaicizzanti che divengono ancor più accentuati se consideriamo che la costruzione dell'ala destra a un piano, da sempre vista come un innovativo, asimmetrico elemento di rottura dello statico isolamento dell'edificio principale o come proposizione di un più complesso disegno, è probabilmente da riferirsi a un intervento assai più tardo e non collegabile all'originale progetto raffaellesco[5].

Negli anni fra il 1516 e il '17, mentre proseguono i lavori di costruzione al palazzo, si fa più intensa l'attività di Giannozzo, che da un lato, con contratto rogato il 23 giugno 1516, provvede alla vendita per 1500 fiorini della sua casa in via Pandolfini, forse in previsione del suo trasferimento nella nuova dimora e per meglio fronteggiare le spese per la 'fabbrica' in corso, dall'altro mira a sfruttare quanto può il favore e l'amicizia del pontefice, ottenendo, il 13 luglio dello stesso anno, l'emanazione di una 'bulla', dove viene definitivamente sancita l'affrancazione dei beni di via San Gallo.

Il breve papale del 15 giugno 1517 costituisce un'ulteriore testimonianza che i lavori sono ancora in corso («tuque qui maximus impensus in costructione aedificiorum ... fecisti, et maiore facere intendis») e recepisce la richiesta del vescovo di Troia, autorizzandolo all'acquisto anche della restante parte del convento («que respectu tue partis modica est») e concedendo a Giannozzo, che evidentemente ne aveva fatto richiesta per esigenze 'di progetto', di demolire anche la chiesa, purché provveda a ricostruirla lì vicino. In effetti Giannozzo attenderà fino al 18 gennaio 1520 prima di dare incarico al nipote Pandolfo affinché in qualità di suo procuratore provveda a pagare ai frati di Montesenario i duecento ducati necessari all'affrancazione dei beni, e addirittura fino al 26 aprile dello stesso anno per procedere alla stipula del contratto di acquisto della «domum cum sala, cameris, turia, palchis et tectis et cum orto et stabulo et alijs suis pertinentijs», che fino ad allora era rimasta proprietà del convento. Infine, il 23 luglio 1520, in adempimento del breve papale del '17 e probabilmente al fine di ottenere la più completa autonomia per procedere ai lavori di trasformazione, Giannozzo ottiene dalla curia arcivescovile fiorentina il patronato della chiesa di San Silvestro.

Il breve papale dell'11 febbraio 1520 ci fornisce la prova che a quella data la prima fase dei lavori al palazzo è terminata: «prout tenes et possides – scrive Leone X al Pandolfini – de presenti notabile aedificium, non sine

5 – Firenze, palazzo Pandolfini. Facciata su via San Gallo, particolare di finestre al piano terreno e al primo piano.

magna impensa tua construi et aedificari feceris»; non vi è dubbio quindi che a questa data, al termine della prima fase dei lavori durata circa cinque anni, la costruzione del palazzo, dove Giannozzo si era già trasferito almeno da gennaio, era assai avanzata, anche se certamente non ultimata. Il 30 ottobre 1520 Giannozzo, per garantire l'immissione del nuovo e 'glorioso' edificio fra i beni familiari (forse circolava già qualche voce che i denari utilizzati alla costruzione provenivano in gran parte dal suo vescovato pugliese), istituisce il diritto di primogenitura per la trasmissione ereditaria e dona al nipote Pandolfo il «palatium» (così, per la prima volta, viene espressamente chiamato nell'atto) che nella descrizione del notaio Gamberelli appare già fornito di sale, camere, volte e logge. Lo stesso termine «palatium» viene ripetuto anche da Leone X, che il 1 giugno 1521 corrobora con un nuovo breve l'atto di donazione a Pandolfo, e, riferendosi ai «melioramentis in et super illis factis et facendis delecto filio Pandolfo Angeli Pandolfi de Pandolfinis», conferma che i lavori erano ancora da ultimare e che lo stesso Pandolfo, ormai da qualche tempo, ne aveva preso direttamente la cura. La notizia che nel palazzo si trovavano già preziose suppellettili e vasellame d'oro e d'argento, conferma tuttavia che Giannozzo vi aveva già preso dimora. Nel documento di modifica della donazione, rogato dallo stesso Gamberelli il 22 ottobre 1524, viene ripetuta un'analoga descrizione del palazzo che tuttavia a questa data era stato anche arricchito dell'arredo architettonico, cui certamente il vescovo di Troia attribuiva grande importanza, come risulta dalla clausola ove viene fatto divieto ai futuri eredi, pena la decadenza dei loro diritti di proprietà, di «amovere ex dictis bonis immobilibus ... statua anticha, usci di pietra fine, cammini alabastri, fontana et altri conci fini existentes murati in dictis bonis».

Il silenzio delle fonti documentarie fra il '21, anno della morte di Leone X, e l'inizio del '23, fa supporre che in quegli anni i lavori abbiano subito un rallentamento e forse un'interruzione, ma alla metà del '23 Pandolfo, ormai divenuto proprietario del palazzo, avvia una nuova fase dei lavori, che egli segue direttamente assumendosene tutti gli oneri, e che proseguiranno anche dopo la morte di Giannozzo, avvenuta il 6 dicembre 1525, fino al '29.

Nel suo *Libro di creditori e debitori segnato C* Pandolfo scrive: «E a dì detto [10 novembre 1530] scudi 2314, lire 13, soldi 4 di moneta per lire 16202.3 apostoliche et sono per conto della muraglia di detta casa et orto, levato da un mio quaderno segnato B a c. 93, dove ne ero debitore per tanti spesone io di miei denari propri in miglioramenti et muraglia di detta casa et orto da dì 6 d'agosto 1523 fino a dì 25 febbraio 1528 et con intentione di esser rimbursato dal Rev. messer Giannozo Pandolfini vescovo di Troia, del quale seguendone la morte e per lodo dato per il cardinale di Cortona rogato ser Jacopo da Pistoia a dì 17 di settembre 1526, fu agiudicato che io non potessi adimandare cosa alcuna per conto di detta casa».

Pur essendo andato perduto il *Quaderno segnato B*, dove Pandolfo aveva riportato tutte le spese inerenti al palazzo, ma essendone nota l'esatta periodizzazione e poiché il Pandolfini nell'effettuare alcuni ritardati pagamenti fa esplicito riferimento ad esso, sono possibili alcune considerazioni

6 – Firenze, palazzo Pandolfini. Facciata su via San Gallo, particolare del primo piano.

7 – Filippino Lippi, affresco nella loggetta della villa Medicea di Poggio a Caiano (Firenze).

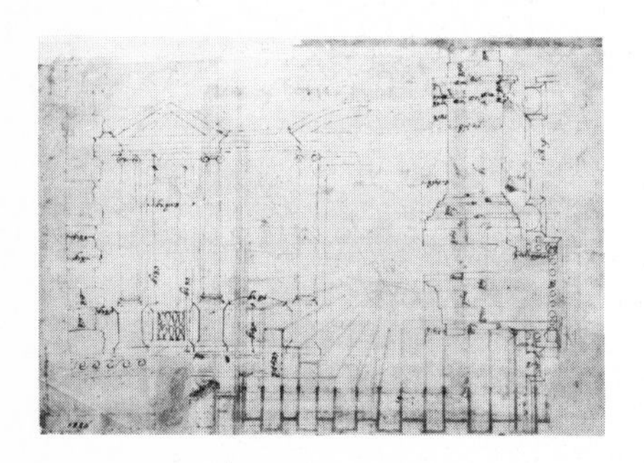

8 – Disegnatore italiano del XVI secolo, particolare del lato sinistro del primo piano del palazzo Pandolfini ed elementi del basamento di una finestra. Firenze, GDSU, 1880A v.

circa i lavori realizzati fra il '23 e l'inizio del '29.
Anche tenendo conto che nel computo delle spese fatte Pandolfo è solito registrare anche quelle relative a censi, livelli, pagamenti diversi, etc. non vi è dubbio che l'ammontare della somma è di tale entità da rendere evidente l'importanza dei lavori eseguiti. Più di alcuni pagamenti effettuati «a fornaciaj» e «carretaj» è un conto registrato il 24 luglio 1530 (ma sempre ripreso dal *Quaderno segnato B* e quindi riferibile a prima del '29) in favore di Raffaello e Giovanni da Settignano «scarpelini» a suggerire l'ipotesi che questa seconda fase dei lavori abbia interessato soprattutto la facciata su via San Gallo. Ipotesi che trova conforto sia nella consuetudine 'di cantiere' di eseguire la facciata principale a ultimazione dei lavori, sia nella considerazione che le altre parti del palazzo dove poteva essere richiesto l'intervento di maestranze qualificate nel lavorar la pietra, cioè la loggia, le finestre (quelle su via Salvestrina) e lo scalone interno, a quella data erano probabilmente già state eseguite, sia, e soprattutto, se mettiamo in rapporto la nota di Pandolfo con un'altra da lui registrata il 21 luglio 1532, dove si parla di un ulteriore pagamento «per fare finito [il palazzo] dalla banda dinanzi».
Intorno al '32 la situazione del palazzo doveva essere qualla che vediamo rappresentata sullo sfondo del ritratto di Giannozzo, eseguito postumo probabilmente intorno alla metà del secolo, ancor oggi di proprietà della famiglia Pandolfini (fig. 1)[6]: in esso, vi è raffigurata la facciata di via San Gallo quasi ultimata, ma ancora mancante della parte sinistra della 'banda dinanzi' e quindi priva della 'scritta' terminale, con tutte e quattro le finestre al piano terreno (la porta della chiesa infatti era già stata murata e sarà riaperta solo dopo il '36) e con il portale rustico già eseguito, ma, è opportuno sottolinearlo, con un alto muro di cinta lungo via San Gallo, secondo l'uso comune degli 'orti' privati fiorentini, anziché il corpo laterale a un piano, specularmente identico al piano terreno del palazzo.
Fra il 1528 e il '29, pur continuando Pandolfo a provvedere personalmente al pagamento dei censi dovuti ai frati di Montesenario per l'affitto di una parte dell'orto e ad altre spese, nel ricordato *Libro dei creditori e debitori* compare sovente anche il nome di Ferdinando Pandolfini, altro nipote di Giannozzo e proprio da lui nominato, per propria rinuncia, vescovo di Troia fin dal 1522.
Escluso dall'atto di donazione del '20 e poi dal successivo breve papale di conferma dall'asse ereditario del palazzo («que dicta bona nullo modo deveniant vel devenire valeant in aliquam non coniugatam vel ecclesiasticam personam») il nuovo vescovo di Troia sembra tuttavia partecipare direttamente e di buona intesa con Pandolfo, alle vicende del palazzo, fino a quando, il 27 aprile 1529, egli promuove causa presso l'arcivescovo di Firenze per entrare in possesso del palazzo, giustificando tale richiesta con il fatto che esso era stato costruito con i proventi dell'episcopato troiano.
Ferdinando Pandolfini appare ricordato per la prima volta da Pandolfo, insieme a Giovan Francesco da Sangallo, nella registrazione di un credito datato 5 maggio 1528 («Ferrando Pandolfini vescovo di Troia dè dare a dì 5 di maggio 1528 scudi 24, lire 13 picciole per tanti pagati per Sua Santità a Giovan Francesco da Sangallo») e poi, ancora insieme al Sangallo, il 22 marzo dell'anno successivo. Dai documenti si evince che, malgrado le

9 – Firenze, palazzo Pandolfini. Portale bugnato su via San Gallo.

10 – Disegnatore italiano del XVI secolo, particolare con fontana del giardino di palazzo Pandolfini. Firenze, GDSU, 2990A.

volontà espresse da Giannozzo, almeno dal '28, ma forse fino dal '26, subito dopo la morte del vescovo, Ferdinando, consenziente Pandolfo, risiede nel palazzo, fino a quando, come ricordato, nel '29 egli cercherà di trasformare tale situazione di fatto in uno stato di diritto. Benché Pandolfo appaia momentaneamente privato della proprietà e di conseguenza rivendichi dal cugino vescovo notevoli crediti di denaro in relazione ai lavori eseguiti al palazzo fra il '23 e il '29, egli continua a effettuare pagamenti per conto di Ferdinando sia a Giovan Francesco da Sangallo «et soci linaiuoli» per diverse prestazioni o forniture, sia ad altri, e continua a farlo anche dopo il processo intentato da Ferdinando, pagando per lui, nel settembre del '29, cento scudi per un «letto di broccato et raso sbiadato foderato di rasetta bianco», e per «un paramento di cuoio d'oro et pagonazo alto della camera grande dal orto et dua sedie di velluto pagonazo et frangia d'oro».

Il frequente ricorrere del nome di Giovan Francesco da Sangallo nel libro di Pandolfo conferma, sia pure indirettamente, non solo la sua partecipazione al cantiere del palazzo fino al '30 (anno della sua morte), peraltro già nota e documentata dal Vasari, ma anche, come testimonia la qualità degli incarichi da lui svolti (pensa anche all'acquisto degli abiti per Niccolò, fratello minore di Ferdinando, che deve recarsi a Troia!) e il suo fungere da intermediario con Clemente VII, un rapporto di grande confidenza, se non addirittura di amicizia con i due Pandolfini.

Al termine della seconda fase dei lavori il palazzo presenta una lesione sul lato di via Salvestrina («la parte di S. Lucia»), tanto che Ferdinando provvede a farvi collocare delle catene. Nel contempo egli fa anche eseguire un «palco falso» (la soffittatura lignea di una delle due stanzette d'angolo a pian terreno?), provvede a far pavimentare a mattoni la «camera grande» (quasi certamente la stessa «camera grande dal orto», forse la camera da letto del vescovo, che nel '29 era stata addobbata con un paramento in cuoio rosso e dorato) e infine a far terminare, come già ricordato, il palazzo «dalla banda dinanzi, ché era scoperto». Puntualmente il 15 luglio 1531 Pandolfo registra a credito di Ferdinando le spese da lui sostenute. Questi interventi eseguiti fra il '30 e il '31 avvengono certamente sotto la guida di Aristotele da Sangallo, a conferma della tradizione che lo vuole ultimatore dei lavori nonché esecutore del cartiglio lapideo a lettere capitali che corre al culmine di tre facciate[7], anche se la sua progettazione rimane probabilmente legata al disegno raffaellesco.

Il 13 luglio 1532 l'arcivescovo di Firenze riconosce definitivamente a Pandolfo la proprietà del palazzo, istituendo su di esso l'usufrutto della madre Caterina Portinari, secondo quanto stabilito dallo stesso Giannozzo nell'atto del 1524.

Alla morte di Pandolfo, di cui non conosciamo la data esatta, ma che certamente avvenne fra il '33 e il '36, il figlio Roberto, ancora minorenne, eredita il palazzo e insieme a esso i debiti, soprattutto legati ai mancati pagamenti da parte di Ferdinando. Nonostante che la curia arcivescovile intimi al vescovo di Troia e a suo fratello Dionigi, con sentenza del 27 marzo 1536, il pagamento in favore di Roberto di 2752 scudi, pena la vendita all'asta del palazzo, il vescovo, forse perché convinto delle sue buone ragioni o impossibilitato economicamente, non provvede al paga-

11 – Firenze, palazzo Pandolfini. Prospetto nord, particolare di una finestra 'guelfa' del primo piano.

12 – Incisione con veduta dal giardino di palazzo Pandolfini, XIX secolo. Firenze, ASF, Carte Sebregondi, ins. «Pandolfini».

13 – Giovanni Migliara, Veduta dell'entrone di palazzo Pandolfini, dove è raffigurato l'occhio della cappella, ancora esistente. Firenze, collezione privata.

mento. Così, il 4 del mese successivo, l'arcivescovo di Firenze «voce preconia et ad candelam accesam ut fieri consuevit» procede alla «subhastatione» del palazzo, che viene acquistato da messer Carlo di Giovanni Martelli «qui obtulit se emptorem dictorum bonorum pro se vel nominando ab eo»; ma al momento della stipula dell'atto (20 luglio 1536) presso il notaro Raffaele di Miniato Baldesi, si presenta come compratrice Maria de' Blanchellis, moglie di Niccolò di Leonardo di Averardo de' Medici.

Dalla descrizione del palazzo contenuta in quell'atto si apprende che a quella data erano ancora in opera alcune impalcature lignee necessarie per il proseguimento dei lavori («unam domum magnam seu palatium cum orto seu viridario ... et cum omnibus lignaminibus tam affixis que et pro uso fabrice dicti palatij»), ma non siamo in grado di indicare dove esse si trovassero, anche se non è improbabile che la parte interessata ai lavori fosse ancora la facciata, forse per collocarvi nel cornicione superiore la scritta commemorativa «IANNOCTIUS PANDOLFINIUS EPISCOPUS TROIANUS A LEONE X ET CLEMENTE VII PONTIFICIBUS MAXIMIS BENEFICIIS AUCTUS A FUNDAMENTIS EREXIT ANNO SALUTIS MDXX» (fig. 2), da molti, come già ricordato, attribuita ad Aristotele da Sangallo e quindi successiva al '30, anno della morte di Giovan Francesco, e forse anche al '34, data di morte di Clemente VII. Nello stesso contratto la nuova proprietaria Maria de' Medici, si impegna formalmente a far riaprire la porta verso via San Gallo della «cappella sive oratorium Sancti Silvestri, noviter per predictum D. Joanozium constructum».

Nel frattempo Ferdinando, che probabilmente, ma non sappiamo a quale titolo, continua a vivere nel palazzo, provvedendo anche a far eseguire alcuni lavori («pro melioramentis ... factis et pro expensis lastrici factis») muove un'altra causa contro Roberto e i nuovi compratori Maria e Niccolò de' Medici. La sentenza del 14 dicembre 1541, poi confermata da un ulteriore atto del giugno '47, riconosce finalmente al vescovo di Troia i suoi buoni diritti sull'eredità, concedendogli l'usufrutto a vita del «palatium cum viridario et prout supra designatum et confinatum apparet, cum eisdem suppellectilibus, fulcimentis, figuris et prout fulcitum erat». È certo che dal '47 in poi Ferdinando abita definitivamente nel palazzo di via San Gallo, pur interrompendo il suo soggiorno fiorentino con frequenti visite alla sua diocesi, durante una delle quali, nel 1560, di ritorno dal Santuario del Monte Gargano, lo coglie, a Foggia, la morte.

Roberto Pandolfini, divenuto finalmente proprietario, conferma nello stesso anno il contratto d'affitto, già stipulato fino dal 14 febbraio 1557, alla madre di Ferdinando, Marietta Tornabuoni, che tuttavia forse occupava solo una parte dell'edificio, stando a una notizia, non sappiamo quanto attendibile, di una locazione avvenuta da parte di Lucrezia e Maddalena Salviati, figlie di Pietro Salviati e di Ginevra Bartolini, le quali, dopo aver abitato per un certo periodo il palazzo, nel 1568 lo subaffittavano a un nobile genovese, Clemente Pietra.

Il silenzio delle fonti documentarie e gli ultimi travagliati avvenimenti ci confermano che negli ultimi decenni del secolo nessun fatto nuovo viene a modificare lo stato del palazzo, le cui vicende, dal primo 'intendimento' di Giannozzo al 'disegno' di Raffaello, e poi, fra il '12 e il '14 all'inizio dei lavori di costruzione, potevano dirsi concluse circa trent'anni dopo.

14 – Firenze, palazzo Pandolfini. Loggia sul giardino.

Trent'anni che avevano visto intenti al suo compimento due Pandolfini, vescovi di Troia: Giannozzo e Ferdinando. Se al primo l'iscrizione in facciata riconobbe in eterno il ruolo di ideatore e illuminato committente, nulla è rimasto a ricordare l'opera eseguita da Ferdinando, che dimorò nel palazzo per più di tre decenni, ultimandone i lavori.
A buona ragione anche egli avrebbe potuto far scrivere sulla pietra ciò che, nel '25, aveva scritto di suo pugno sulla pergamena di un libriccino di poesie: «Ferdinandi Pandulfini sum».

Alla luce dei documenti consultati e avvalendoci dei precedenti studi, in particolare quelli del Ray e del Frommel, è consentito esprimere alcune considerazioni e avanzare qualche ipotesi.
L'identificazione della casa presa in affitto da Giannozzo fin dal 1494 è possibile grazie all'indicazione che egli stesso ci fornisce nel suo *Libro di ricordi*, quando la descrive posta «sul cantone» (evidentemente quello fra via San Gallo e via Salvestrina, unica traversa allora esistente) e osservando il disegno del convento di San Silvestro martire (tav. I a colori), che si trova nel *Codice Rustici*[8]. Il convento, che nel codice quattrocentesco è rappresentato prospetticamente visto da via San Gallo, si affaccia sulla strada con tre gruppi di edifici: sulla sinistra una casa d'angolo, probabilmente a un solo piano con soffitta e tetto a capanna, accanto ad essa la chiesa con alcuni locali annessi e il retrostante chiostro e, al termine del muro di recinzione dell'orto, un altro gruppo di edifici. La casa d'angolo è quella che il vescovo prese in affitto, mentre l'altro gruppo di case all'estremità destra del disegno rimase proprietà dei frati di Montesenario fino al 1520. Esse erano collocate, come risulta dai documenti, lungo il lato meridionale dell'orto a confine con il convento di San Pietro al Murrone (fig. 3).
Mentre è certo che le due stanze a piano terreno, poi adornate con soffitti dipinti e affreschi sulle pareti[9], facevano parte del primitivo edificio, non sappiamo quanto esso si prolungava su via Salvestrina, ma è probabile che raggiungesse più o meno l'attuale porta di accesso ai sotterranei, come documenta la diversa qualità della muratura in facciata, rivelata dall'indagine termografica recentemente eseguita. Con la stessa indagine si è potuto anche osservare una differenza strutturale fra la parte sottostante e quella soprastante la cornice marcapiano, a conferma che l'edificio primitivo aveva un solo piano, e la presenza di un portale probabilmente sestiacuto, che costituiva l'accesso principale da via Salvestrina, del resto già intuito dal Frommel in relazione ai resti di una scaletta interna, che, da via Salvestrina, saliva al piano superiore con direzione diametralmente opposta a quella dell'attuale scalone.
Lo stato di conservazione di quest'edificio, quando Giannozzo lo prese in affitto, era certamente pessimo, come dichiara lui stesso nel suo *Libro di ricordi* e come viene riconfermato nella convenzione del 18 febbraio 1515, dove si parla esplicitamente di «domos depressos». La casa di Giannozzo in precedenza era infatti stata abitata da un contadino di nome Pier Manzuoli (che coltivava l'orto con la «vigna che faceva qualche baril di vino») e non è assolutamente pensabile che il vescovo vi si sia trasferito: prima dovevano essere realizzati tutti quei rifacimenti, ricostruzioni, am-

15 – Firenze, palazzo Pandolfini, prospetto sud. Particolare di una finestra al piano terreno.

16 – Firenze, palazzo Pandolfini, prospetto sud. Particolare di una finestra del primo piano.

pliamenti e miglioramenti che egli si era impegnato a fare fin dal '94. I documenti, mentre confermano l'esistenza di continue contestazioni fra il vescovo e i frati, prima del 1512 non accennano mai a lavori da eseguire o in corso di esecuzione. Comunque l'inizio degli stessi, probabilmente di poco posteriore a quell'anno, rende possibile un loro stato di avanzamento tale da giustificare l'espressione «maximus impensus in constructione edificiorum», usata da Leone X nel suo breve del 1517.

Secondo l'uso canonico la chiesa di San Silvestro in origine era volta a est e aveva la porta principale di accesso su via San Gallo, così come è rappresentata nel *Codice Rustici*. Il contratto di affrancazione del 18 febbraio 1516 dà notizia che essa al suo interno aveva una sacrestia e una scala che la metteva direttamente in comunicazione con la casa presa in affitto da Giannozzo. Inoltre la chiesa era coperta con una volta a botte (o a ogiva) alta circa sette metri (corrispondente all'altezza dell'attuale piano terreno del palazzo).

Osservando un disegno nel *Codice Magliabechiano* II.1 (tav. II a colori)[10] genericamente attribuito a un disegnatore italiano e per cui è stata proposta una data intorno al 1570, si nota che, contrariamente alla iconografia conosciuta (se si esclude il disegno UA 1824 degli Uffizi, più tardo e forse copia del precedente) la chiesa appare orientata ancora a est e con il portone principale su via San Gallo. Questo disegno, che nonostante l'accuratezza dei dati rilevati non è mai stato abbastanza preso in considerazione, fornisce probabilmente l'indicazione dello stato del palazzo dopo la fine della prima fase dei lavori e comunque certamente prima del 1536, quando Maria de' Medici, temporaneamente proprietaria del palazzo, si impegnava a far riaprire una porta su via San Gallo per consentire l'accesso ai fedeli.

Se infatti si riesamina la ricordata convenzione del 18 agosto 1512 e il successivo contratto del 18 febbraio 1516, là dove si parla di un muro fra la chiesa e la casa del vescovo nel quale si affacciavano una porta e alcune finestre verso la chiesa, troviamo un'ulteriore conferma dell'originale orientamento a est, in quanto quel muro non poteva essere quello tergale della chiesa, in cui erano ubicate la sacrestia, l'altar maggiore e la scala, ma bensì quello laterale sinistro, dove si apriva la porta di comunicazione fra la chiesa e il convento e dove probabilmente si affacciavano le finestrelle che avevano consentito ai religiosi di assistere appartati alle funzioni. È infine da notare la presenza nei sotterranei di una cisterna per l'acqua, esattamente in asse con l'antica ubicazione del vano adibito a sacrestia, dove probabilmente era alloggiato un piccolo pozzo, secondo una tradizione consolidata nell'edilizia monastica.

La situazione descritta nel disegno del *Magliabechiano* (la cui esecuzione deve essere ricondotta alla bottega sangallesca) rappresenta dunque il palazzo durante una fase intermedia dei lavori, probabilmente fra il '20 e il '29, come testimoniano anche la presenza dello scalone, già costruito, e alcune difformità fra le misure indicate nel disegno e le reali dimensioni dell'architettura finita. Solo con un intervento successivo al '29, ma comunque anteriore al '36, si provvede a girare l'orientamento della chiesa, conservandone l'icnografia, ma chiudendo l'accesso da via San Gallo e trasformandola di fatto in una cappella privata.

17 – Firenze, palazzo Pandolfini. Particolare del cornicione e della gronda d'angolo.

Basandoci su elementari considerazioni stilistiche si sembra verosimile l'ipotesi che questa trasformazione, sia pure dopo un ritardo causato forse da motivi d'ordine ecclesiastico e giuridico, avvenne per corrispondere alle indicazioni del progetto raffaellesco, che ragionevolmente non poteva proporre accanto al grande portale bugnato, un secondo portale, di minori dimensioni, per l'accesso alla cappella. A ulteriore conferma osserviamo che nel disegno UA 1822 (v. fig. 15 a pag. 74), attribuito a Giovan Francesco da Sangallo, sulla sinistra del portale bugnato è disegnata una finestra, con relativa dicitura, a rappresentare la situazione indicata nel progetto di Raffaello o comunque quella esistente di fatto dopo il '29, descritta anche, come abbiamo ricordato, nel ritratto di Giannozzo conservato in palazzo Pandolfini.
Non sappiamo quando avvenne l'ulteriore, e definitiva fino all'Ottocento, riapertura della porta su via San Gallo, ma è certo che essa fu eseguita dopo il '36 e non può sfuggire che si trattò di un intervento dettato da motivi funzionali, facendo divenire una porta laterale il vero accesso alla pubblica cappella; comunque il disegno UA 1824 (v. fig. 13 a pag. 73), attribuito al Vignola, ci conferma che tale intervento intorno alla metà del secolo era già stato eseguito. Da queste considerazioni ne consegue che l'esigenza di dare alla facciata principale l'aspetto definitivo secondo il 'disegno' di Raffaello, si presentò dopo il '29 e forse, come già abbiamo accennato, nei primi anni del terzo decennio: fino a quel tempo la facciata, non finita «dalla banda dinanzi» e priva dell'iscrizione lapidea, non poteva dirsi ultimata.
Abbiamo del resto rilevato che anche i documenti sembrano suggerire una data relativamente tarda per la fine dei lavori alla facciata; aggiungeremo qui come ciò può in parte spiegare alcune dissonanze costruttive con altre parti del palazzo probabilmente già terminate, quali l'incerto attacco della cornice marcapiano sul lato di via Salvestrina al bugnato d'angolo della facciata e la mancanza di ogni suo rapporto con la 'corrispondente' cornice marcapiano a 'can corrente' su via San Gallo (fig. 4).

La facciata principale (tav. III a colori) è caratterizzata dal 'salto' formale fra il piano terreno e quello superiore, messo in risalto dal forte arretramento di quest'ultimo. La prevalenza di compatte pareti a intonaco al piano terreno, ove si inseriscono le edicole 'a sporgere' delle finestre (fig. 5), oltre a un tributo alla consuetudine fiorentina (qui privata dell'onnipresente bugnato), viene a costituire un saldo piedistallo che, sia pure metaforicamente, richiama l'ordine dorico tuscanico, suggerito fisicamente dai capitelli delle edicole. A tale staticità, interrotta dall'animata cornice marcapiano a 'can corrente' si contrappone il pittoricismo del piano superiore, forse in origine ancor più accentuato da decorazioni a fresco o a stucco[11] collocate nelle specchiature fra le finestre (fig. 6) (motivo nuovo questo a Firenze, anche se già accennato in un'architettura dipinta da Filippino Lippi a Poggio a Caiano) (fig. 7), così come all'ultimo piano di palazzo Branconio dell'Aquila. Anche in questo piano i piccoli capitelli ionici delle colonne suggeriscono l'ordine classico (fig. 8). La fascia terminale con la scritta a lettere capitali costituisce una sorta di 'lemnisco', posta a recingere, incoronandola, tutta l'architettura. Sì che si configura un «... edificio, che è blocco geometrico – scrive Stefano Ray – ma il cui ordine è garantito

paradossalmente dalla casualità della natura che vi entra a far parte integrale...». Un programma d'architettura dunque alternativo, ma non contrapposto a Vitruvio, un programma che, sia pur realizzato postumo, non può trovare la sua originale matrice ideale che nel raffinato cosmo del 'naturale' raffaellesco. Un immaginario dialogo fra architettura e natura costituisce così il metaforico canovaccio di questa sua impresa.
L'ideale naturalistico coinvolge l'architettura con il giardino circostante, immaginato come luogo di delizie e arricchito con preziosi arredi.

> Vedesi in questo ovunche gli occhi giri
> una grandezza, un non sò che di divino
> che porge al core et agli ochi conforto,
> a canto a cuj con ampi ombrosi giri
> vidi un non già mai più visto giardino
> in cui le Muse vanno a lor diporto,
> ove si vede scorto
> quanto può variar natura: et quanto
> per arte si può far d'umano ingegno,
> ogni fior degno
> arbor fiorisce in questo loco santo
> con sì legiadra nuova alta maniera
> che d'ogni tempo vi par primavera.

Questi versi scritti da Benedetto Varicensio nel 1525[12] e ricopiati da Ferdinando Pandolfini nel suo *Libro di poesie* sono l'unica poetica descrizione dell'«orto di Troia». A quel tempo il giardino doveva occupare più o meno l'area attuale, anche se era diviso in due parti dal muro che Giannozzo vi aveva fatto costruire nel 1512: la parte più piccola, davanti alla loggia, doveva essere il «viridario» citato nei documenti e «il bel loco di verdi aranci ornato» del Varicensio, mentre in quella più grande, verso via Larga, dove un tempo sorgeva l'antico chiostro del convento, dovevano trovarsi le piante di alto fusto dagli «ombrosi giri». Lungo il muro divisorio, in asse con il portale bugnato sulla via (fig. 9), sorgeva probabilmente una fontana, già ricordata nell'atto del 22 ottobre 1524 e poi l'anno dopo dallo stesso Varicensio («che dirò io di quel superbo fonte / ove per nuovi ingegni acqua v'abonda?»), quasi certamente la stessa raffigurata (insieme al portale bugnato!) in un disegno cinquecentesco degli Uffizi (fig. 10)[13] dove l'ombra riportata sul lato destro sta infatti a dimostrare che essa si trovava costruita a ridosso di un muro.
Il prospetto su via Salvestrina fu con tutta probabilità il primo ad essere ultimato, forse prima del '20. La priorità di questo intervento, in attesa dell'aquisizione definitiva da parte dei Pandolfini della chiesa e delle altre case e quindi dell'ampliamento dei lavori sul fronte di via San Gallo, in effetti rispecchiava la situazione dell'edificio preesistente che, come prova l'orientamento del tetto a capanna (si osservi il disegno del *Codice Rustici*), aveva appunto la facciata su via Salvestrina. Escludendo la facciata principale, è questo l'unico prospetto dove sono presenti tre (ma in origine cinque e forse sei) finestre 'guelfe' (fig. 11) di grandi dimensioni e con stipiti lapidei lavorati, unici elementi dell'arredo architettonico di chiara provenienza romana. La scritta «IANNOCTIUS PANDOLFINIUS EPISCOPUS

TROIANUS» posta nella cornice superiore delle finestre questa volta sembra trovare esatta corrispondenza cronologica e costituisce una sorta di precedente 'celebrativo' al fregio su via San Gallo. La facciata su via Salvestrina decadde d'importanza non appena si poterono avviare i lavori dalla parte di via San Gallo, tanto da rimanere alla fine l'unica priva del grande cornicione terminale.
Il prospetto orientale, che si affaccia sul giardino, rimane in un certo senso quello di più difficile collocazione nell'arco delle vicende costruttive del palazzo. Il tessuto murario evidenziato dalla termografia denota caratteristiche sostanzialmente analoghe a quello su via Salvestrina, anche se non mancano indizi di interventi più tardi.
Al piano terreno in origine solo una porta si affacciava verso il giardino; probabilmente agli inizi dell'Ottocento si tentò di aprire un grande sporto ad arco posto fra le due finestre di sinistra, demolendo il vano del cinquecentesco camino, sempre indicato nei disegni fino al secolo scorso, (e di cui rimane ancor oggi visibile in termografia la canna fumaria), determinando il cedimento dell'angolata sinistra della facciata, così da dover poi far ricorso a un contrafforte esterno di contenimento, raffigurato in un'incisione ottocentesca (fig. 12)[14]. Ci si dovette così accontentare di trasformare le due finestre in porte-finestre, per ottenere la desiderata comunicazione con l'esterno. È probabile che anche le aperture al piano superiore abbiano subito, negli anni, alcune modifiche, come sembrano provare gli ampî strappi nella muratura a mattoni circostante, e forse anche l'ubicazione delle finestre è stata in parte variata, come sembra indicare un tamponamento architravato adiacente alla seconda finestra da sinistra, visibile in termografia.
La facciata meridionale, come è stato osservato dal Frommel, si presenta come la più legata alla tradizione fiorentina e al linguaggio sangallesco. Anche la loggia tripartita (fig. 13), impreziosita dalla raffinata, ma tradizionale, soluzione plastica dei capitelli delle colonne e dei peducci decorati con delfini 'parlanti' (fig. 14) (un'invenzione già adottata da Benedetto da Rovezzano nell'arredo della cappella Pandolfini in Badia)[15] denota la sua parentela con altre esperienze legate ai Sangallo, prima fra tutte quella eseguita da Giuliano a Poggio a Caiano.
Ci limiteremo ad osservare – e il discorso può essere esteso anche ad altre soluzioni adottate in pianta e in alzato – che il rapporto fra Raffaello e i Sangallo non fu qui condizionato dalla 'preminenza' del primo, ma impostato su una reciproca collaborazione, indispensabile al Sanzio, pressoché digiuno della tecnica costruttiva fiorentina, quanto ai Sangallo, incapaci di seguire il passo del colto, raffinato linguaggio architettonico che stava nascendo a Roma, ma ansiosi di sfruttare quanto possibile la fortuna dell'urbinate. La lontananza di Raffaello dal cantiere, praticamente affidato a Giovan Francesco (ma forse la collaborazione di Aristotele incominciò assai prima del '30), poi la sua precoce morte, cui seguì l'ultimazione postuma dei lavori, furono probabilmente gli eventi che in qualche modo determinarono il susseguirsi di soluzioni architettoniche diverse, anche se in realtà mai antitetiche.
Non sappiamo quando fu ultimata la facciata meridionale anche se, stando alla bolla di Leone X, la loggia nella primavera del '20 doveva già esistere.

Dall'analisi termografica risulta che in questo lato fu inglobato, sulla destra, un tratto di muro preesistente eseguito a filaretto in pietra, probabilmente appartenuto al lato esterno meridionale dell'antico chiostro dei frati Serviti. Le finestre del piano terreno si differenziano dalle altre per le eleganti mensole a 'volute' (fig. 15), ripetute sopra l'architrave e sotto il davanzale, ma sono almeno di un decennio più tarde di quelle su via Salvestrina. Rimane invece incerta la soluzione del piano superiore dove le finestre, di forma più semplice (fig. 16), sono male ordinate lungo la cornice marcapiano; solo l'ultima a destra, come quelle al piano inferiore, risulta sormontata da un piccolo arco di scarico in mattoni.
Proprio in corrispondenza delle tre aperture centrali l'indagine agli infrarossi ha individuato una vasta area, estesa fino al cornicione (fig. 17), realizzata in muratura quasi integralmente a mattoni. Un interrogativo per la cui soluzione potrebbero essere formulate svariate ipotesi (come la presenza di un secondo ordine del loggiato, di cui invero non rimane alcun indizio strutturale) ma destinato, almeno per ora, a restare senza risposta. Così come tanti altri interrogativi che, anche dopo queste ricerche, rimangono irrisolti in questa come in ogni altra opera di Raffaello architetto.

Ringraziamenti

Desidero ringraziare particolarmente per la preziosa collaborazione la dottoressa Paola Benigni insieme al dottor Carlo Vivoli dell'Archivio di Stato di Firenze, al dottor Luigi Borgia e alla dottoressa Elisabetta Insabato della Sovrintendenza Archivistica per la Toscana. Ringrazio anche per la cortesia e disponibilità la marchesa Mina Incontri Malvezzi de' Medici e i marchesi Bartolini Salimbeni Vivaj, che mi hanno consentito la consultazione degli archivi di loro proprietà, il marchese Leonardo Ginori Lisci e il conte Roberto Pandolfini per il loro cortese interessamento.

NOTE

[1] Per le notizie riguardanti Giannozzo e gli altri rappresentanti della famiglia Pandolfini si rimanda agli altri saggi in catalogo e inoltre a: E. Gamurrini, *Istoria genealogica delle famiglie toscane e umbre* Firenze 1865 (ristampa anastatica Bologna 1973) vol. V; e C. L. Frommel, *Der Römische Palastabau der Hochreinassance*, Tübingen 1973, vol. I, p. 459 e ss.
[2] ASF, *Mediceo avanti il Principato*, F. 96, c. 169, ed. I. Bigazzi.
[3] Cfr. *Nota storica* di J. del Badia, in Mazzanti-Del Lungo, *Raccolta delle migliori fabbriche antiche e moderne di Firenze*, Firenze 1896, p. 11.
[4] S. Ray, *Raffaello architetto*, Roma-Bari 1974, p. 207 e ss.
[5] Per una più estesa trattazione del problema si rimanda al saggio in catalogo di Paola Grifoni. Ci limiteremo qui ad osservare che nessuno dei documenti consultati accenna alla costruzione di questa parte dell'edificio.
[6] Per le considerazioni relative al dipinto si rimanda al saggio in catalogo di Enrica Neri Lusanna.
[7] Sul tema delle fasce lapidee commemorative cfr. F. Saxl, *The classical inscription in Renaissance Art and Politics*, in «Journal of the Warburg and Courtauld Institutes», IV (1940/41), p. 29 ss.
[8] Biblioteca del Seminario Maggiore di Firenze, *Codice Rustici*. Cfr. l. gai, *La «dimostrazione dell'andata del Santo Sepolcro» di Marco di Bartolommeo Rustici fiorentino* (1441-42) in *Italia, Oriente, Mediterraneo*, «Toscana e Terrasanta nel Medioevo», Firenze s.d.
[9] Per l'esame del ciclo affrescato nelle stanze a piano terreno si veda il saggio in catalogo di Enrica Neri Lusanna.
[10] Firenze, BNC *Codice Magliabechiano*, II.1. 429.

[11] Non sappiamo a quali pitture si riferisse il Varicensio nella sua poesia; tralasciando l'ipotesi delle specchiature dipinte in facciata, l'unica parte del palazzo dove a quella data risultano presenti decorazioni pittoriche nel soffitto è la piccola stanza a piano terreno, mentre ad anni successivi appartengono sia gli affreschi della stanzetta adiacente, sia quelli, oggi perduti, nella loggia.
[12] Firenze, BNC *Codice Magliabechiano*, VII. 718, *Libro di poesie di Ferdinando Pandolfini, vescovo di Troia* (1525-29).
Il libro, di piccolo formato e rilegato in pergamena, contiene diverse poesie trascritte di pugno di Ferdinando Pandolfini. Particolarmente interessante è una delle due, capitolate «Cose di nuovi autori alla petrarchesca», opera di Benedetto Varicensio.
La riportiamo integralmente di seguito, precisando che il riferimento a Giannozzo ancora vivente e il richiamo alla sua nomina a Prefetto di Castel Sant'Angiolo consentono di datarla fra l'aprile e il dicembre 1525.

Benché tu lieta bella alma Fiorenza
d'ogni richeza largamente abondi,
di bei palazi ornata e da be' mura,
bench'ogni rara dote ogni eccellenza
ogni valor dentro al tuo seno ascondi
tal che tua fama ogni altra fama oscura,
ben che ogni altra misura
a gravi ragioni sie nel mondo onorata
per le tuo molto e memorabil pruove
benché in te si rinnove
ogni ornamento non perciò lodata
mancho sarai se inver mia mente scorgie
per lo imenso edifizio che inver sorgie

Appo il gran cerchio tuo una gradita
che sie memoria eterna onde, io ne godo
di tue bellezze insin l'ultimo giorno,
et già per iusto a gravi ragioni si addira,
alza la testa in disusato modo
un bel palazo ornato d'ogni intorno,
tutto ricco ed adorno
di pietre, marmi, porfidi, alabastri,
non mai più visti in questa o in altra etade
et di figure rade
facte su in ciel non qui da rozi mastri,
ne vi mancon pitture ornate e belle
pinte (sì com'io credo già) d'Apelle

Vedesi in questo ovunche gli occhi giri
una grandezza un non so che divino
che porge al core et agli ochi conforto,
a canto a cuj con ampi ombrosi giri
vede un non già mai più visto giardino
in cui le muse vanno a lor diporto,
ove si vede scorto
quanto può variar natura: et quanto
per arte si può far d'umano ingegno,
ogni fior degno
arbor fiorisce in questo loco santo
con sì legiadra nuova alta maniera
che d'ogni tempo vi par primavera.

Che dirò io di quel superbo fonte
ove per nuovi ingegni acqua v'abonda
et di te lieto verde ameno prato
chi faria mai vostre bellezze conte?
Chi porria mai dall'una et l'altra sponda
narrar le lodi et del bel loco grato,
di verdi aranci ornato,
ove credibil è che gli alti iddei
tal'hor nel dolce tempo a l'onbra stieno
felice dunque a pieno
Sacrosanto pastor chiamar si dei
et già mi par di udir per monte et piano:
viva felice el gran pastor troiano.

Felice viva chi con sua virtute
la mole di Adrian regie et governa
et la sua patria eternamente onora
più intento a lei ch'alla propria salute,
onde ben degno sé memoria eterna
ne trarrà siché al mondo mai non morà;
ma qual mai lingua fòra
che potesse narar pur di mill'una
delle sue imense imemorabil lodi,
godi Fiorenza godi
che producesti sì gradita pianta
di cui già Troia et or Roma si vanta.

[13] Firenze GDSU, UA 2990 r, Disegnatore ital. della metà del XVI secolo, *particolari di palazzo Pandolfini*
[14] ASF *Carte Sebregondi*, ins. «Pandolfini».
[15] Sull'argomento si veda il saggio in catalogo di Cristina Acidini Luchinat.

REGESTO

Criteri di trascrizione
I brani omessi sono stati indicati con ... e le lacune o passi di lettura incerta con (...). Le abbreviazioni sono state sciolte. Per la punteggiatura, le maiuscole, gli accenti e apostrofi si è seguito l'uso moderno. Le date sono state ridotte allo stile comune solo nell'intestazione dei documenti.
Le carte contenute nell'inserto 268 del Fondo Acquisti e Doni (dono Galletti) dell'Archivio di Stato di Firenze sono prive di numerazione progressiva.
Le fonti edite e inedite consultate sono indicate per esteso solo la prima volta che vengono citate.

1438, ottobre 5 - «Eugenio quarto soppresse tre piccoli monasteri di donne e gl'unì con tutti i loro beni a S. Agata, e furono S. Silvestro dirimpetto a S. Lucia in via San Gallo, dove appunto è il palazzo dei Pandolfini. In seguito vi è poi stato fatto un oratorio dedicato a S. Silvestro...», ASF, *Acquisti e Doni 268*.
1484, marzo 3 - Giannozzo Pandolfini, per interessamento del fratello Battista, ottiene da Ferdinando I d'Aragona, re di Napoli, il vescovado di Troia. Cfr. E. GAMURRINI, *Istoria genealogica delle famiglie nobili toscane e umbre*, Firenze 1685 (ristampa anastatica Bologna 1972, vol. V, p. 123).

1494, gennaio 24 - Rogito Ottaviano da Romena, Contratto di affitto. Il convento di Monte Senario «dedit et locavit atque concessit Reverendo in Christo priori et domino Jannozo de Pandulphinis Dei gratia episcopo troiano ibidem presenti et pro se et pro suis heredibus ... unum ortum cum vitibus et aliis arboribus et cum domo posita in populo Sancti Laurentj iuxta oratorium Sancti Silvestrj dicti monasteri, cui et seu quibus orto et domuj a primo via Sancti Galli quatenus capit dicta domus et successive ecclesia dicti oratorij cum terreno aliis concesso ad livellum pro domibus edificandis et cum aliis domibus et edificijs cum dicto oratorio solitis teneri et habitari pro fratribus dicti monasteri montis Senarij, a 2° monasterium et bona Sanctis Petri de Murrone et partim societatis Sancti Johannis, a 3° via qua itur de via lata adversus dictum ortum monasterij Sancte Lucie et a 4° via qua itur inter dictum ortum ut supra concessum...».
Seguono poi le clausole di rito fra cui il divieto di subaffittare e le scadenze per il pagamento dei canoni di affitto.
«Et promisit [Giannozzo] et solempniter convenit dicti conducti dicti locati dicti nomini ut supra presenti, recipienti et stipulanti, dictam domum et dictum ortum reficere et super ea redificare et dicta bona augere et meliorare omnibus suis sumptibus et expensis». Segue infine la clausola che qualora Giannozzo non mantenga gli impegni assunti, tutti i beni, con tutte le migliorie e gli ampliamenti fatti, tornino in proprietà al convento, ASF, *Acquisti e Doni 268*.

1494, aprile 26 - Beneplacito apostolico di papa Alessandro VI circa l'autenticità e la validità del contratto di affitto del 1494, gennaio 24, ASF, *Acquisti e Doni 268*, filza 1, n. 20.

1494, agosto 16 - Processo svolto nell'arcivescovado fiorentino circa l'esecuzione del breve papale di Alessandro VI del 1494, aprile 26, ASF, *Acquisti e Doni 268*.

1494, dicembre 10 - Due canonici della chiesa fiorentina, il decano Francesco e Pandolfo della Luna, in qualità di commissari apostolici, svolgono una 'informazione' sulle vicende relative all'affitto e, ascoltati alcuni testimoni fra i quali «Andreas Sechij Andreas pictor populi Sancti Petri Maioris», stabiliti alcuni patti con Giannozzo, decidono di dichiarare valido il contratto di affitto in ogni sua parte, ASF, *Acquisti e Doni 268*.

1501, dicembre 15 - I frati di Monte Senario chiedono a Giannozzo il saldo dei pagamenti arretrati del canone annuo e dichiarano di essere disposti a sospendere i pagamenti per cinque anni purché il vescovo faccia riparare la chiesa e gli annessi, ASF, *Acquisti e Doni 83/3*.

1504, marzo 13 - Fra Evangelista di Giovanni, camarlengo del convento di Monte Senario sollecita Giannozzo affinché ripari il tetto della chiesa e la casa rimasta in uso ai frati, in conto della rata di affitto, ASF, *Acquisti e Doni 83/3*.

1506, febbraio 18 - Strumento di livello del palazzo e orto di via San Gallo: «In nomine Domini amen... exposuit [Giannozzo]... quondam ortum cum vitibus et alijs arboribus et cum domo posito Florentie in populo Sancti Laurentij iuxta oratorium Sancti Silvestrij ad dictum monasterium pertinente, quibus orto et domo a primo est via predicta monasterium pertinente, quibus orto et domo a primo est via predicta S. Galli nuncupata quatenus supra dicta domus et successive ecclesia dicti oratorij cum terreno alteri concesso ad livellum pro domibus edificandis et cum alijs domibus et edificijs cum dicto oratorio solitis tamen et habitari per fratres dicti monasterij montis Senarij, a 2° monasterium et bona S. Petri de Murrone et fratrum Societatis Sancti Johannis, a 3° via qua itur de via lata versus ortum monasterij S. Lucie, a 4° via qua itur intus ad dictum ortum ut supra conductum et dictum monasterium Sancte Lucie...
(s.d.) Demum per aliam bullam Pape fuit concessum ibidem fratres possent eodem episcopo libere concedere quamdam restantem partem dicti horti qua adhuc ipsis remanserat cum quodam sacello ibidem existenti data idonea reconpensa et data etiam facultatem eidem episcopo sacellum predictum demoliendi et illud noviter in loco propinquo construendi et dotandi», ASF, *Acquisti e Doni 268*, filza 1, n. 20.

1508 - Raffaello, dopo un soggiorno durato circa quattro anni, lascia Firenze per Roma.

1512, agosto 18 - Convenzione fatta nella curia arcivescovile di Firenze tra Francesco Pandolfini, procuratore di Giannozzo, e i frati di Monte Senario.
Riconoscendo che Giannozzo non ha mai pagato il canone annuo dal 1498 al 1511, Francesco promette di pagare «florenos triginta quinque auri infra duos menses ab hodie» e «similiter teneatur et obligatus sit idem Dominus Episcopus infra unum mensem ab hodie proximum futurum omnibus suis sumptibus et expensis murare et claudere et murari et claudi facere cum solido et integro muro cum calcina et aliis opportunis... ibidem stando hostium et vacuum hostij venientis ex domo dicti domini episcopi et intrante in ecclesia Sancti Silvestrij: simili modo claudi et reserarj facere omnes et quascumque fenestras et foramina que esssent in muris communis inter dictam ecclesiam et domu dicti domini episcopi respicentia et que respicere possent in dictam ecclesiam, similiter etiam et ultra predicta, teneatur et obbligatus sit prefatus episcopus, omnibus suis sumptibus et expensis, edificari facere et noviter construere unam volctam subterraneam pro dictis fratribus et conventu, cum fundamentis et alijs oportunis, in bona et recipienti forma in terreno et vacuo et in loco recontra habitationem dictorum fratrum, et scalam que vadit superius in habitationibus dictorum fratrum et versum murum orti dicti Domini episcopi, decem et octo menses ab hodie proximos futuros, cum pacto tunc expresse apposito et inferto quod ipse Dominus episcopus teneatur et obligatus sit infra dictum tempus ad beneplacitum et requisitionem dictorum fratrum et in compensatione dicte volte fiende, hedificarj facere pro dictis fratribus et in illis locis prout eisdem videbitur alias habitationes in quibus deponet similem quantitatem expensarum, prout esset pro faciendo dictam voltam, ad

declarationem amicorum communium de predictis peritoris de consensu partium ut moris est elegendorum: item simili modo teneatur et obligatus sit idem Dominus episcopus infra dictus tempus dictorum decem et octo mensium, omnibus et quibuscumque suis sumptibus et expensis, facere et fieri facere murum divisorium recipiendum qui dividat ortum dicti Domini episcopi et mansiones dictorum fratrum super quo et apud quem possint dicti fratres ex parte ipsorum pro eorum oportunis hedificare et se appoggiare absque aliqua alia refectione pretij et vadat usque ad murum conventus Sancti Petri de Murrone item quod hedifitium et locum muratum pro quadam mansione pullorum super parte et in parte dictorum fratrum et veniente versus bona remanentia dictis fratribus, sit et remaneat et in totum pertineat et expectet dictis fratribus absque aliqua refectione pretij», ASF, *Acquisti e Doni 268*, filza 1, n. 20.
Del medesimo atto si trova una trascrizione in volgare in ASF, *Acquisti e Doni 83/3*, c. 13 ss.

1513, marzo 11 - Giovanni de' Medici viene eletto papa col nome di Leone X.

1515 - Leone X nomina Giannozzo legato apostolico dell'esercito pontificio nella guerra contro Francesco Maria della Rovere duca d'Urbino, che si concluderà il 5 giugno dell'anno successivo, MAZZANTI - DEL LUNGO, *Raccolta delle migliori fabbriche antiche e moderne di Firenze*, Firenze 1876.

1515, novembre/1516, marzo - «Papa Leone si partì da Roma del mese di novembre 1515 et andò per la via di Firenze a Bolognia ad accozzarsi con il Cristianissimo Re di Francia, dove lui venne da Milano, che haveva riacquistato quel ducato, et così si accozzorono insieme del mese di dicembre. Et di poi del detto mese di dicembre il papa ritornò a Firenze...
Ritornò in Roma al principio di marzo, essendo dimorato pochi giorni a Bologna et tutto il resto a Firenze...».
B.N.C.F. *Cod. Magliab.* XXV. 526 *Diario historico universale di ser Biagio Buonaccorsi dal 1498 al 1512 e seguitato a scrivere sino al 1523 da Giovanni di Pier Filippo Pandolfini.*

1515/16 - Leone X chiama Raffaello a Firenze durante il suo soggiorno fiorentino, perché provveda, insieme a Michelangelo, alla facciata di S. Lorenzo, GOLZIO, 1936, 36.

1515/16 - Leone X va a trovare Giannozzo nella sua casa in via San Gallo, MAZZANTI-DEL LUNGO, I, II (senza indicazione di fonti).

1516, febbraio 18 - Contratto rog. ser Giovanpietro Lunato da Pontremoli. I frati di Monte Senario «affrancorono et liberorono detti beni et e detti conductori dal detto annuo censo di decti ducati dieci ogni volta et per ogni tempo che a nome et a stanza loro et di decto Monasterio el decto vescovo dipositasse ducati 200 d'oro di camera per convertire in commodo ed evidente utilità di decti frati...». Viene richiamato l'atto di affitto (1498, marzo 1) del «locum terreneum seu hortum cum muris seu muraglis et domibus depressis»; viene richiamata la convenzione stipulata fra i frati di Monte Senario e Francesco Pandolfini (cfr. 1518, Quaderno di Ricordi di Giannozzo Pandolfini Vescovo di Troia).
«... in primis quod prefatus D. Joannoctius episcopus... in eadem Sancti Silvestri ecclesia quedam pia laudabilia et sumptuose opera inchoavit ille debeat, suis sumptibus et expensis prosequi, finire et ad effectum debitum perducere, et hoc libet pro ornamento maioris altaris dicte ecclesie ubi est sacrestia et una scala que ex dicta ecclesia ad domum et hortum supradicti est ad commodum et servitium prefati D. Jo. Episcopi suorumque heredum et successorum et altare, cum ornamentis, et sacristia ad usum et commodum ecclesie et conventus huiusmodi cum hoc pacto et condictione quod neque prefato D. Jo. episcopus suique heredes et successores possint edificare et construire, vel distruere, aliquod nisi a parte superiori super archo sacristie cappelle et scale predicte, qui arcus XII cubitorum existit ... que D. Jo. episcopus et heredes ac successores prefati pro hornamento huiusmodi in sacristia predicta valeat edificare et construere ad utilitatem ecclesie ipsius que prior et conventus, qui nunc sunt facultatem huiusmodi edificandi, sibi largite fuerunt et qui pro tempore fuerunt elargiri debeant et scala predicta libera ipsi D. Jo. episcopo et suis heredibus et successoribus remaneat, et a predictis priore et convento predictis edificiis aliquid petere non valeat quoquomodo.
Item quod prefatus D. Jo. episcopus tam in ecclesia quam in hospitio seu claustro aut circuitu dicte ecclesie S. Silvestri non possit aliquid devastare in per (...) ecclesie aut ipsorum fratrum

neque in muro divisorio sive intermedio inter dictos fratres et ipsius D. Jo. episcopus aliquam portam seu fenestram sive introitum vel exitum facere in dicta ecclesia vel claustro ipsius corrispondente, sed si qua facta esse reperientur illas claudere et obstruere teneatur. Item quod D. Jo. episcopus possit edificare in dicto hospitio seu ecclesia in dicto loco ubi olim erat certa sacristia parva de qua sibi servivat ad eius commoditatem per quartam partem.
Item quod prefatus D. Jo. episcopus suique heredes et successores in recompresam dicte quarte partis loci ubi erat parva sacristia predicte sibi concessa ad usum quomodo et voluntate dicti prioris et conventus, teneatur exponere usque ad huiusmodi X ducatorum auri in auro una volta subterranea aut altero edifitio ad electionem ipsorum fratrum in claustro et domibus dicte ecclesie S. Silvestri...», ASF, *Acquisti e Doni 268*, filza 1, n. 20.
Del medesimo atto vi è una memoria in volgare nel Quaderno di Ricordi di Giannozzo Pandolfini Vescovo di Troia:
«In presentia del Reverendissimo Cardinale di San Vitale dignissimo procuratore de l'ordine de' Servi in la chasa di Santo Silvestro de' frati di Monte Senario, posta in via di San Gallo, si feciono le seguenti conventioni di voluntà di Sua Reverendissima S. infra il Reverendo messer Johannotio Pandolfini, vescovo di Troia et e frati di Monte Senario de l'ordine de' Servi, presente il detto Reverendo Episcopo et frate Augustino florentino, mastro in sacra theologia et procuratore di detto ordine, et frate Hieronimo fiorentino, et frate Ambrosio da Faenza professo in Monte Senario: et prima che detto vescovo dovesse fare seguitare e finire a sue spese quello che al presente si truova principiato in detta chiesa per l'ornamento de l'altare principale dove è una sacrestia et una scala, quale scala è per uso et servitio di detto vescovo et sua heredi et successori, et dicta sacrestia è per uso e libera di detta chiesa di detti frati et non possa, et non debba dicto episcopo, né sua successori, far murare né smurare in dicta chiesa, né ne li antedetti lochi excepto sopra l'archo di detta cappella et sacrestia et scala che verrà alto bracce dodici, cioè dal piano di terra che detto vescovo per sé et sui successori potranno murare come si dice per uso loro dalle dicte dodici bracce di alteza in sù et questo che decti frati da Montesenario debbino donare al detto episcopo et sua successori et maxime per fare a sua spesa detto ornamento; et detta sacrestia ad servitio et libera di detti frati e la scala detta resti anchora libera ad dicto vescovo et sua successori et heredi de le quali cose di presente né in futuro possino detti frati domandare al detto vescovo né sua successori prezzo alcuno, né il detto vescovo o i sua successori possino domandare a detti frati cosa alcuna per detto ornamento o sacristia. Et promette detto vescovo non fare murare né smurare ne li fondamenti in detta chiesa né in la habitatione restante per l'hospitio di detti frati, né fare porte in lo muro divisorio infra quello de' frati et di detto vescovo. Et principalmente che non sieno intrate di porta, che entri in chiesa, etsendosi al presente le dette fare rimurare, finite le antedette cose principiate in chiesa. Et perché detti permissono che detto vescovo murassi dove era una pichola sacrestia nello hospitio di detti frati de la quale il detto vescovo si servì ad sua comodità di circa la quarta parte, el detto vescovo né li debba recompensare. Declarò il detto Reverendissimo Cardinale, presenti li anzidetti, el detto vescovo dovesse fare ad sua spesa in detto hospitio de' frati et loro libera una volta sotterranea o altra commodità per detti frati ad loro electione non mancando de' dieci ducati d'oro di spesa per ricompensa di detta parte di sacrestia». ASF, *Acquisti e Doni 83/3*, c. 16 ss.

1516, giugno 23 - Contratto rog. Pier Francesco Maccari.
Giannozzo Pandolfini vende una casa in via Pandolfini nel popolo di San Procolo ad Alessandro di Simone Braccesi per 1500 fiorini d'oro, ASF, *Acquisti e Doni 268*, filza I, n. 31.

1516, luglio 13 - Bolla di papa Leone X con la quale viene confermato il contratto (del 1515, febbraio 18) di affrancazione della casa e orto in via San Gallo, Archivio Pandolfini, Firenze, *Collezione di regesti del sec. XVIII*, c. 14; ed. FROMMEL.

1517, giugno 15 - Breve di papa Leone X. «... Leo episcopus servus servorum ... Sane exhibita nobis nuper pro parte tua petitio continebat, quod cum alias tu quendam locum sive ortum muro cinctum et in eo certas domos in civitate Florentie in via Sancti Galli prope ecclesiam sancti Silvestri pro annuo canone sive censu decem ducatorum aurj largorum a dilectis filijs conventu et fratribus domus ordinis fratrum servorum sancte Marie de monte senario sub regula sancti Augustinj florentinj diocesis tibi pro te et heredibus tuis concedi et concessione hujusmodi apostolica auctoritate confirmatj obtinujsses, inter te et conventum ac fratres praefatos dicta apostolica auctoritate interveniente conventum fuerit, quod in certam summam pecuniarum eisdem conventui et fratribus dares et locus ipse cum orto et domibus confessus liber, et francus remaneret et census huiusmodi cessaret et sicut eadem petitio subiungebat in eodem loco quedam parva ecclesia sive secellum et quidem parvus locus necnon quodam pars viridarij et habitationis ad eosdem conventum et fratres spectantia et pertinentia remanserint Tuque qui maximus impensus in constructione edificiorum in loco iam tibi concesso huius modi fecisti et maiores facere; intendis ac dictam ecclesiam seu secellum reparasti cupias restantem partem dicti loci habitationis et viridarij que respectu tue partis modica est una cum dicta ecclesia sive secello legiptime acquirere si ad hoc eorumdem conventus et fratrum assensus interveniret et deinde facta acquisitione huius modi ecclesiam sive secellum in alium locum propinquum de novo construere ed edificare seu construj et edificarj facere; illamque postea de bonis tuis competenter dotare velles si iuspatronatus et presentandi personam ydoneam ad dictam ecclesiam de novo construendam seu edificandam loci ordinario ad presentationem huiusmodi instituendam tibi ac tuis heredibus et successoribus seu cui vel quibus iuspatronatus huius modi relinquere et reservaretur qua re pro parte tua nobis fuit humiliter supplicatum quatenus ut tibi restantem partem orti seu viridarii ac habitationis huius modi una cum ecclesia seu secello predictis ab eisdem fratribus et conventui data ydonea recompensa seu pro convenienti censu vel annuo canone et pro ut alias inter te et fratres ac conventum huiusmodi concordabitur recipiendi ac per te et heredibus predictis perpetuo retinendi et fratribus ipsis premissa tecum faciendi et super illis omnibus concordandi necnon ecclesiam sive secellum huiusmodi in alium propinquum locum sub eadem sancti Silvestrij invocatione transferendi construendi et edificandi ac priorem ecclesiam sive secellum demoliendi ac solo equandi ac ossa defunctorum si quae inveniantur in eadem ecclesia seu cimiterio sepulta cum terra ad ecclesiam de novo construendam transferendi seu transferri, construi et hedificari faciendi necnon eadem de novo construendam ecclesiam de bonis patrimonialibus et alias ad te legiptime spectantibus prout visum fuerit competenter dotandi...», ASV, *Reg. Vat. 1073*, fol. 156 v ss. ed. FROMMEL.

1518 - Quaderno di Ricordi di Giannozzo Pandolfini Vescovo di Troia. Memoria autografa di Giannozzo.
«Ricordo ad perpetuam rei memoriam come furono e primi ragionamenti del convenirmi io vescovo di Troia co' frati del monte senario d'haver da loro l'horto e il casolare et non habitatione si poteva chiamare quello che mi concesono sul cantone col horto perché quel pocho ve era che se habitassi per i frati vi venivan dal monte qualche volta se lo salvorono et anchor di presente se l'habitano: conclusi ad parole con fra Matthia che alhora governava il tutto che mi desser detto cantone col horto, et fu extimato trecento ducati d'oro detto cantone con quelle mura vi erano et l'horto. Così se ne aveva ad fare il contratto d'accordo: et perché io mi trovavo male in aptitudine di sborsare detti ducati trecento ricerchai detto fra Matthia si contentasino che io dessi loro ducati cento di contanti. Così feci per mano di don Guido, priore degli Angioli, et per contratto rogato da ser Giovanni da Romena. Delli restanti ducati dugento fu contento fra Matthia ne dessi loro ogni anno ducati dieci d'oro. Et questa ultima conventione del disborsarsi cento ducati et pagarsi dieci ducati l'anno per me et miei heredi et futuri in perpetuum senza nessuna altra obbligatione si rogò d'acordo per il detto ser Giovan da Romena. Et per la povertà di detti frati del monte il detto luogho di San Silvestro miserabile et ci venivan di raro, che non vi era nessun bene. Et nel horto vi era vigna che faceva qualche baril di vino che sel toglieva per un Pier Manzuoli che ci habitava et lavorava di detta vigna con la moglie mona Piera che'l figliuolo fra Giovanni era professo de' frati al monte, in modo che detti frati non ci havevano né comodità né utilità, et volsero detti frati che io consentissi et procurassi gli antedetti cento ducati che hebban di contanti gli potessino spendere in reparatione et augmento del monastero, possessioni et case del monte. Così si fece. Et perché questo restavan loro qui per habitare et anchor la chiesa haveva bisogno di reparatione ricerchai detto fra Matthia et fra Vangelista volessero spendere li antedetti cento ducati, cinquanta al monte, et cinquanta qui ad San Silvestro al loro uso et commodità; non volsero perché i poderi del monte erano di bestiame et altro in maxima rovina et dixemmi che volevano io non pagassi loro l'antedetto censo di dieci ducati l'anno per cinque o sei anni, et che quelli si murassino qui in San Silvestro per honore et commodità loro, che come dico, ce ne era necessità. Et questo censo di volontà loro tenni in mano del pagamento di detto censo senza nulla disputa. Morissi detto fra Matthia, restò fra Vangiolista el quale venne a Roma sindico et procuratore et trattò di havere il priorato per dieci anni et obtennelo per breve apostolico, et noi li pagammo più ducati per varie spese che ci dixi. Tale era la voluntà di tutti i frati, et ne

haveva lo instrumento, et havendolo mosso ad questo per haver più affectione al loco et sicura autorità per potersi difendere da cittadini vicini al monastero, et contadini favoriti da cittadini che usurpavano de' beni di detto monastero: perciò noi ce lo aiutamo. Causò l'haver obtenuto detto priorato per dieci anni, che ritornato che fu qui in Firenze da Roma, presentitone da quei cittadini, con il mezo del priore de' Servi della Nunziata, fecian forzare et tolsenli il breve. Et non se ne volse aiutare, che lo minacciavan di peggio. Et questo causò non si dette perfectione al dispendere e denari del censo antedetto, come ne eravamo restati d'accordo con fra Matthia, fra Vangiolista, et fra Giovanni, che erano alhora quelli stavano al servitio di detto monastero del monte, quali tutti furono discacciati et fra Matthia se era morto. Vennon li frati forestieri co' quali havemo qualche disputa di detto pagamento del censo scorso che volevamo pur murarli qui ad loro commodità, et loro li volevano per disporne a lor modo.
Francesco nostro fratello che trattava coi detti frati, dixe loro era nostro procuratore, et non ci ricordiamo che fussi procuratore: et convennesi con detti frati, et fecion certo contratto di detto debito contra la mia intentione, et come male informato, che non ne haveva notitia perché se eran ritenuti detto pagamento et de' denari disborsati a fra Vangiolista sindico et procuratore, et ad altri per loro conto, così detto contratto mal fatto non è de autorità.
Detti frati furon pagati del tutto et contanti, come appare per contratto rogato notaro Gianpiero Lunato da Pontremoli de Vico Lunense et sarzanense diocesi; al qual contratto me rimetto, registrato in archivio romane curie, et così, anno per anno, e detti frati hanno havuto et hanno il lor pagamento, senza nulla disputa in sino ad questo anno 1518.
Quando io domandai in compra detto horto et casolare e detti frati del monte havevano venduto trentatre braccia per ogni verso del terreno resta loro di verso San Piero del Murrone ad pennone della porta ad Sangallo, sexanta ovvero ottanta ducati che vi voleva far case, che ad quel tempo erano ad miglior mercato e terreni che hoggi, che fu giudicato io soprapagassi la detta compera, dandosene ducati trecento d'oro, come fu la prima conventione», ASF, *Acquisti e Doni 83/3*.

1518, novembre - «Johannes olim Pandolfi de Pandolfinis, civis Florentinus» è procuratore del fratello Giannozzo, ASF, *Notarile Antecos., G. 72* (1518/19), B. Gamberellus, c. 33, ed. FROMMEL.

1520, gennaio 18 - «Ricordo del deposito facto per messer Giannozzo Pandolfini vescovo di Troia sopra el bancho de' Gaddi al loro libro chiamato quaderno di cassa sesto CC ad cartam 47, per liberare e beni (...) dal monastero di Motasinaia di che di sopra nel contratto si fa mentione che canta in questo modo cioè: Priore, frati, capitolo et convento del monastero di Sancta Maria di monte Senario, altrimenti di Motasinaia, ... dicono havere addí XVIII di gennaio 1519 ducati dugento d'oro di camera che tanti ci depositò a nome et stanza di detto monastero de frati di quello el Reverendo Messer Giannozzo Pandolfini vescovo di Troia per liberare et affranchare se et li heredi et successori sua di una casa con orto posta in via San Gallo allato all'oratorio di San Salvestro, dove lui habita intra e sua confini, da uno afficto et livello perpetuo quali el detto vescovo et sua heredi et successori erano obbligati pagare ogni anno al detto convento in conto di detti beni condotti per detto vescovo in detti nomi sino nell'anno 1493 et sotto dì 24 gennaio di decto anno ... et al quale vescovo detti frati di poi nell'anno 1515 et sotto dì XVIII di febbraio affrancorono et liberorono detti beni et e detti conductori dal detto censo annuo di detti ducati dieci ogni volta et per ogni tempo, che a nome et a stanza loro et di decto monastero el decto vescovo dipositasse ducati 200 d'oro di camera per convertire in commodo et evidente utilità de decti frati et di decto convento, sì come appare contratto per mano di messer Giovanpietro Lunato da Pontremoli, notaio pubblico dello archivio di Roma, sotto detto dì XV di febbraio 1515 ...». Segue la trascrizione del breve apostolico di Leone X «datum Rome in arce Sancti Angeli sub annulo Piscatoris die XI febrarij MDXX, Pontificatus mostri anno septimo», ASF, *Acquisti e Doni 83/3*, c. 30 v.

1520, febbraio 11 - Breve apostolico di Leone X.
«Venerabili fratri Iannoctio Episcopo Troiano Prelato nostro domestico
LEO papa
Venerabilis frater salutem et apostolicam benedictionem. Cum sicut nobis innotuit alias postquam felicis recurdationis Alexandri pp. VI predecessori nostro pro parte tunc Prioris, et fratrum domus S. Marie de Monte Senario ..., quod ipsi certum ortum muro vallatum, cum vitibus, et alijs arboribus, ac certas domum et habitationem in civitate Florentie iuxta suos

confines tunc expressos consistentes, et ad dictam domum legiptime pertinentes pro te et tuis heredibus et successoribus, ac illo, vel illis cui, vel quibus tua iura concederes, sub annuo censo seu canone decem ducatorum auri de camera annis singulis eisdem Priori et fratribus persolvendorum perpetuo locaverant, et concesserant, ac centum florenos ad rationem septem librarum monete dicte civitatis, pro investitura, et utili dominio bonorum predictorum a te receperant, et illos in usum et utilitatem dicte domus S. Marie converterant, et prefatus Alexander predecessor concessionem, et locationem huiusmodi, quatenus in evidentem dicte domus S. Marie cederet utilitatem de tui consensu per suas litteras approbari, et confirmari mandaverat, et ille litterarum earundem vigore approbate et confirmate fuerant. Tuque super ipsis bonis, que ex tunc concessionis huiusmodi vigore tenuissi et possessisti, prout tenes et possides de presenti notabile edificium, non sine magna impensa tua, construi et aedificari feceris». Il breve prosegue con l'invito a Giannozzo affinché provveda a versare presso il banco de' Gaddi ducento ducati d'oro, affinché i beni vengano definitivamente liberati da ogni censo annuo e vengano così a far parte del patrimonio personale di Giannozzo.
«Nos, qui dum Florentie, postquam ad summi Apostolatus apicem fuimus assumpti, essemus, huiusmodi aedificia, que super bonis predictis construi fecisti, insepeximus de premissis plene informati, tibi tuisque heredibus et succesoribus prefati, ut bona ipsa pacifice possidere possitis oportune providere volentes, ac dictorum bonorum situs, confines, qualitates, et verum valorem, nec non singulorum instrumentorum super premissis confectorum tenores pro expressis habentes, nec non dictorum centum florenorum solutionem, et conversionem ratas, et gratas habentes; motu proprio, et ex certa scientia, Auctoritate Apostolica tenore presentium approbamus et confirmamus...», ASF, *Acquisti e Doni 268*, filza 1, n. 20, c. 10.
1520, aprile 26 - Contratto rog. Bastiano da Firenzuola. Secondo la facoltà concessagli dal breve papale del 1517 giugno 15, Giannozzo, e per lui Pandolfo in qualità di procuratore, acquista dai frati di Montesenario quanto ancora ad essi rimaneva del convento di San Silvestro: «unam domum cum sala, cameris, turia, palchis et tectis et cum orto et stabulo et alijs suis pertinentijs positam in populo Sancti Laurentij florentinij et in via Sancti Galli iuxta ecclesiam Sancti Silvestri et conventum Sancti Petri del Murrone quibus bonis, quibus a primo via, a 2° dicti monasterij S. Petri de Murrone, a 3° et 4° bona prefati domini episcopi olim empta a dictis venditoribus...».
Il prezzo prefissato è di duecento fiorini d'oro.
«Prefatus Pandolfus in presentia mei notarij et testium solvit dictis venditoribus dictis nominibus presentibus et non se trahentibus in pecunia aurea numerata; et de quibus et ex causis predictis notaverunt se bene pagatos, tacitos et contentos et sit liberam quietantiam et finem... et insuper quia iuxta dicta bona supra vendita restat una ecclesia sub titulo Sancti Silvestri pertinens ad dictos fratres venditores... et cum pacto, et condicione quod quatenus prefato domino episcopo expediat ullo umque tempore amovere de ditto loco dictam ecclesiam et illam destruere et alibi hedificare et alio transferre hoc facere possit et sibi liceat cum licentia in sedis apostolice sive obtenta vel obtinenda...», ASF, *Acquisti e Doni 83/3*, c. 51 ss.

1520, giugno 9 - Pandolfo provvede a fare «el deposito di fiorini dugento in su el banco de Gaddi di Firenze nel modo che si conviene nel predetto contratto» (1520, aprile 26), ASF, *Acquisti e Doni 83/3*, c. 54.

1520, luglio 23 - Processo svolto nell'Arcivescovado Fiorentino, a seguito del quale si concede a Giannozzo e ai suoi eredi il patronato della chiesa di San Silvestro, ASF, *Acquisti e Doni 83/3*, c. 41 ss.

1520, ottobre 30 – Rog. Bernardo Gamberelli, atto di donazione della casa e dell'orto di via San Gallo a Pandolfo di Angelo di Pandolfo.
«Pandolfo olim angeli pandolfi de pandolfinis eius nepoti ex frate carnali» «... unam domum seu palatium cum palcis salis cameris voltis Lodijs et cum orto seu viridario ... sitam florentie in populo sancti Laurentij ... in via sancti galli et contra monasterium sancte lucie cui a prima via sancti galli 2a alia via que est intermedia inter dictam domum et bona et monasterium sancte lucie de florentia a 3° via retro que vadit versus sanctum marchum a 4° bona et seu societatis sancti johannis Baptiste que vulgariter nuncupatur la compagnia di sangiovanni schalzo a 5° in parte hortum dicti ipsius domus monasterium fratrum capituli ... et conventus sancti petri del murrone de Florentia.

Item omnia et quaecumque bona mobilia et se moventia supelectilia, arnesa et seu masserititas, pannos lineos et lanos vestes et ornamenta quaecumque vasa etiam argentea vel inaureata et de auro crateras de argento tappetos et generaliter omnia [...] quae pro ornamento vel alia quacumque causa tempore mortis dicti Reverendi Domini episcopi reperiuntur vel esset in dicta domo...una cum omnibus ... melioramentis que quolibet tempore ... per ipsum Reverendum dominum episcopum donate ...», ASF, *Notarile Antecos., G 72* (1520/21), B. Gamberellus, fol. 292 r., ed. FROMMEL.

1521, marzo 26 - Ratifica del Sindaco dei Frati di Monte Senario al contratto di vendita del 1520, aprile 26, ASF, *Acquisti e Doni 83/3*, c. 56 ss.

1521, giugno 1 - Breve di Leone X a conferma dell'atto di donazione della casa e dell'orto di via San Gallo a Pandolfo di Angelo Pandolfini, da parte di Giannozzo.
«Venerabili fratre salute et apostolicam beneditionem: exponi nobis nuper fuisti quod aliis tua sponte extecta scientia... census pro te et heredes et successores tuos pure libere et inrevocabiliter inter vivos: Palatium seu domum magnam in civitate Florentie et parrochia Sancti Laurentij florentini, at strata Sancti Galli nuncupata, consistens seu consistentem cum mansionibus et edificiis ac orto seu viridario, nec non omnibus seu singulis iuribus et pertinentiis suis ac quacumque alia bona immobilia in eadem civitate consistentia et infra confines tunc expressos comprehense, ad te legiptime pertinentia cum omnibus et singulis infra seu intra ipsa existentibus ac iuribus et conditionibus ad te ex eisdem bonis quomodo libet spectantibus. Nec non melioramentis in et super illis factis et faciendis delecto filio Pandolfo Angeli Pandolfi de Pandolfinis civi florentino, tuo ex frate germano nepoti pro se suisque heredibus et descendentibus masculis legiptimis et naturalibus, et alijs infrascriptis, ad habendum, tenendum et possidendum et usufructandum modo et forma, ordine personis et temporibus, ac cum conditionibus infrascriptis, pleno tamen et libero usu et usufructu ipsorum bonorum tibi quo adviveres (...) ante omnia reservato donasti, concessisti et tradidisti ac in huiusmodi donatione bona predicta in eo statu in quo tempore obitus tui erunt vel esse contigerit, ac omnia et singula bona mobilia et semoventia, suppellectilia, ornamenta, vasa, etiam argentea vel inaureata, et generaliter omnia et singula, que tam pro usu quam pro ornamento vel alia quecumque de casa, tempore obitus tui in domo et aliis bonis predictis esse reperiendis ...».
Il breve prosegue con le disposizioni relative all'istituzione della primogenitura per la trasmissione dei beni secondo la linea di Pandolfo e disponendo inoltre «que dicta bona nullo modo deveniant vel devenire valeant in aliquam etiam non coniugatam vel ad ecclesiasticam personam...», ASF, *Acquisti e Doni 83/3*, c. 38 ss.; ASV, *Reg. Vat.*, armadio 29, vol. 69, c. 22 ss, parzialmente ed. FROMMEL.

1521, dicembre 1 - Morte di Leone X.

1522 - Giannozzo Pandolfini rinuncia al vescovado di Troia in favore del nipote Ferrando, ASF, *Carte Sebregondi*, in «Pandolfini».

1523, novembre 18 – Giulio de' Medici viene eletto papa col nome di Clemente VII.

1524, ottobre 22 - Rog. Bernardo Gamberelli; «Addictio facta suprascripta donationi per D. Episcopum Troianum cum consensu Pandulfi». Si stabilisce che se muore Pandolfo senza figli maschi legittimi o naturali, l'eredità va al maggiore fra i fratelli di Giannozzo; si stabilisce inoltre l'usufrutto in favore di monna Caterina (di Pigello Portinari), madre di Pandolfo e vedova di Agnolo di Pandolfo Pandolfini.
«... unum domum magnam seu palatium cum palcis, salis, cameris, voltis, lodia, stallis, orto et seu viridario et cum omnibus stantijs, edificijs, habiturijs et pertinentijs positis in civitate Florentie et in populo Sancti Laurentij de Florentia et in via Sancti Galli et contra monasterium Sancte Lucie cui et seu quibus bonis a primo via Sancti Galli predicte, a 2° alia via que est intermedia inter dictum domum et seu palatium et bona et monasterium Sancte Lucie, a 3° retro vie que vadit versum Sanctum Marcum, a 4° bona Societatis Sancti Johannis Schalzi in parte, et in parte bona et seu monasterium fratrum Sancti Petri del Murrone, una cum omnibus expensis et seu melioramentis que per dictum Reverendissimum Dominum Episcopum quandocumque fierent, vel super dictis bonis et etiam omnes masseritia et bona mobilia et

semoventia que tempore mortis R. Domini Episcopi reperientur in dictis bonis... Item quia in prenarrata donatione dicta bona immobilia deficiente linea dicti Pandulfi donant domine Caterine matri dicti Pandulfi, ad eiusdem domine Caterine vitam et prout plenus in dicta donatione continetur in dicto capite, dictam donationem declarando et seu eidem addendo vel eam corrigendo ...». Si stabilisce tuttavia che nel caso che al momento del passaggio dell'eredità a Pandolfo fosse ancora vivente uno dei fratelli carnali di Giannozzo, allora Caterina non potrà godere dell'usufrutto, ma avrà diritto a ricevere 50 fiorini d'oro ogni anno. «... Prohibens etiam dictus Reverendus Dominus Episcopus cum dicto consensu et expresse vetans omnibus dictis donnatoris et successive quilibet eorum ut supra ne aliquis predictis quovis modo possit vel valeat et seu habeat, ut vulgo dicitur, tollere vel quovis modo amovere ex dictis bonis immobilibus ut supra donatis infrascripta vulgari sermone expressa videlicet statua anticha, usci di pietra fine, cammini alabastri, fontane et altri conci fini exiistentes murati in dictis bonis et quicumque contraveniret talis contraveniens incontinenti sit privatus et eum privavit commodo dicte donnationis et omnium suprascriptorum et in eius locum succedat ille qui secundum ordinem iam datum debuisset venire...», ASF, *Acquisti e Doni 83/3*, c. 60 ss.

1524, ottobre 30 - Rog. Bernardo Gamberelli. Conferma dell'atto di donazione del 1520 ottobre 20, con descrizione generica del palazzo, ASF, *Notarile Antecos. G 73* (1523/25), B. Gamberellus, c. 278 ss., ed. FROMMEL.

1525, aprile - Clemente VII nomina Giannozzo governatore di Castel Sant'Angelo, cfr. C. L. FROMMEL, *Der Römische Palastbau der Hochreinessance*, Tübingen 1973, p. 360.

1525, dicembre 6 - Morte di Giannozzo Pandolfini. Forcella, IV, 41 (ed. FROMMEL) descrive l'iscrizione sepolcrale:
«Ianotii Pandulphini Florentini Troiani Antistitis Molis Adriaticae [per Adrianee] A Clemente VII Praefecti Temporarium Depositum Obiit VIII Idus Decembris MDXXV Aetatis Suae Annorum LXVIII».

1528, maggio 5 - «Ferrando Pandolfini vescovo di Troia dé dare a dj 5 di maggio scudi ventiquattro lire XIII picciole per tanti pagati per Sua Santità a Giovanfrancesco da Sangallo et soci linaiuoli et sono per più robe per Sua Santità levò Piero suo fratello, posto detto Giovanfrancesco li debba avere in questo a c. 10». Archivio Bartolini Salimbeni, *Libro di debitori e creditori segnato C di Pandolfo di Agnolo Pandolfini* (1528-1551) c. 5.

1528, giugno 6 - Pandolfo di Angelo Pandolfini è testimone di una transazione dell'architetto Giovanfrancesco da Sangallo, ASF, *Notarile Antecos. G 73* (B. Gamberellus), c. 259 ss., ed. FROMMEL.

1529, marzo 7 - «Frati et convento di Montesinaia devono dare a dj 7 di marzo ducato uno di moneta, portò fra Girolamo Acciajuoli, come per conto del censo che io pago loro annualmente per conto dal orto, cassa avere in questo a c. 3».
Archivio Bartolini Salimbeni, *Libro Pand., (1528-1551) c. 6.*

1529, marzo 18 - «El Rev. messer Ferrando Pandolfini vescovo di Troia dè dare a dì 18 di marzo scudi 1200 di moneta che divanti me lo truovo questo di debitore per un lodo dato in fra lui et me e 'l Reverendissimo Cardinale di Cortona sotto dì 26 di agosto 1526, rogato ser Jacopo Ducci da Pistoia, et verificato per detto vescovo per mano del detto ser Jacopo sotto dì 17 di settembre 1526, la quale quantità depende da' conti che io aveva con la buona memoria del Rev. messer Gianozo Pandolfini già vescovo di Troia suo antecessore, et come appare per detto lodo el detto messer Ferrando vescovo me li debba pagare scudi C fino per tutto il mese di dicembre passato 1526, et scudi C fin per tutto giugno passato 1527, et scudi C per tutto il mese di dicembre 1527 et scudi CL fino per tutto il mese di giugno passato 1528 et scudi CLXXV fino per tutto il mese di giugno prossimo a venire 1529 et scudi CLXXV per tutto il mese di dicembre prossimo a venire 1529, et scudi CLXXV per tutto il mese di giugno prossimo a venire del 1530, posto capitale mio li debbi avere in questo a c. 8», Archivio Bartolini Salimbeni, *Libro Pand.*, c. 9.

1529, marzo 22 - «E a dì 22 di marzo scudi dodici d'oro di sole per lui (Ferrando Pandolfini, vescovo di Troia) a ser Donato Alioti et a lui per me li pagò Giovanfrancesco da Sangallo posto avere in questo a c. 10», Archivio Bartolini Salimbeni, *Libro Pand.*, c. 5.

1529, marzo 22 - «Giovanfrancesco da Sangallo et soci linaiuoli deono avere a dì 22 di marzo scudi dodici d'oro di sole per tanti pagati per me a ser Donato Aliottj, ricevergli per Piero suo padre et io li feci pagare per il Vescovo di Troia, posto dare in questo a c. 5», Archivio Bartolini Salimbeni, *Libro Pand.*, c. X.

1529, aprile 1 - «e a dì primo di aprile lire 24 soldi 4 apostolici pagati per lui a Giovanfrancesco da Sangallo per braccia 9 di panno bigio, braccia 11 di tela bortana, braccia 4 e 1/2 di glivarnello bigio levò Niccolò suo fratello aver per mettersi in ordine per andare a Troia, posto Giovan Francesco detto come posto cassa li debba avere in questo a c. 3», Archivio Bartolini Salimbeni, *Libro Pand.*, c. 5.

1529, aprile 27 - Ferrando Pandolfini pretende di entrare in possesso del palazzo sia come successore di Giannozzo nel vescovado di Troia, sia perché i lavori sono stati eseguiti con i proventi dell'episcopato troiano e promuove causa presso l'arcivescovado fiorentino, «ut prefertur per eum emptorem requisivit Pandulphus quoddam de Pandulphinis suum nepotem ex frate germano quatenus residuum pretij soli et bonorum predictorum ut prefert per eum emptorem solveret et opus edificij et viridarij per eum incepti prosequeretur et proposse compleret. Quapropter dictus olim Pandulphus de Pandulphinis tam in humanis agente dicto Reverendo Domino Johanozio eius patruo qui eo vita functo ab anno MDXXIII ex mense julij dicti anni usque ad mensem maij MDXXVIII seu alio veriori exposuit muramentis et melioramentis dictorum bonorum summam et quantitatem florenorum duorum milium trecentorum quatordecim auri largi et libras quator solidorum duorum piccoli de suis propris pecunis. Ac et exposuit et expendere coactus fuit prefatus Pandulphus et pro acquirendo et liberando parte dicti soli, viridarij, orti, palatij et bonorum suprascriptorum florenos quadringintos largos in auro et florenos trigintasepte et solidos sexdecim denari otto auri largos in auro predicti Pandulpho solutos accasione dictorum bonorum cuidam Domine Smeralde, que habebat ius in dictis bonis. Ac et certum esse debet que postea et post obitum dicti Reverendi Domini Johannoctj, de anno 1529 et die XXVII aprilis dicti anni vel alio ipsi veriori Reverendus Dominus Ferrandus prefatu episcopatu troiano successor, pretendens dictum palatium, viridarium et bona suscripta ad se tamquam successore in dicto episcopatu troiano et tamquam empta, acquisita, construita, edificata et seu reaptata de proventis dicti episcopati troiani pertinere super hoc res quae alijs in actis cause huiusmodi latius expressis, idem dictum Pandulphum et D. Caterinam eius matrem coram tunc vero Reverendissimi D. Archiepiscopi Florentini, tamque indice ordinario quam in iudicij apostolici prefato tunc Reverendissimo D. Archiepiscopo Florentino a sede apostolica concessi lite movit», ASF, *Acquisti e Doni 268*, filza 1, n. 20, c. 6 ss.

1529, aprile - Pandolfo di Angelo Pandolfini appare in un contratto di «Johannes Franciscus olim Laurentij ... de Sangallo architector populi Sancti Michaelis», ASF, *Notarile Antecos. G 74* (B. Gamberelli), c. 11 s., ed. FROMMEL.

1529, settembre 20 - «scudi cento di moneta et sono per il fornimento di letto di broccato et raso sbiadato foderato di rasetta bianco et uno paramento di cuoio d'oro et pagonazo alto della camera grande dal orto et dua sedie di velluto pagonazo et frangia d'oro, venduto al Vescovo di Troia che liene portò ser Donato Aliotti per detto prezio posto detto vescovo dare in questo a c. 27», Archivio Bartolini Salimbeni, *Libro Pand.*, c. VIII.

1530, aprile 16 - Pandolfo nel suo testamento nomina Roberto, suo figlio maschio, erede e nomina tutori sua madre Caterina, la moglie Marietta (di Ruberto di Dante da Castiglione), Giovanni di Pandolfo Pandolfini suo zio, Giovanni di Filippo dell'Antella e Filippo di Battista Pandolfini suo cugino, ASF, *Notarile Antecos. G 76 Testamenti* (1519/33), B. Gamberelli, c. 265 ss.

1530, giugno 26 – Testamento di Giovanfrancesco di Lorenzo da San Gallo, ASF *Notarile Antecos. G 76 Testamenti* (1519/33) B. Gamberelli, c. 85 s.

1530 - Morte di Giovanfrancesco di Lorenzo da Sangallo «Nel che fare gli fu di gran comodo un suo fratello chiamato Giovan Francesco il quale come architettore, attendeva alla fabrica di san Piero, sotto Giuliano Leni proveditore. Giovan Francesco dunque havendo tirato a Roma Aristotele, e servendosene a tener conti in un gran maneggio che haveva di fornaci, di calcine, di lavori, pozzolane, e tufi, che gli apportavano grandissimo guadagno; si stette un tempo a quel modo Bastiano, senza far' altro che disegnare nella cappella di Michelagnolo, e andarsi trattenendo per mezzo di Messer Giannozzo Pandolfini Vescovo di Troia, in casa di Raffaello da Urbino, onde havendo poi Raffaello fatto al detto Vescovo il disegno per un palazzo, che volea fare in via di San Gallo in Fiorenza, fu il detto Giovan Francesco mandato a metterlo in opera, si come fece, con quanta diligenza è possibile, che un'opera così fatta si conduca. Ma l'anno 1530 essendo morto Giovan' Francesco e stato posto l'assedio intorno a Fiorenza, si rimase come diremo imperfetta quell'opera all'esecuzione della quale fu messo poi Aristotele suo fratello che se n'era molti, e molti anni innanzi tornato come si dirà a Fiorenza ...» (Vasari-Milanesi, VI, p. 434).

1530, luglio 23 - «Casa et orto posito in via San Gallo in Firenze dé dare a dì 23 di luglio scudi dugento di moneta fogli buoni a rede di Taddeo Gaddi e soci di Firenze, per tanti fatti buoni per me al priore et frati del capitulo et convento di Monte Asinaia fino a dì 9 giugno 1520, e quali li feci loro buoni per valuta di una parte di detto orto ed alquanto di abitatione apresso a detta casa comprata da loro per detto prezo come ne appare contratto rogato ser Bastiano da Firenzuola sotto dì 26 aprile 1520, posto detti Gaddi li debbino avere».

«e a dì detto scudi centonovantacinque, lire 2, denari 5 di moneta per ducati 200 d'oro ... che l'erede di Taddeo Gaddi e soci di Firenze ad istanzia del Rev. messer Giannozzo Pandolfini vescovo di Troia confessorono in deposito sino a dì 18 di gennaio 1519 al priore, frati, capitolo et convento di Monte Asinaia per liberare da un censo di ducati X d'oro che si pagava loro l'anno per conto del sopraddetto orto come ne appare contratto rogato messer Giovanpietro Lunato a dì 15 febbraio 1515 et di poi confirmato rogato ser Scipione Braccesi a dì primo di marzo 1519. Il quale deposito i Gaddi lo feciono sopra di Giovanni di Filippo dell'Antella et Giovanni sopra di me et io ne sono stato pagatore di poi la morte del prefato vescovo di Troia come tutto appare a libri de' Gaddi che ducati cento di moneta feci loro buoni a dì 31 di marzo 1526. Il restante fecero loro buoni per me e loro di Roma a dì 8 aprile 1526. Et per essersene in quelli tempi aconcie le scritture ne fo creditore capitale mio in questo a c. 50», Archivio Bartolini Salimbeni, *Libro Pand.*, c. 53.

1530, luglio 23 - «e a dì detto scudi duemila trecento quattordici lire XIII denari IIII di moneta per tanti ne fò debitore casa et orto di via San Gallo primo dare in questo a c. 53», Archivio Bartolini Salimbeni, *Libro Pand.*, c. L.

1530, luglio 24 - «e a dì 24 detto scudi 37, lire 6, soldi 8 di moneta fogli buoni monna Smeralda madre di frate Agostino Biliotti e sono che fino a dì 24 di marzo 1520 io me gli obligai a pagargli a vita sua ogni anno scudi 4 di moneta, rogato ser Bastiano da Firenzuola sotto tale dì, per avere lei in quello tempo a vita sua la casetta e pezo di orto in via di San Gallo de frati de Monte Asinaia che si conviene nella prima partita di sopra che fino a questo dì sono anni 9 mesi 4 et lei renuntiò a ogni sua ragione, rogato ser Bastiano detto a dì 26 di marzo 1521.
Nota come nel ultima informatione che si fece della donatione del orto rogato ser Bernardo Gamberellj si obligò detta casa et orto inanzi a ogni altra cosa a chi pagherebbe le sopra dette tre partite di sopra e benché per l'ordinario fussino obligati questo si fece a maggiore cautela, scudi 432. 9. 1.», Archivio Bartolini Salimbeni, *Libro Pand.*, c. 53.

1530, luglio 24 - «Ducati cinque di moneta per tanti pagati per loro a fra Giovanni da San Miniato loro sindaco e procuratore come appare nel mio quaderno segnato B a c. 88 in un conto di casa et sito del orto di via di San Gallo, posto cassa in questo a c. 33».

– «e a dì detto ducati 24 di moneta auti da me in più partite et varj tempi come si mostra per una scritta di mano di fra' Giovanni da San Miniato la quale è presso di me et confessa il sopradetto conto della prima partita esser per resto di ducati 10 de l'anno 1527, posto capitale mio li debba avere posto in questo a c. 50», Archivio Bartolini Salimbeni, *Libro Pand.*, c. 6.

1530, luglio 24 - «Frati di contro deono avere a dì 24 di luglio 1530 ducati 55 di moneta, lire 16, denari 8 di moneta, de' quali fò loro buoni per li usufrutti di scudi 200 che l'erede di Taddeo Gaddi et soci di Firenze confessorono haver per loro in djposito a dì 9 di giugno 1520 et io mi li obligaj pagarli loro a ragione di 5 per cento l'anno fino che non rinvestirono, et li pagai fino a Natale 1524 et li missi in conto al Rev. messer Giannozzo vescovo di Troia, come per li libri de' Gaddi si vede che vengono a essere in poi anni 5 et mesi 7 che montano la somma sopra detta, el detto deposito fecero loro e Gaddi per valuta del pezo d'orto et parte di casa in via San Gallo comperai da loro, posto casa et horto dare in questo a c. 53», Archivio Bartolini Salimbeni, *Libro Pand.*, c. VI.

1530, luglio 24 - «Raffaello e Giovanni da Settignano scarpelini deono avere a dì 24 di Luglio scudi 5 lire 14 e soldi 3 di moneta et sono per il loro conto levato dal mio quaderno B a c. 95, dove ne erano creditori posto capitale mio debbi dare in questo a c. 50».

– «Raffaello Mafesi e soci fornaciaj da Santa Brigida deono avere a dì 24 di luglio scudi 6 lire 13 soldi 3 di moneta et sono per loro conto levato dal mio quaderno B a c. 4, li debbo dare in questo a c. 50».

– «Andrea di Jacopo Landini fornaciaio della via della Pergola dè avere a dì 24 di luglio scudi 1, lire 7, soldi 8 di moneta che di tanti ne era creditore al mio quaderno B a c. 95 posto in tale luogo dare et capitale mio in questo a c. 50», Archivio Bartolini Salimbeni, *Libro Pand.*, c. LVI.

1530, settembre 30 - «Giovanni e Xristofano carretaj deono avere a dì ultimo di settembre scudi 9, lire 8, soldi 7 di moneta per valuta di soldi 66 piccoli et sono per resto d'ogni conto delle robe datemi per la muraglia della casa et orto posto in via di San Gallo fattane la tara d'acordo, posto detta casa et orto li debbono dare in questo a c. 53», Archivio Bartolini Salimbeni, *Libro Pand.*, c. LVIII.

1530, novembre 10 - «Casa et orto in via di San Gallo in Firenze dé dare a dì 10 di novembre scudi 2816.7.11 di moneta per resto del suo conto in questo a c. 53», Archivio Bartolini Salimbeni, *Libro Pand.*, c. 62.

1530, novembre 10 - «E a dì detto scudi 2314, lire 13 soldi 4 di moneta per lire 16202.3 apostoliche et sono per conto della muraglia di detta casa et orto, levato dal mio quaderno segnato B a c. 93 dove ne ero debitore per tanti spesone io di miei danari propri in miglioramenti et muraglia di detta casa et orto da dì 6 d'agosto 1523 fino a dì 25 di febbraio 1528 et con intentione di essere rimbursato dal Rev. messer Giannozo Pandolfini vescovo di Troia, del quale seguendone la morte et per lodo dato per il cardinale di Cortona rogato ser Jacopo da Pistoia a dì 17 di settembre 1526 fu agiudicato che io non potessi adimandare cosa alcuna per conto di detta casa, pertanto ne n'ò a valere sopra di quella, però ne la fò debitore, posto capitale mio li debba avere in questo a c. 50», Archivio Bartolini Salimbeni, *Libro Pand.*, c. LIII.

1531, maggio 4 - «E a dì 4 di maggio scudi 6, lire 6 di moneta che sono per resto della gabella della compera ultima che si fece di scudi 200 di moneta rogato ser Bastiano da Firenzuola sotto 26 di aprile 1520, la quale si pagò con la gratia et per me li pagò Giovanni di Pandolfo Pandolfini, posto li debba avere in questo a c. 38.
Nota come a dì 13 di luglio 1532 fu chiarito, per sententia al vescovado che io potessi disporre di scudi 2314, lire 4 soldi 2 piccoli per miglioramenti fatti per me et scudi 400 pagati a frati di Monte Sinaia et di ducati 37 lire 6 soldi 8 di moneta pagati a monna Smeralda, non mi togliendo per questo le ragioni del restarre del credito, come ne appare ricordo nelle mie ricordanze pagonaze segnate A a c. 120», Archivio Bartolini Salimbeni, *Libro Pand.*, c. 62.

1532, luglio 13 - Sentenza dell'Arcivescovo di Firenze «tamquam iudice ordinario etiam iudice indulti apostolici» che riconosce a Pandolfo Pandolfini «habere iure proprio in predictis bonis factorum pro dicta summa et quantitate florenorum duorum milium trecentorum quatordecim auri largorum in auro et libras quatour et solidorum duorum piccoli et etiam iura dictorum florenorum quatuorcentorum per dictum Pandulphum expositorum pro acquisitione soli dictorum bonorum...» e riconosce che sia per le spese fatte in proprio, sia per la donazione a lui fatta da Giannozzo, poi confermata da una bolla papale, Pandolfo «... in dictis bonis et de dictis suis iuris potuisse et posse tamquam de se proprio disponere libere...», ASF, *Acquisti e Doni 268,* filza 1, n. 20.

1532, luglio 21 - «E a dì detto scudi 95 lire XIIII soldi 2 di moneta per denari 669.17.4 piccioli per tanti che lui (Ferrando Pandolfini) spese in miglioramenti et aconcimi nel mio orto cioè in rimettere catene che la parte di Santa Lucia non rovinassi et ricoprire et altro come appare a un loro quadernuccio in facce sette, tenuto per detto conto, da lui posto casa et orto di via San Gallo dare in questo a c. 62», Archivio Bartolini Salimbeni, *Libro Pand.*, c. 66.

- «E a dì 21 di luglio 1532 scudi 95, lire 14 soldi 2 di moneta per denari 669.17.4 piccioli, che tanti spese il Rev. messer Ferrando Pandolfini vescovo di Troia fino lo anno 1529 per mia commissione in rimettere le catene nella parte di S. Lucia che rovinava et a fare un palco falso et amattonare quella camera grande et fare finito dalla banda dinanzi che era scoperto et altre spese, come appare a un suo quaderno ché è presso di me posto detto Vescovo li debba avere in questo a c. 66», Archivio Bartolini Salimbeni, *Libro Pand.*, c. 62.

1533, gennaio 10 - «E a dì 10 di gennaio 1532 scudi 10, lire 8 soldi 4 di moneta et sono per resto di tutto quello che ò auto da lui [Jacopo Landini fornaciaio] fattone saldo d'acordo questo dì come se ne dà al libro suo segnato B coreggia gialla a c. 200 che restò qui debitore di lire 90 et sono per ogni (...) hauto a fare infino a questo presente dì... drento ogni scritta che lui havessi di mio per ser Giovanni suo fratello delle quali tanto è pagato et non me le rende pagati dice haverle perdute. Le quali tutte rese, come si vede per sua libri, servivano per la muraglia del orto in via di San Gallo, pertanto li debbo dare in questo a c. 62», Archivio Bartolini Salimbeni, *Libro Pand.*, c. LVI.

1536, marzo 27 - Sentenza della curia vescovile fiorentina ove viene stabilito che se entro sei giorni non verranno pagati a Roberto, figlio ed erede di Pandolfo Pandolfini, 2752 scudi d'oro da parte di Ferrando Pandolfini e di suo fratello Dionigi e di Zenobi del Mangano, curatore dell'eredità, per soddisfare il credito del suddetto Roberto, si dovrà procedere alla vendita dei beni, ASF, *Acquisti e Doni 268* filza 1, n. 20.

1536, aprile 4 - Scaduti i termini il Vicario fiorentino, commissario apostolico, provvede alla vendita all'asta del palazzo «subhastavit et subhastari fecit voce preconia et ad candelam accesam ut fieri consuevit in similibus subhastationibus bonorum, et quod in dicta subhastatione sive incantu nullus fuit qui plus et maiorem summam offerit que Carolus Johannis Niccolai de Martellis civis florentinis, qui obtulit se emptorem dictorum bonorum pro se vel nominando ab eo pro summa et quantitate florenorum milleoctingentorum auri ad libras septem pro floreno...», ASF, *Acquisti e Doni 268*, filza 1, n. 20.

1536, luglio 20 - Rog. Raffaele di Miniato di Matteo Baldesi.
Contratto di vendita del palazzo a Maria de Blanchellis, moglie di Niccolò di Leonardo di Averardo de' Medici che si presenta quale compratrice al posto di Carlo Martelli.
Il Vicario, stabilite alcune ipoteche sui beni di Maria, a garanzia del contratto, «iure proprio et perpetuum vendidit, tradidit et concessit dicte Domine Marie de Blanchellis presenti et pro se et suis heredibus et successoribus vel nominandum ab eo in totum vel in parte, et cui vel quibus iura sua concesserit recipienti, ementi et stipulanti dicta bona de dicta petitione et libello de qua supra fit melio et hoc modo contentis et confinatis videlicet:
Unam domum Magnam seu palatium cum orto seu viridario et aliis omnibus suis iuribus et pertinentijs et cum omnibus lignaminibus tam affixis que et pro uso fabrice dicti palatij et bonorum preparatis et destinatis in dicto palatio et bonis existentibus positis Florentie in populo Sancti Laurenti de Florentia et in via nuncupata Sancti Ghalli... excepta tamque cappella sive oratorio Sancti Silvestri noviter per predictum quodam Reverendum D. Joanozium constructum, que seu quod non veniat in presenti vendictione...».
Seguono poi tutte le clausole relative ai pagamenti da effettuarsi e a tutti gli obblighi cui le parti sono tenute a sottostare. Fra gli altri impegni assunti da Maria de' Medici «teneatur saltem hinc ad festum Sancti Silvestri pro omne futuri aperire dictum oratorium sive cappellam Sancti Silvestri noviter ut supra dicitur constructum in testa dicti palatij et viridarij et fieri facere hostium supra via publica per quod pateat ingressus liber et apertus omnibus tam masculis quam feminis in dictum oratorium ingredi volentibus...», ASF, *Acquisti e Doni 268*, filza 1, n. 20.

1541, dicembre 14 - Sentenza della causa tra Ferdinando Pandolfini vescovo di Troia da una e Roberto Pandolfini e Niccolò de' Medici dall'altra parte circa la pertinenza del palazzo di via San Gallo.
«... Pronunptiamus, sententiamus, decernimus et declaramus dictum Palatium cum viridario et prout super designatum et confinatum apparet, cum eisdem suppellectilibus, fulcimentis, figuris et aliis prout fulcitum erat quando pervenit ad manus dicti Domini Nicholai de Medicis et Domine Marie eius uxoris, non obstantibus sententiis et aliis quibuscumque huc usque secutis, stante negligentia aliorum de Pandulphinis laycorum in recuperando ipsum. Quos omnes negligentes fuisse etcetera, declaramus devenisse et devenire debere... ad dictum Dominum Ferdinandum Episcopum Troianum et dictum Dominum Sebastianum eius procuratorem... declaramus dictum Rev. Dominum Ferdinandum modo infrascripto debere succedere ad vitam et durante vita naturali tantum ipsius Domini Ferdinandi, successive vero, salvis infrascriptis, succedere debere in bonis predictis dicti Palatii et viridarii atque fulcimentis predictis dictum Robertum filium et herede Pandulphi de Pandulphinis... data retemptione D. Niccholao de Medicis et Domine Marie eius uxori pro florenis duobus milibus centum largorum monete ad libras septem pro floreno, tum respectu capitalis per eum exbursati et seu depositati proventi et expensi in utilitatem dicti pupilli et predicto pupillatu, tum etiam respectu melioramentis in eis factis, que bona volumus et declaramus in predictio devenire debere cum omnibus oneribus eorum que debetur occasione dictorum bonorum cappelle Sancti Silvestri et fratribus montis Asinariae pro tempore futuro. Pro tempore vero decurso, pro quo dictus D. Nicholaus et dicte eius uxor retinuerunt dicta bona, volumus quod dicta onera respicientia dumtaxat annuam prestationem grani de qua per dispositione instrumenti rogato per Ser Scipionem de Braccesis in causa predicti, ad dictum Dominum Nicholaum et dictam eius uxorem et partes ab expensis absolvimus et liberamus et hec dicimus omni meliore modo», ASF, *Acquisti e Doni 268*, filza 11, n. 22.

1547, giugno 11 - Rog. Scipio ser Alexandri de Braccesis «In Dei nomine amen... in domo Rev. Domini Ferdinandi... et certum sit quod dictus dominus episcopus [Giannozzo] et seu Pandolphus Angeli de Pandolphinis eius nepos pro eo certum tempus solverunt huiusmodi annuum affictum et cum sit postea Hieronimus de Gaddis et socii campsores confessi fuerunt habere in depositum dictam summam ab dicto Rev. Episcopo et quod dictum depositum fuerit intimatum dicti Priori et fratribus et quod dictum depositum fuerit fictum et non actualiter factum et quod dicti fratres non potuerint se de eo prevalere et quod non obstante dicto ficto deposito dictus D. Episcopus et post eum dictus Pandulphus de Pandulphinis eius successor in dictis boni pro dictis fructibus solverint plures pecuniarum quantitates et cum sit quod de dicto capitali et summa ducatorum 400 dicti de Pandulphinis solverunt dictis fratribus ducatos 200 et de aliis 200 restaverint debitores et cum sit quod postea ad instantiam Roberti filij et heredis dicti olim Pandulphi de Pandulphinis sive eius actoris tamquam creditoris dicti olim Domini Episcopi de summa ducatorum duorum milia septingentorum quinquaginta auri per tunc vicarium Reverendissimi D. Archiepiscopi Florentini in ea parte commissarium apostolicum pro satisfactione dicti sui crediti et pro concurrenti quantitate fuerunt vendita sub asta dictus situs et bona cum melioramentis et muramentis in eo tunc factis, Domine Marie uxori Nicholaj de Medicis et filie Julii magistri Menghi pro pretio et cum pactis et conditionibis tunc expressis et inter alia predicta Domina Maria teneretur solvere dictis fratribus dictos ducatos ducentos et ulterius in quo dicti fratres essent creditores pro dictis fructibus prout de predictis constare dixerunt per publica documenta et alias diversas scripturas et cum sit quod postea de anno 1539 dicta D. Maria et pro ea dictus Nicolaus eius vir de consensu generalis ordinis solverit dictis fratribus alios ducatos centum similes in tot bestijs pro cultura necessarijs et similiter certam partem pecuniarum pro dictis fructibus decursis et quod post modum de anno 1542 seu alio veriori tempori dicta Domina Maria et dictus Nicolaus eius vir per sententiam latam per Dominum Franciscum Dinum canonicum ecclesie Sancti Laurentij Florentini ... Rev. Domino Ferdinando supradictis bonis fuerunt condemnati ad dimittendum et relapsandum huiusmodi bona Rev. Domini Ferdinando de Pandulphinis moderno episcopo troiano et quod ipsi ea dimiserunt et relapsaverunt cum conditionibus tunc expressis latius contentis in actis et per acta dicte cause rogata per et manu ser Bartolomej de Ponte Sevis notarij publici Florentini et inter alia quod dictus Rev. Dominus Ferdinandus episcopus teneretur et deberet solvere dicti Priori et fratribus ducatos centum sexaginta de quibus erunt creditores occasione dictorum bonorum pro capitalis et fructibus decursis usque ad dictus tempus prout constare dixerunt per publica documenta. Et cum sit quod prefatus

Rev. Dominus Episcopus de dicto debito solverit in una manu dictis priori et fratribus et pro eis Verio de Medicis ducatos XXV ad libras 7 et libras tres florenorum parvorum et in alia manu ducatos sex pro telis habitis a Sebastiano de Palmerijs et successive alios ducatos quadraginta solutos per eis Antonio de Corbizis creditori dictorum fratrum et cum sit quod vigore commissionis et litterarum apostolicarum et de licentia Domini Vicari Reverendissimi Domini Archiepiscopi Florentini in ea parte commissarij apostolici et ex causa et pro effectu de quibus in dictis litteris dictus Reverendus Dominus Episcopus in duobus terminis solverit dictis priori et fratribus et pro eis fratri Zenobio del Zacharia eorum procuratori ducatos LX ad libras septem et soldi triginta pro qualibet vice et cum sit predictus Rev. D. Ferdinandus solverit dicto fratre Zenobio procuratori et fratre Arsenio priori dicti monasteri in presentia mei notarij et testium libras dugentos viginti...», ASF, *Acquisti e Doni 83/3*, c. 62 v. ss.

1551, maggio 31 - Morte di Bastiano «Aristotele» da Sangallo.
«Tornato dunque a Firenze Aristotile l'anno 1547, nell'andare a baciar le mani al signor duca Cosimo, pregò Sua Eccellenza che volesse, avendo messo mano a molte fabriche, servirsi dell'opera sua, ed aiutarlo: il qual signore avendolo benignamente ricevuto, come ha fatto sempre gli uomini virtuosi, ordinò che gli fusse dato di provisione dieci scudi il mese; ed a lui disse, che sarebbe adoperato secondo l'occorrenze che venissero: con la quale provisione, senza fare altro, visse alcuni anni quietamente; e poi si morì, d'anni settanta, l'anno 1551, l'ultimo dì di maggio; e fu sepolto nella chiesa de' Servi», VASARI, 1568, VI, p. 449 s.

1557, febbraio 14 - Roberto Pandolfini cede in affitto per cinque anni il palazzo di via San Gallo a Marietta Tornabuoni, vedova di Francesco di Pandolfo Pandolfini, cfr. 1560, luglio 12.

1560 - Morte di Ferrando Pandolfini, vescovo di Troia. Nel suo testamento dà l'usufrutto del palazzo a sua madre Marietta Tornabuoni, MAZZANTI - DEL LUNGO, I (senza indicazione di fonti).

1560, luglio 12 - Rog. Francesco Giordani; allogagione.
«In nomine Domini... actum Florentie in predicta domo et palatio presentis... Publice pateat qualiter Nobili et venerabile Domine Mariette vidue fili quondam Petri de Tornabuonis et uxori olim Francisci Pandulphi de Pandulphinis civium Florentinorum presenti et petenti etc. dedi etc. in eius mundualium etc. Franciscum quondam Gherardi Francisci de Gherardis civis Florentinus presentem etc. cuius consensu etc. possit predictum contractum facere et se obligare...
Publice pateat qualiter spectabilis vir Taddeus quondam Joannis de Antilla civis Florentinus ut procuratore et eo in nomine Roberti quondam Pandulphi Angeli de Pandulphinis civis Florentini ut de eius instrumento approbatus per publicum instrumentum rogatum manu mei etc. sub die 14 mensis februarij anni Domini 1556 sponte etc. locavit ad pensiones etc. suprascripta Domine Mariette vidue vere olim dicti Francisci Pandulphi de Pandulphinis et filie quondam Petri de Tornabuonis... unam domum magnam seu palatium cum omnibus suis habituris, edificijs et pertinentis et cum horto seu viridario situm in civitate Florentie... ad habendum etc. cum omnibus et singulis etc. pro tempore et termine annorum quinque per futurorum inceptore die primo Januaris per preteriti et ut sequitum terminandorum per annua pensione, mercede et affictu florenorum triginta... et quondam dicta bona, ut asseruit et pretendit dicta domina Marietta, erat obbligata Reverendo olim Domino Ferrando de Pandulphinis episcopo troiano eius filio, pro florenis quingentis et ultra per ipsum Dominum et quondam in maiore summa solutis Domino Niccolao de Mediciis et Domina Maria eius uxori pro recumpratione bonorum predictorum et pro quadam alia quantitate pecuniarum per eundem Dominum Episcopum ut asserit solutores fratribus Montis Asinarie omnibus dependentibus autem sententia in archiepiscopali curia Florentina lata inter dictas partes sub diem 14 mensis decembris anni Domini 1541 ac etiam pro melioramentis in eisdem bonis ut dicit factis per dictum Rev. D. Episcopum et pro expensis lastrici factis illa bona predicta et propterea dicta Domina Marietta sibi seu aliis quibuscumque ut heredibus seu donatariis vel quolibet concessionariis dicti Rev. Domini Episcopi competere seu competere posse iura predicta dicti olim Rev. D. Episcopi et sic iura retinendi bona predicta prò predictis et post finem dicte locationis donec de eis satisfiat.
Et (...) pro parte dicti Taddei dicto nomine pretendatur dictum Robertum alia iura habere seu habere posse contra dictum olim Reverendum Dominum Episcopum et eius heredes et bona

seu super bonis ipsius et per supradicte non intendat partes predicte dictis et infrascrittis nominibus, sibi preiudicare...», ASF, *Acquisti e Doni 268*, filza 1, n. 20, c. 11.

1568 - Lucrezia e Maddalena Salviati, figlie di Pietro Salviati e di Ginevra Bartolini, le quali avevano abitato per un certo periodo nel palazzo lo affittano a Clemente Pietro di Genova, uno dei nobili alla corte di Cosimo I, MAZZANTI - DEL LUNGO, I (senza indicazione di fonti).

1585, giugno 30 - Pandolfo di Roberto Pandolfini diviene erede in base al fidecommiso del 1520 e prende possesso del palazzo, MAZZANTI - DEL LUNGO, I, II (senza indicazione di fonti).

P.R.

PALAZZO PANDOLFINI: TRA RAPPRESENTAZIONE E REALTÀ

Paola Grifoni

Sul finire del XV secolo, la Porta San Gallo si apriva, verso l'interno, sulla via omonima delimitata ai lati, per quasi tutto il suo sviluppo, da conventi, monasteri e alti muri di cinta; attorno erano orti e campi incolti, proprio perché il circuito delle mura si era tenuto alquanto discosto dal nucleo urbano[1]. La via Salvestrina terminava a circa metà di via San Gallo senza attraversarla[2], ed è in questo punto, chiamato «Croce di Via»[3] che si trovava, fin dagli inizi del XIV secolo, su di un terreno alquanto irregolare, un monastero con un piccolo oratorio dedicato a San Silvestro[4], dal quale la via prendeva nome.
Nel 1494 Giannozzo Pandolfini prendeva in affitto la costruzione esistente, nel frattempo abbandonata dai monaci, e il terreno circostante. È qui che, nel primo ventennio del Cinquecento, verrà costruito il palazzo Pandolfini, in parte su strutture già esistenti[5], e che, proprio per la sua posizione, così discosta dal nucleo urbano e così vicina alla porta che conduce verso la campagna, viene ad assumere un carattere più vicino alla villa suburbana che al palazzo di città[6]. Caratteristica questa che viene sottolineata ed evidenziata dal tipo adottato della villa con loggia al piano terreno[7].
La stessa villa Pandolfini di Ponte a Signa (fig. 1)[8], vicino Firenze, ricorda singolarmente per la tipologia e la posizione del portale d'ingresso rispetto alla costruzione e al giardino, i caratteri del palazzo che i Pandolfini costruiranno, di lì a poco, in città.
Un grosso interrogativo, per la cui risoluzione varie ipotesi sono state avanzate, è quello relativo al problema della facciata di palazzo Pandolfini su via San Gallo; ovvero, se si tratta di un prospetto concluso o solamente la parte costruita di un più ampio progetto, che per varie vicende non ha potuto essere terminato.
Una posizione precisa fu presa, nel 1845, da Carlo Pontani[9], e successivamente altri studiosi, pur non avallando completamente le sue tesi, le hanno però accolte come possibili[10]. Il Pontani risolve 'l'irrazionalità' di un prospetto asimmetrico, ricostruendo idealmente e proporzionalmente un palazzo Pandolfini 'finito' su tre piani con otto assi di finestre ciascuno e diviso al centro dal portale con sopra due piani a loggia (fig. 2). Dal disegno risulta un edificio imponente e fuori scala, con un aspetto più vicino ai modelli ottocenteschi che a quelli rinascimentali. Inoltre il Pontani, nel formulare la sua proposta, trascura forse tutta una serie di considerazioni a iniziare dal fatto che l'edificio è costruito a Firenze, ma in una strada che porta fuori città, nei primi anni del Cinquecento e che il committente appartiene a una famiglia nobile[11] e relativamente facoltosa,

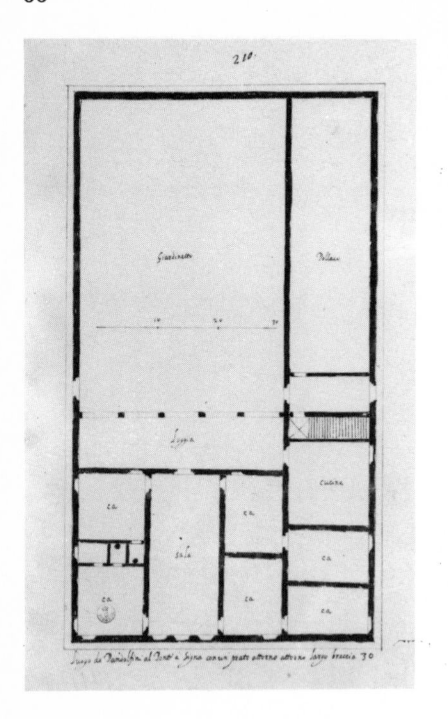

1 – Giorgio Vasari il Giovane (?), disegno della pianta di villa Pandolfini a Ponte a Signa. Firenze, GDSU, 4924A.

ma non tale da poter edificare un palazzo così sovradimensionato.
Anche la variante all'ipotesi del Pontani che propone Frommel, di un palazzo cioè 'finito' su due piani di otto assi di finestre con loggia sopra il portale, quindi con un fronte basso e allungato, e con il fregio che prosegue in facciata anziché rigirare sul lato del giardino, si avvale a conferma della tesi, dell'accostamento tipologico tra palazzo Pandolfini e i romani palazzo Adimari-Salviati e villa Madama. Ma si tratta di un riferimento basato su edifici che hanno, oltre a un'articolazione più complessa, un rapporto con l'ambiente circostante completamente diverso. Palazzo Pandolfini nasce su una via principale, ma con la dimensione trasversale abbastanza modesta[12] in confronto anche alla notevole lunghezza, senza aperture davanti e con l'intorno già costruito o 'murato' dagli orti e dai conventi. La facciata allungata di palazzo Adimari-Salviati, scandita dai ricorsi verticali bugnati, è sostenuta dal vuoto che le crea davanti la posizione del Tevere; mentre villa Madama, nasce in una posizione dominante rispetto alla città, in una zona dove «... oltre una bella veduta, erano acque vive, alcune boscaglie in ispiagge, [...] ed un bel piano, che andando lungo il Tevere perfino a Ponte-Molle, aveva da una banda e dall'altra una largura di prati che si estendeva quasi fino alla Porta di San Piero...»[13].
E sempre Frommel, probabilmente a ridimensionare il raddoppio del prospetto del palazzo, avanza la raffinata riscoperta arcaica, di un arcaismo di origine più greca che romana, da parte del presunto autore del progetto: una correzione ottica della 'lunghezza' della facciata, ottenuta con un effetto di scorcio, dato dalla misura decrescente degli interassi delle finestre. Ma, dalla rilevazione diretta degli interassi delle finestre su via San Gallo[14], non sembrano emergere dati a conferma di questa ipotesi; si ha invece occasione di verificare un singolare leggero slittamento verso sinistra dell'ultimo asse di finestre all'estremità verso via Salvestrina, slittamento condizionato probabilmente dalla posizione, all'interno, dei muri di divisione degli ambienti; infatti nello studiolo all'angolo tra via San Gallo e via Salvestrina, lo sguancio della finestra scompare nello spessore del muro.
Inoltre, nel proporre un raddoppio del fronte di palazzo Pandolfini, non deve essere trascurato il dato fondamentale della 'dimensione' dei palazzi fiorentini della prima metà del Cinquecento, una dimensione sempre contenuta seppure evidente, si pensi ad esempio al palazzo Bartolini-Salimbeni, o all'austero palazzo Guadagni, o anche a palazzo Strozzi che pure se iniziato sul finire del Quattrocento prosegue però per buona parte del XVI secolo.
Il rapporto di questi palazzi, ancora profondamente legati al linguaggio quattrocentesco[15], con la città è sempre mediato, anche se chiuso, mai prevaricante; e anche palazzo Pandolfini, pur ricordando per certi stilemi i palazzi romani dello stesso periodo, manca di quella compattezza, di quel 'valore complessivo' tipici delle costruzioni romane del XVI secolo[16], si pensi all'imponenza del palazzo Farnese a cui palazzo Pandolfini è stato sempre accostato, ma anche alla compostezza del palazzo Baldassini, prototipo sangallesco di Palazzo Farnese, e alla sinteticità del palazzo Ossoli.
E allora, il palazzo di via San Gallo è più fiorentino di quanto appaia, come in alcuni particolari, che denotano anche un certo arcaismo, quali le

2 – C. Pontani, a) ricostruzione ideale del prospetto del palazzo Pandolfini su via San Gallo, b) pianta e dettagli del palazzo Pandolfini, 1845.

finestre a piano terra dal lato giardino, il cui disegno delle mensole ricorda motivi vagamente michelozziani, i pur raffinati capitelli che sostengono le colonne della loggia e la cornice di questa, la loggia stessa, estremamente semplificata e già del tipo in disuso a Roma, dove si ritrova simile solamente nel cortile di palazzo Ossoli.
Il prospetto su via San Gallo è quindi la risultante di un blocco chiuso, serrato agli angoli dal forte bugnato rustico che sostiene la vacuità della facciata, sulla quale sono appoggiate le finestre ad edicola, «cellule elementari del sistema templare»[17], i «segni di matrice raffaellesca»[18] o comunque più vicine al 'modo' dei romani. Finestre egregiamente risolte al piano superiore, realizzate con una soluzione meno convincente al piano inferiore dove, peraltro, costituiscono il primo esempio di finestre – di ugual valore di quelle al piano superiore – poste ad 'aprire' il piano terreno di un palazzo fiorentino del Cinquecento[19].

A questo punto è necessario prendere in considerazione l'ala bassa, a destra dell'edificio, che tanti interrogativi ha sollevato per la definizione di un modello del prospetto.
L'ipotesi che questa parte della fabbrica possa essere successiva alla costruzione del palazzo è esplicitamente avanzata una prima volta dal Grandjean de Montigny[20], mentre altri suggerimenti possono essere accolti dalla lettura del quadro, conservato dai Pandolfini, nel quale il vescovo di Troia è rappresentato a lato di una finestra che si apre sul suo palazzo in costruzione, e dove è visibile il cornicione non ancora montato completamente, e al posto dell'ala destra dell'edificio, è dipinto solo un muro di cinta.
Un altro elemento di particolare interesse, è dato dal confronto delle piante di Firenze. La nota emergente, nella quasi totalità dei casi, è l'assoluta mancanza della rappresentazione dell'ala bassa. Prendendo in considerazione la prima pianta attendibile eseguita dopo la costruzione di palazzo Pandolfini, e cioè la ricostruzione prospettica della città, disegnata da Zenoi e pubblicata da M.G.Ballino nel 1569[21], anche se risulta alquanto complessa l'individuazione della zona a cui è rivolto il nostro interesse, è però evidente, a circa metà della via San Gallo, la presenza svettante di un edificio d'angolo di un certo rilievo. Questo edificio viene, più tardi, disegnato dettagliatamente su quella che è ritenuta una delle rappresentazioni più fedeli della città; in questa pianta, che il Bonsignori disegna nel 1584 (fig. 3), il palazzo è rappresentato come un parallelepipedo nettissimo, con un prolungamento sottile, identificabile con il muro di cinta, e la loggia che si apre sul giardino con quattro arcate invece di tre. L'ala ad un piano non è raffigurata, come non lo è nella pianta dei Capitani di Parte del 1690, conservata presso l'Archivio di Stato di Firenze (fig. 4) e dove l'edificio è rappresentato come una grande 'elle' rovesciata, e non lo è ancora nella pianta che il Ruggieri disegna nel 1731, pure considerata una delle più fedeli restituzioni e dove palazzo Pandolfini è rappresentato come un rettangolo posto all'angolo di un'area trapezoidale più vasta coltivata ad orto (fig. 5). Dello stesso anno è la «*Ichnographia Urbis in Tuscia-Primariae Florentinae-Homannianis Heredibus MDCCXXXI*, dove, in netto contrasto con la pianta del Ruggieri, appare una campitura che potrebbe indicare l'ala bassa, ma compare anche un palazzo Pandolfini ben

3 – F.S. Bonsignori, particolare della pianta di Firenze, 1584. Il palazzo Pandolfini è rappresentato come un edificio di tre piani, con un loggiato a quattro arcate al piano terreno; oltre il portale d'ingresso, un muro di cinta delimita il giardino.
4 – Particolare della pianta di Firenze. Firenze, ASF, Capitani di Parte, Carte Sciolte n. 2, 1690. Il palazzo Pandolfini è rappresentato con una pianta irregolare ad 'elle' rovesciata, priva dell'ala bassa.
5 – F. Ruggieri, particolare della pianta di Firenze, 1731. Il palazzo Pandolfini è rappresentato come un rettangolo circondato su due lati dall'orto.
6 – Particolare della pianta di Firenze, Ichonografia urbis in Tuscia - primariae florentinae - homannianis heredibus MDCCXXXI, *1731. È singolare la rappresentazione in pianta del palazzo Pandolfini: un quadrato con un cortile al centro; è inoltre rappresentata l'ala bassa.*

diverso da quello conosciuto e mai pensato: un quadrato con un cortile al centro (fig. 6).

E ancora, nella pianta di Magnelli e Zocchi del 1783, in quella del Poggiali del 1784 e in quella del Canucci del 1808 (fig. 7), non compare mai l'ala destra che è segnata invece nel primo foglio del *Catasto Leopoldino* del 1832 circa (fig. 8). È del 1840 una singolare raffigurazione di palazzo Pandolfini, opera di Clarke e Turrel che rappresentano in pianta solamente un tratto dell'ala bassa e, a margine della pianta di Firenze riproducono, tra gli edifici più importanti della città, un piccolo disegno del prospetto del palazzo con quattro assi di finestre, il portale e un piccolo prolungamento con una sola apertura, diversa dalle altre e non timpanata, quasi a indicare una porta di servizio (fig. 9); la pianta rappresentata da Clarke e Turrel è più o meno simile a quella pubblicata da Gugliantini e Rosaspina nello stesso anno, e alla pianta del Periodo Granducale eseguita tra il 1844 e il 1859.

Singolarmente queste piante, e come queste anche altre non citate, che coprono tutte un arco temporale di circa venti anni, rappresentano il blocco di palazzo Pandolfini con una piccola appendice in corrispondenza del portale d'ingresso, in netta contraddizione con i rilievi grafici di quegli anni.

Tranne che nella rappresentazione del Fantozzi del 1843, l'ala a destra dell'edificio si trova poi sempre raffigurata, a partire dalla pianta topografica di Battelli e Carini precedente al 1855, poi in quella del Pozzi dello stesso anno (fig. 10) e in quella del Balatri del 1859-'66, fino alla rappresentazione prospettica di *Firenze Monumentale* di Pineider del 1880 circa, dove è disegnato anche il prospetto completo del palazzo.

Andando ancora più indietro nel tempo risalendo ai disegni più antichi raffiguranti il palazzo, il buio sul periodo relativo alla costruzione del corpo a destra del portale permane.

Infatti, sia i disegni conservati presso il Gabinetto dei Disegni e Stampe degli Uffizi, rappresentanti la pianta del palazzo, e cioè il disegno 1824A attribuito al Vignola, il disegno 1823A e il disegno 4859A attribuito a Vasari il Giovane, che il disegno 429 del *Codice Magliabechiano* – probabilmente precedente a tutti gli altri e risalente a un periodo immediatamente successivo alla costruzione del palazzo[22] – pur presentando tra di loro alcune differenze, riproducono però la pianta dell'edificio, interrotta sempre dopo il portale; solo nel disegno attribuito a Vasari il Giovane è visibile un piccolo prolungamento del tratto di muro a destra. Sembra quasi che i disegni tendano a sottolineare la mancanza o la scarsa importanza, nella costruzione, dell'ala bassa. Ala che viene rappresentata per la prima volta in pianta, nel rilievo dell'edificio allegato all'*Inventario* dei beni Pandolfini del 1803[23].

Successivamente, nel 1815, il Grandjean de Montigny pubblica per la prima volta il prospetto su via San Gallo di palazzo Pandolfini. È un prospetto, che pur differenziandosi dalla pianta in quanto s'interrompe dopo la prima finestra a destra del portale, viene comunque a mettere in dubbio tutte le rappresentazioni planimetriche della città di Firenze dalla fine del 1700 in poi. Anche il Passavant[24] contribuisce ad avvalorare l'enigma scrivendo ambiguamente nel 1839 che «... le scuderie stanno

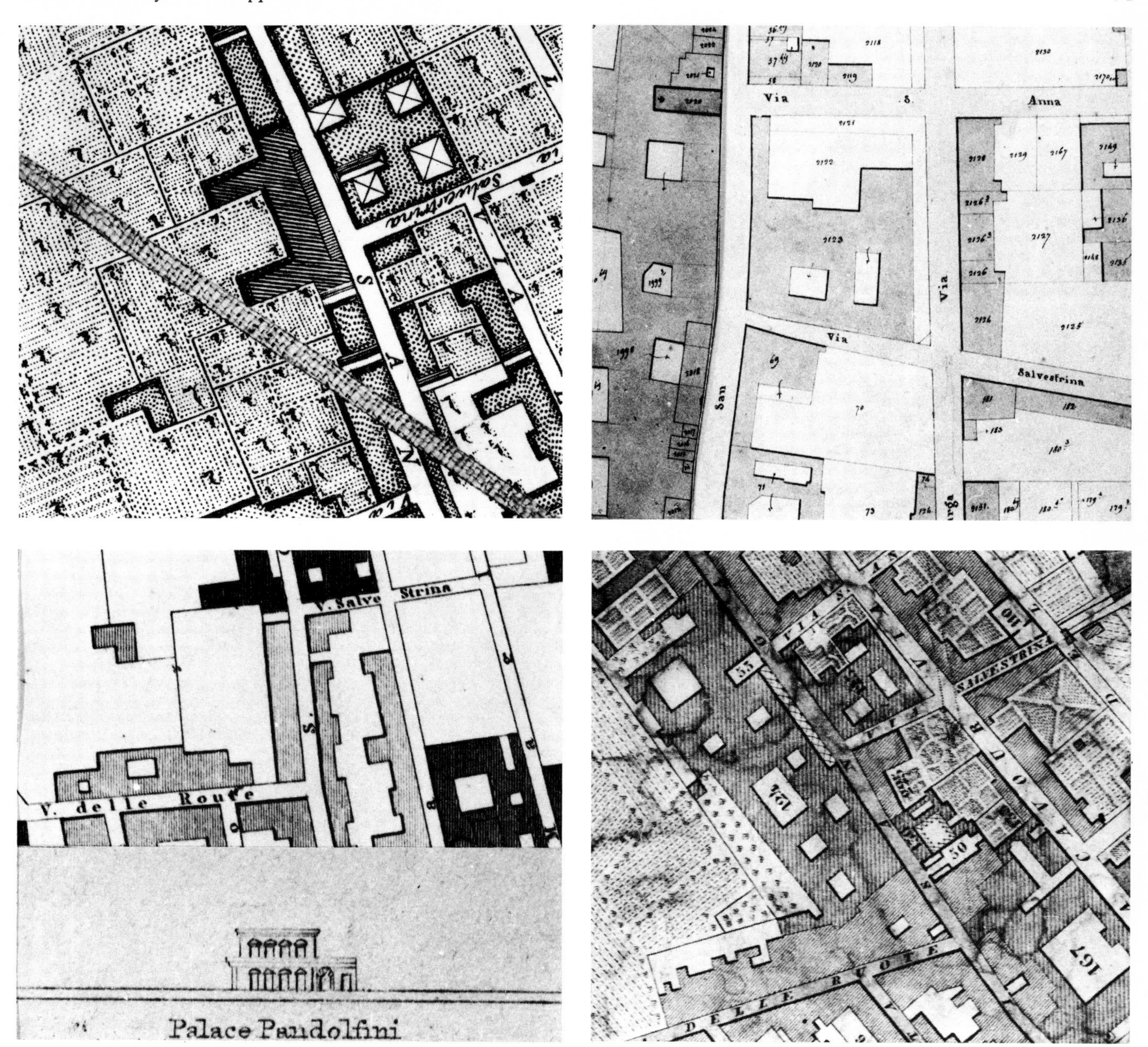

7 – Canucci, particolare della pianta di Firenze, 1808. Il palazzo Pandolfini compare ancora privo del prolungamento a destra, mentre viene, seppure schematicamente, disegnato il giardino.
8 – Stralcio della pianta di Firenze. Firenze, ASC, Catasto Leopoldino, sez. di San Gallo e SS. Annunziata, foll. 1 e 4, 1832 circa.
9 – Clarke e Turrel, particolare della pianta di Firenze, 1840 circa. In basso il piccolo prospetto, disegnato a margine della pianta, del palazzo Pandolfini.
10 – G. Pozzi, particolare della pianta di Firenze, 1855. Oltre al palazzo Pandolfini, completo nell'ala bassa, si noti l'accurato disegno del giardino. Sull'angolo opposto al palazzo, il piccolissimo quadrato tratteggiato indica il terrazzino fatto costruire dalla contessa Eleonora Nencini Pandolfini nel 1839 (cfr. Firenze, ASC, Atti del Consiglio, 1839).

nascoste dietro un muro con finestre alquanto simili a quelle del piano terra...».
È un dubbio che ancora oggi rimane. L'ala destra dell'edificio era o no nel disegno famoso e mai visto di Raffaello? E se compresa nel progetto, era così come è stata realizzata? Sono domande che non hanno avuto e non hanno risposta certa. Diverse ipotesi sono state avanzate e, a questo punto, vale forse farne ancora una; prendendo spunto dalla 'chiusura' e dalla mancanza di rapporto del palazzo con la natura, lamentate da Ray[25] si potrebbe, in una proposta azzardata, ma comunque legittima, immaginare il palazzo così compiuto, con l'ala destra costruita solo in facciata, ovvero, un muro di cinta adorno di finestre vere che si affacciano su di un giardino, ben chiuso e delimitato, ma che permea e fa da tramite tra la 'villa' e la città. È evidente che un'ipotesi di questo tipo, fa rientrare ancora una volta l'opera di Raffaello in quell'arco di storia ampio e indelimitabile che è il 'manierismo'[26], oppure spostare a un tempo successivo la realizzazione dell'ala bassa.

A un'attenta lettura dei disegni antichi (figg. 11, 12, 13, 14), appare immediata la regolarizzazione che viene fatta della pianta del palazzo: tutti e quattro i disegni infatti si organizzano su una maglia ortogonale. In tre delle piante sono riportate le misure in braccia e soldi fiorentini, misure che rapportate al reale, presentano alcune differenze con l'edificio costruito.
Il disegno più vicino al vero è quello attribuito al Vignola che grossolane inesattezze, quali l'allineamento del muro di fondo della loggia con quello superiore dell'abside della cappella, o le dimensioni falsate della camera dietro al ricetto, rivelano per uno schizzo sul quale sono state riportate sopra misure identiche al reale, tranne che per la leggera differenza della lunghezza della sala che affaccia sul giardino, segnata di 20 braccia (pari a m. 11,17), mentre in realtà misura m. 11,68.
Il disegno conservato presso la Biblioteca Nazionale di Firenze, riproduce abbastanza fedelmente la disposizione degli ambienti, nello schizzo della metà del portale di ingresso è scritto che le bugne orizzontali debbono essere sedici, come in realtà sono.
Il disegno attribuito a Vasari il Giovane, è chiaramente una copia di questo, eseguita in maniera più grossolana ed acquarellata in giallo carico.
L'ultimo disegno, indicato nel catalogo del Ferri come di Disegnatore anonimo del XVI secolo, è però probabilmente più tardo; sia Frommel che Ray lo datano posteriormente al 1620. È quasi un rilievo del palazzo, sono infatti visibili anche i due ambienti d'angolo, come pure nel disegno del Vignola, e che in quello più antico e nella copia del Vasari il Giovane sono invece in parte nascosti dalla scala che sale fino al mezzanino.
Le inesattezze maggiormente significative individuabili in questo disegno più tardo, sono la mancanza della porta tra lo studiolo d'angolo[27] e l'ambiente compreso tra questo e la cappella, e soprattutto la dimensione eccessivamente ravvicinata delle due finestre centrali su via San Gallo.
Ma dal confronto delle quattro piante, emerge soprattutto la singolare vicenda della cappella di San Silvestro.
Costruita in quel tratto di via San Gallo fin dal 1308, era originariamente

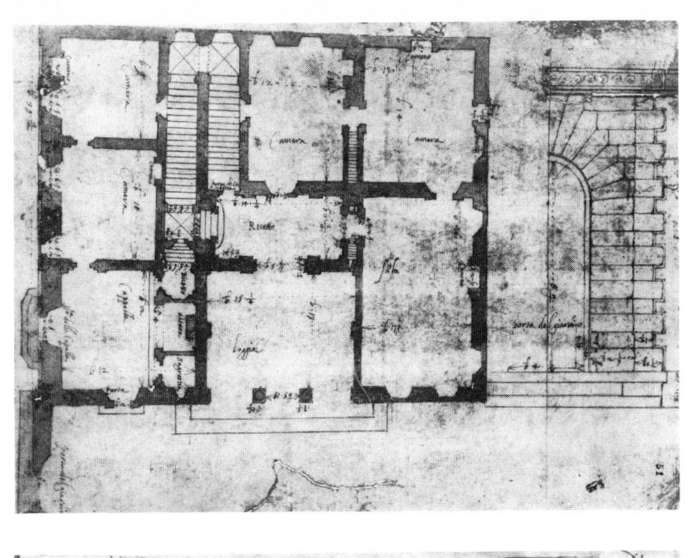

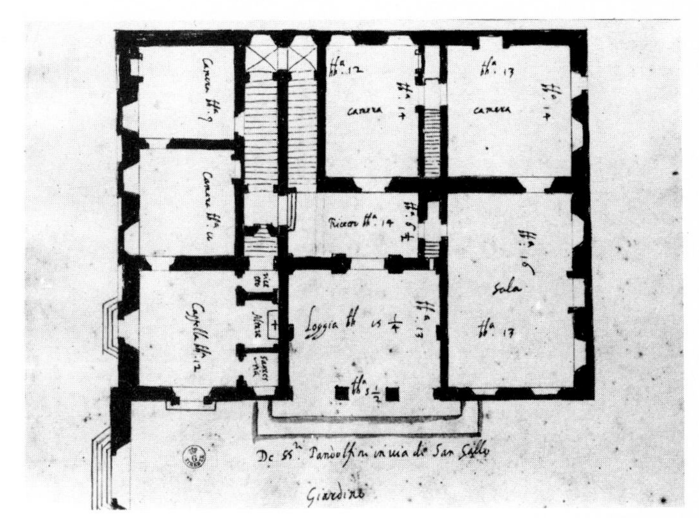

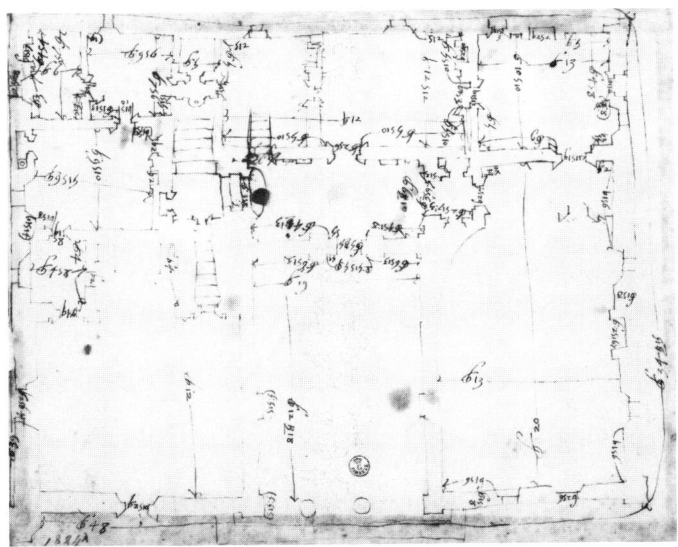

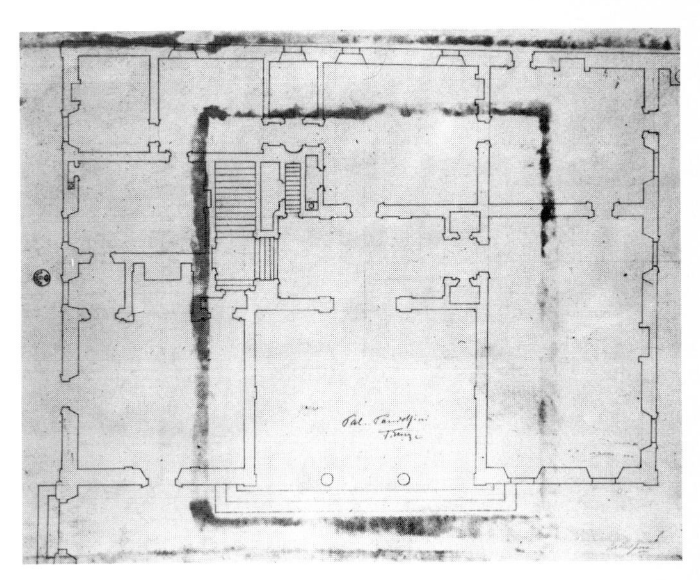

11 – Disegno della pianta di palazzo Pandolfini. Firenze, Biblioteca Nazionale, Codice Magliabechiano, 11-1, 429. Questo disegno è databile tra il secondo e il terzo decennio del XVI secolo.

12 – Vasari il Giovane (?), disegno della pianta di palazzo Pandolfini. Firenze, GDSU, 4859A. Quasi certamente si tratta di una copia del disegno rappresentato nella fig. 11.

13 – Vignola (?), disegno della pianta di palazzo Pandolfini. Firenze, GDSU, 1824A. Si tratta probabilmente di uno schizzo dal vero con sopra riportate le misure reali del palazzo.

14 – Disegnatore italiano del XVI secolo, disegno della pianta del palazzo Pandolfini. Firenze, GDSU, 1823A. È un disegno tardo nel quale sono riscontrabili alcune inesattezze. Frommel e Ray, contrariamente al Ferri, lo datano posteriormente al 1620.

15 – Giovan Francesco da Sangallo (?), disegno del portale di palazzo Pandolfini, 1516-17. Firenze, GDSU, 1822A. Si tratta molto probabilmente di un disegno di studio o di progetto.

orientata con l'abside volta ad est, in asse con la porta di ingresso, come è chiaramente visibile dal disegno del *Codice Rustici*, dove l'orientamento della chiesa è indicato dall'inclinazione delle falde del tetto. Con questo orientamento è del resto riportata nel disegno più antico e nella copia dello stesso, mentre, nel disegno attribuito al Vignola e in quello sicuramente più tardo, altare e sagrestia vengono a trovarsi alla sinistra dell'ingresso, testimoniando così le modificazioni avvenute probabilmente al tempo di Ferdinando Pandolfini[28].
Un altro dato interessante si aggiunge con il disegno attribuito a Giovan Francesco da Sangallo e datato tra il 1516 e il 1517 (fig. 15). Rappresenta infatti il portale di palazzo Pandolfini, alla cui immediata sinistra è chiaramente disegnato lo schizzo di una base con davanzale e con la dicitura «finestra». Proprio nel punto dove, nei disegni delle piante, è sempre segnata la porta della cappella.
Da ciò scaturiscono due considerazioni, o il disegno risale al breve periodo in cui sembra che la porta della cappella fosse murata[29], oppure, più probabilmente si tratta di un disegno di progetto, rivelato dalla piccola freccia disegnata sulla fascia a '*can corrente*' che indica lo spostamento dell'asse di simmetria della decorazione 'sangallesca' verso il centro del portale, e dal disegno delle bugne orizzontali che sono riportate con le misure e in numero di quindici, mentre in realtà sono sedici.

Il problema della porta della cappella, non si esaurisce con questi disegni, ma anzi viene singolarmente riproposto dal confronto dei diversi rilievi ottocenteschi che possono essere ridotti a quattro significativi.
Il primo, in ordine di tempo, è il rilievo pubblicato dal Grandjean de Montigny del 1815 (fig. 16); la pianta è molto simile a quella allegata all'*Inventario* già citato del 1803 e a un altro rilievo, probabile copia del primo, conservato nell'Archivio Incontri. Nel prospetto – il primo di palazzo Pandolfini, in quanto i rilievi del Ruggieri del 1724[30] rappresentano solamente alcuni particolari del palazzo – la porta della cappella risulta alla sinistra del portale, presumibilmente, nella sua posizione originale; del resto, il Passavant[31] nell'edizione del 1839 nota che la cappella ha l'ingresso dalla via principale – notizia che non viene peraltro modificata dal Guasti nell'edizione italiana del 1899 –.
Quando il Pontani, nel 1845 propone la sua ipotesi di completamento del palazzo, pubblica anche un rilievo della facciata su via San Gallo (fig. 17), ed è un prospetto di palazzo Pandolfini privo di qualsiasi ingresso che non sia quello centrale bugnato, anche se nel disegno della pianta – sicuramente ripresa da quella del Grandjean de Montigny – la cappella risulta esserci ancora. Nel 1851, Donato Cellesi pubblica le incisioni di sei fabbriche di Firenze[32]; tra queste c'è palazzo Pandolfini, che nell'immagine in testata del libro, fa da sfondo suggestivo a una piazza immaginaria circondata dagli altri edifici monumentali; nel prospetto la porta della cappella non compare più alla sinistra del portale, ma risulta traslata in corrispondenza della penultima finestra dell'ala bassa (fig. 18).
Di questo *pastiche* di una certa importanza, non risultano notizie nei repertori e nei documenti conservati presso l'Archivio Storico del Comune di Firenze. Unico dato certo, è che questa trasformazione viene a mettere

16 – A. Grandjean de Montigny, prospetto di palazzo Pandolfini su via San Gallo, 1815. A sinistra del portale è visibile la porta di accesso alla cappella di San Silvestro.

17 – C. Pontani, prospetto di palazzo Pandolfini su via San Gallo, 1845. Non compare la porta della cappella di San Silvestro.

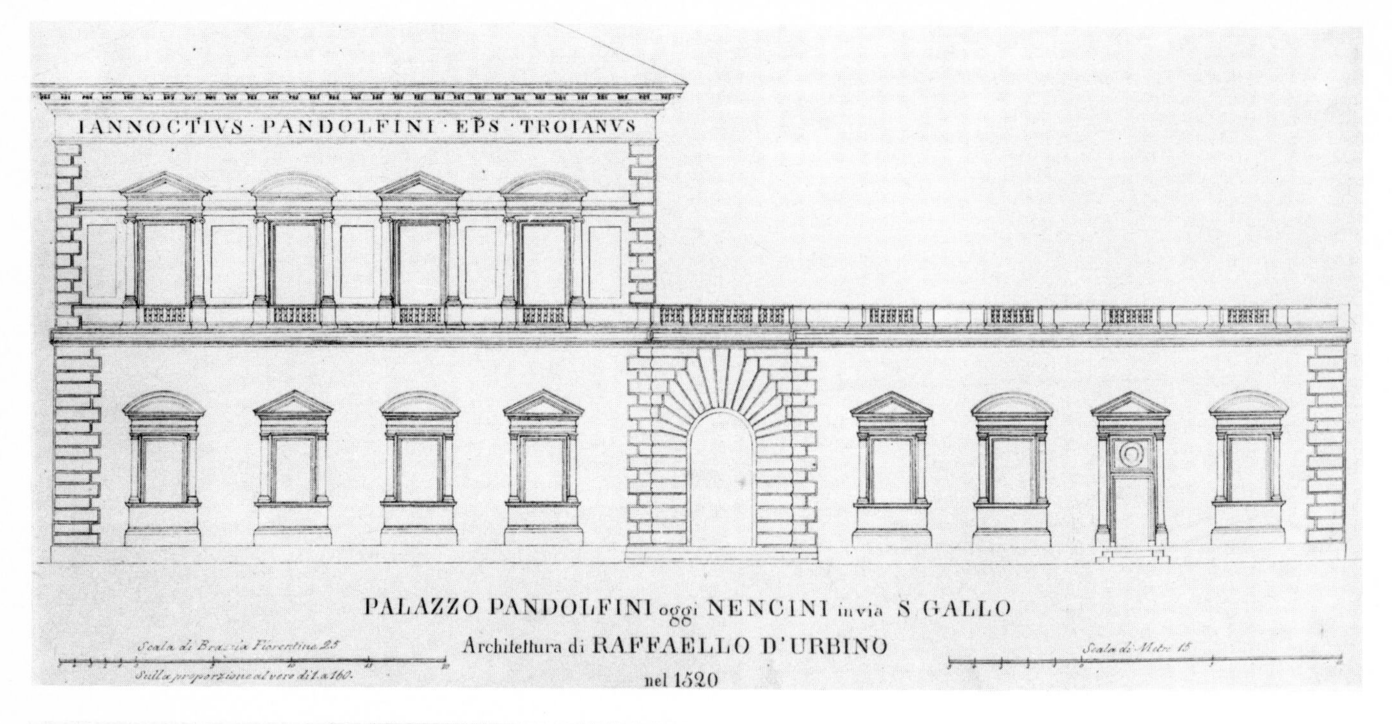

18 – D. Cellesi, prospetto di palazzo Pandolfini su via San Gallo, 1851. A soli sei anni di distanza dal rilievo del Pontani, ricompare la porta della cappella, spostata sull'ala destra del palazzo.

19 – R. e E. Mazzanti - T. Del Lungo, prospetto di palazzo Pandolfini su via San Gallo, 1876. Nel disegno non compare la porta della cappella di San Silvestro.

in dubbio il fatto ormai generalmente accettato[33], che i grandi restauri effettuati nel 1875 per cura del conte Alessio Hitroff Pandolfini abbiano veramente interessato anche l'interno del palazzo[34].
Dalle notizie desunte dai documenti, conservati presso l'Archivio Storico del Comune, risulta solamente che i restauri al palazzo, seguiti dall'architetto Cesare Fortini, hanno interessato esclusivamente la facciata dell'edificio. Infatti, a seguito dei rapporti della Direzione di Polizia Municipale del 14 dicembre 1873 e dell'Uffizio d'Arte del 30 dicembre dello stesso anno, relativi alle condizioni fatiscenti dell'edificio, la Giunta Municipale, nel marzo del 1874 intima al proprietario di «... provvedere seriamente al restauro del suo Palazzo Monumentale ...»[35]; nell'aprile il conte Alessio chiede che i lavori, dati i costi notevoli, possano essere differiti in epoca più opportuna, obbligandosi però a rimuovere immediatamente quei materiali che minacciassero di cadere.
Nell'ottobre del 1874, l'architetto Fortini, per conto del conte Pandolfini, chiede una proroga al termine dei lavori «... per fare di nuovo nella massima parte le quattro finestre del piano terreno e lo zoccolo...».
Nel 1876, probabilmente a restauri terminati (il dubbio scaturisce dal fatto che presso l'Archivio Storico del Comune non risulta più alcun 'affare' relativo al palazzo), gli architetti Mazzanti e Del Lungo[36] pubblicano un rilievo (fig. 19) nel quale non compare più la porta della cappella su via San Gallo. Ma Carocci ricorda che «... al piano terreno del Palazzo, in quella parte sormontata da una terrazza, si conservò fino al 1885 la porta che dava accesso all'antica chiesetta di San Silvestro ...»[37].
Nel 1888 Raschdorff[38] pubblica il prospetto di palazzo Pandolfini, troncandolo di netto subito a destra del portale d'ingresso, confermando ancora una volta quanto riuscisse difficile in quegli anni accettare una facciata asimmetrica e quanta poca importanza fosse attribuita all'ala bassa.
Clausse[39] nel 1902 ripubblica il rilievo del Grandjean, nel quale compare la porta della cappella a sinistra del portale, in netta contrapposizione con una fotografia, pubblicata nello stesso volume, dove la porta della cappella non compare più.
Nel 1908 Geymuller[40] pubblica i rilievi dell'architetto Giuseppe Castellucci, relativi al palazzo come attualmente si presenta (fig. 20); nella pianta, con una grafia diversa, sono segnate le modificazioni subite dell'edificio. Il problema suscitato dagli spostamenti della porta di ingresso della cappella rimane ancora non chiarito.
A renderlo ancora più confuso sono due fotografie, ambedue senza data[41], conservate una presso l'Archivio fotografico della Soprintendenza per i Beni Artistici e Storici di Firenze (fig. 21), e una presso l'Archivio fotografico del Kunsthistorisches Institut di Firenze, nelle quali la porta dell'oratorio intitolato a San Silvestro è ancora visibile nell'ala destra del palazzo.
Come resta irrisolta, la questione dei restauri avvenuti all'interno dell'edificio, in quanto sull'argomento esistono scarsissime documentazioni[42].
Alcune modifiche risultano dal confronto dei diversi rilievi.
Più significativa di tutte, è la trasformazione della cappella in atrio e dell'absidiola in un ambiente che accoglie la rampa di raccordo per la scala che, come ricorda il Grandjean è ben situata e raggiunge comodamente gli appartamenti. La piccola sagrestia a sinistra dell'abside è stata a sua volta

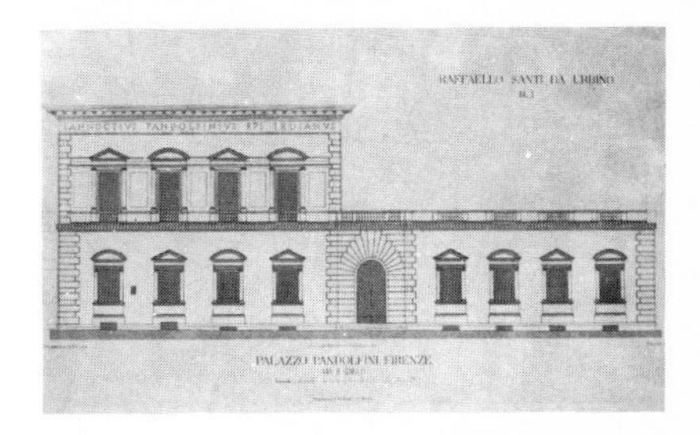

20 – H. von Geymüller, prospetto di palazzo Pandolfini su via San Gallo (1908). Disegnato dall'architetto Giuseppe Castellucci, tale prospetto risulta estremamente preciso.

21 – La facciata di palazzo Pandolfini con la porta della cappella di San Silvestro inserita nell'ala bassa. Firenze, AFSBAS, 6750.

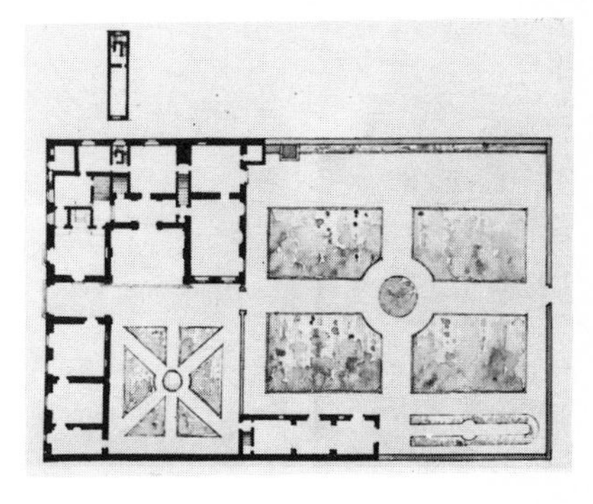

22 – Disegno della pianta di palazzo Pandolfini. Firenze, Archivio Incontri, 1800 circa. Questo disegno è simile ad un altro allegato all'inventario dei beni Pandolfini del 1803. In ambedue è leggibile la struttura del giardino all'italiana.

23 – Disegnatore italiano della seconda metà del XVI secolo, disegno della finestra e del portale di palazzo Pandolfini. Firenze, GDSU, 4625A. La fontana faceva probabilmente parte di quell'arredo marmoreo del giardino tante volte menzionato dai più illustri storiografi.

trasformata in un servizio al quale si accede dalle stanze d'angolo.
Un'altra modificazione di un certo interesse è quella subita dal giardino, che nella pianta dell'Archivio Incontri (fig. 22), compare diviso da un sottile muro con cancello in due parti, una sul davanti, e una sul retro coperta da pergolati per la passeggiata; ambedue gli spazi rivelano il disegno tipico del giardino all'italiana. Nel rilievo dei Mazzanti e Del Lungo, il giardino appare ristrutturato in stile 'inglese' e privo del muro di separazione; più tardi, probabilmente dopo il 1908, viene costruita, a prolungamento della facciata su via Salvestrina, una serra con grandi arcate che in un secondo tempo verranno murate.
La sistemazione del giardino, desumibile dalla pianta dell'Archivio Incontri, era probabilmente simile a quella coeva alla costruzione del palazzo o immediatamente successiva. E forse, quella fontana, rappresentata, insieme al portale e ad una finestra del primo piano del palazzo nel disegno 4625A (fig. 23), appoggiata all'interno del muro di cinta, all'altezza dell'attuale ingresso su via Larga, più che al muro di separazione del giardino, in quanto si sarebbe venuta a trovare troppo vicino al palazzo, veniva a creare uno sfondo suggestivo alla fuga prospettica del portale.

NOTE

[1] La prima pianta attendibile di Firenze risale al 1470 circa; conosciuta come «Veduta Berlinese» o «Pianta della Catena». Nella rappresentazione si individua la via San Gallo, in direzione della porta e un'area sulla quale insiste una costruzione d'angolo che può essere identificata con il monastero di San Silvestro. Il monastero è rappresentato in maniera estremamente particolareggiata nel *Codice Rustici* della metà circa del 1400, conservato presso la Biblioteca del Seminario Vescovile di Cestello a Firenze.

[2] Perché la via Salvestrina venga prolungata oltre la via San Gallo, si dovrà attendere la ristrutturazione dei quartieri di Barbano e del Maglio tra il finire del 1800 e gli inizi del 1900.

[3] Cfr. G. Carocci, in *L'Illustratore Fiorentino*, a. 1915, p. 17.

[4] Adiacente al monastero dedicato a San Silvestro si trovavano: il monastero di San Pietro da Montemurrone e la Confraternita di San Giovanni o 'dello Scalzo', appresso il convento di Santa Maria Maddalena; sull'altro angolo di via Salvestrina era il convento delle Agostiniane di Santa Lucia di Camporeggi, di fronte, sulla via San Gallo era il convento di San Luca.

[5] Dalle prove termografiche eseguite sull'edificio, risultano evidenti, sulla facciata verso il giardino nella parte a destra della loggia, un grande tratto di muro a filari di pietra, facente probabilmente parte di una fabbrica già esistente all'epoca della costruzione del palazzo. Anche lungo la via San Gallo, è probabile che parte della costruzione precedente, individuabile nel disegno del monastero di San Silvestro del *Codice Rustici*, sia stata inglobata nella nuova costruzione.
Per ulteriori notizie emerse dalle indagini termografiche, rimando all'Appendice tecnica di questo catalogo.

[6] Cfr. S. Ray, *Raffaello Architetto*, s.l. 1974, p. 207 e ss.

[7] Per il tipo della villa con loggia al piano terreno basterà ricordare la Farnesina di Roma, che Baldassarre Peruzzi costruisce tra il 1510 e il 1513 inserendola in un più ampio contesto che prevedeva la sistemazione articolata del giardino, verso il Tevere. Per un orientamento generale sull'argomento della villa suburbana, cfr. C. H. Frommel, *La Villa Madama e la tipologia della Villa Romana nel Rinascimento*, in «Bollettino del Centro Internazionale di Studi di Architettura Andrea Palladio», XI, (1969) pp. 47-64.

[8] Cfr. oltre al disegno, attribuito a Vasari il Giovane, del G.D.S.U. 4924A «luogo de' Pandolfini al Ponte a Signa con un prato attorno largo braccia 30»; anche quelli segnati: 4563A, 4564A e 4565A in quanto particolarmente vicini alla pianta di palazzo Pandolfini.

[9] Cfr. C. Pontani, *Opere Architettoniche di Raffaello Sanzio*, Roma 1845.

[10] Cfr. L. Becherucci, *L'architettura Italiana del Cinquecento*, Firenze 1937 e soprattutto C. L. Frommel, *Der Romische Palastbau der Hochrenaissance*, Tubingen 1973.

[11] Cfr. E. D. Gamurrini, *Istoria Genealogica delle famiglie nobili ...*, Firenze 1685.

[12] La dimensione trasversale della strada è di circa m. 7 e, soprattutto vista in rapporto all'altezza

dell'edificio che misura m. 16,30 si nota il condizionamento di visuale a cui è sottoposto il palazzo.
[13] Cfr. G. Vasari, *Vita de' più eccellenti scultori e architetti, ed. 1550 e 1568.*
[14] Le misure negli interassi delle finestre di palazzo Pandolfini, prese al basamento, risultano essere al piano superiore rispettivamente di m. 1,53, m. 1,96, m. 1,85, m. 1,85, m. 1,96; al piano terreno le finestre risultano leggermente più distanziate e la misura del loro interasse è, a partire da sinistra e riferita sempre alla bugna lunga: m. 1, 23, m. 2,38, m. 2,27, m. 2,27 e m. 1,98 per l'ultima finestra alla bugnalunga del portale; nel corpo di fabbrica di destra, l'interasse misurato è di m. 1,63 alla bugna lunga del portale, m. 1,96, m. 1,94, m. 1,95 e m. 1,07.
[15] Tra gli altri, solo palazzo Bartolini-Salimbeni di Baccio d'Agnolo è più vicino al linguaggio del Cinquecento romano. Un modello che avrà scarsa fortuna a Firenze.
[16] Per un vasto e approfondito panorama dell'architettura del Cinquecento romano, cfr. P. Portoghesi, *Roma del Rinascimento*, Milano 1971.
[17] Cfr. P. Portoghesi, *op. cit.*, 1971.
[18] Cfr. S. Ray, *op. cit.*, 1974, p. 211.
[19] Cfr. G. C. Koenig, *Finestre fiorentine nella seconda metà del Cinquecento*, in «Quaderni dell'Istituto di Elementi di Architettura e Rilievo dei Monumenti», Firenze 1963, nn. 2-3, p. 19 e ss.
[20] Cfr. A. Grandjean de Montigny e A. Famin, *Architetture Toscane*, Paris 1815.
[21] Per un elenco dettagliato e completo di schede descrittive di tutte le piante di Firenze, cfr. A. Mori-G.Boffito, *Firenze nelle vedute e piante*, rist., Firenze 1926. Le piante consultate non citate nel testo sono: Florimi 1595, Bonsignori-Billocardo 1594 e 1660, Meisner 1624, Anonimo 1690 , De Wit 1700, Morsier 1704, Seutter 1750, Terreni-Vasellini 1803, Fantozzi 1866, Fiechter 1908 (tutte conservate presso il Museo di «Firenze com'era»).
[22] P. Ruschi, nel suo contributo in questo stesso catalogo, data il disegno tra il secondo e il terzo decennio del XVI secolo.
[23] Sull'inventario dei beni e sulla descrizione delle piante, rimando alla parte curata, in questo stesso catalogo, da Isabella Bigazzi.
[24] Cfr. J. D. Passavant, *Raffael von Urbino und sein vater Giovanni Santi*, Leipzig 1839-1858, ed. Ital. 1899, a cura di G. Guasti.
[25] Cfr. S. Ray, *op. cit.*, 1974, p. 210.
[26] Su Raffaello anticlassico e manierista, si vedano tra gli altri: F. Milizia, *Le vite de' più celebri architetti d'ogni nazione e d'ogni tempo*, Roma 1768; e dello stesso autore, *Roma delle Belle Arti del Disegno, I, Dell'Architettura Civile*, Bassano 1787; J. Shearman, *Raphael as Architect*, in «JRSA», 5141, CXVI (1968) e dello stesso autore, *Mannerism*, Harmondsworth 1967; A. Hauser, *Il Manierismo, la crisi del Rinascimento e l'origine dell'Arte Moderna*, Torino 1964; A. Venturi, *Storia dell'arte Italiana, XI, Architettura del Cinquecento*, Milano 1938, e dello stesso autore, *Raffaello*, Roma 1920.
[27] L'esistenza di questa porta fin dalla costruzione dell'edificio, è confermata dalla strutturazione del ciclo di affreschi. Cfr. il contributo di Enrica Neri Lusanna nel presente catalogo.
[28] Per un approfondimento dell'argomento, cfr. P. Ruschi in questo stesso catalogo.
Nel 1645, Filippo Pandolfini dota l'oratorio di San Silvestro costituendolo in rettoria; provvede inoltre alla decorazione di alcuni ambienti interni del palazzo e acquista nuove proprietà (cfr. E. D. Gamurrini, *op. cit.*, 1685).
[29] È questa un'ipotesi che, sulla base dei documenti d'archivio trovati, propone P. Ruschi in questo stesso catalogo.
[30] Cfr. F. Ruggieri, *Studio d'Architettura Civile*, Firenze 1724.
[31] Cfr. J. D. Passavant, *op. cit.*, ed. ital. 1899.
[32] Cfr. D. Cellesi, *Sei Fabbriche di Firenze*, Firenze 1851, tav. XIII. Gli edifici monumentali riprodotti dal Cellesio oltre palazzo Pandolfini, sono i palazzi: Uguccioni, Strozzi, Larderel, Guadagni e Medici-Riccardi.
[33] La letteratura fiorita attorno alle vicende di palazzo Pandolfini dalla sua costruzione a oggi, seppure vastissima e spesse volte altamente qualificata, ha sempre limitato l'approccio alle vicende relative ai primi anni di vita dell'edificio, mentre quelle riguardanti i restauri sono state circoscritte al 1875, senza peraltro approfondire in alcun modo l'argomento. A questa prima datazione definita da Jodoco del Badia, nel testo allegato alle tavole dei disegni del volume di R. e E. Mazzanti-T. Del Lungo, *Raccolta delle migliori fabbriche antiche e moderne di Firenze*, Firenze 1876, molti altri autori si sono associati, tra gli altri: G. Carocci, *op. cit.*, 1915; J. Ross, *Florentine palaces and their stories*, London 1905; G. Clausse, *Les San Gallo Architectes ...*, Paris 1900-1902; E. Muntz, *Raffaello*, Paris 1881; C. H. Frommel, *op. cit.*, 1973.
[34] Nell'Archivio della Soprintendenza per i Beni Ambientali e Architettonici per le Province di Firenze e Pistoia, è conservata una lettera del 1956 che l'architetto del Comune, Giovanni Poggi, scrive all'allora soprintendente Alfredo Barbacci dove si legge che la facciata intera, prospiciente via San Gallo fu «seriamente ed accuratamente restaurata nei pietrami del portale, in quelli delle finestre al piano terreno ed al primo piano, nei ricorsi marcapiano, nelle balaustre, nella zoccolatura e per ml. 28 anche la gronda intagliata...», negli anni 1874-1875. Inoltre Poggi, ricorda che tutta la documentazione relativa ai restauri, è custodita presso la Ripartizione III del Comune di Firenze – Divisione I Belle Arti.
A un'accurata indagine, il materiale è risultato introvabile.
[35] ASC, Anno 1874, Repertorio del Registro Generale di Affari, n. 7864, Titolo dell'Affare: Pandolfini

Alessio, proroga per lo stabile in via San Gallo 74.

[36] Cfr. R. e E. MAZZANTI-T. DEL LUNGO, *op. cit.*, Firenze 1876.

[37] Cfr. G. CAROCCI, *op. cit.*, 1915.

[38] Cfr. J. C. RASCHDORFF, *Palast-architektur von ober-italien und Toscana*, Berlin 1888.

[39] Cfr. G. CLAUSSE, *op. cit.*, Paris 1900-1902.

[40] Cfr. H. F. VON GEYMÜLLER, *Der Palazzo Pandolfini in Florenz und Raffaels Stellung zur Hochrenaissance in Toscana*, München 1908.

[41] Il negativo conservato presso l'Archivio fotografico della Soprintendenza per i Beni Artistici e Storici di Firenze risulta inventariato tra il 1920 e il 1921; quello conservato presso l'Archivio fotografico del Kunsthistorisches Institut di Firenze, risulta invece inventariato tra il 1904 e il 1910.

[42] Una documentazione probabilmente alquanto vasta esiste, conservata nell'Archivio Pandolfini, al quale non ci è stato concesso accedere.

I – Veduta del convento di San Silvestro in via San Gallo. Firenze, Seminario Maggiore, Codice Rustici, 1450 circa, c. 12.

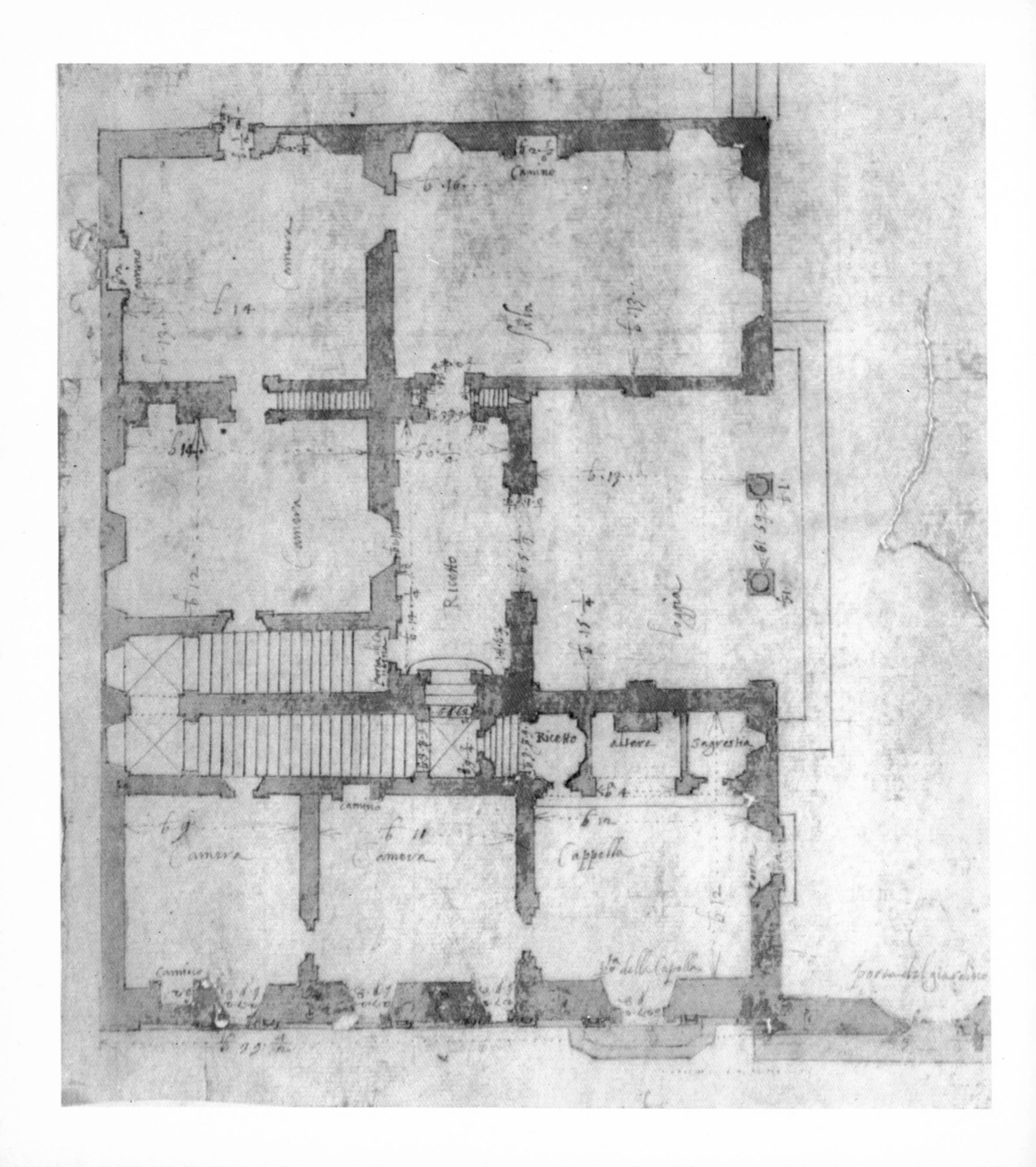

Camino
Camera
Sala
Camera
Ricetto
Loggia
Ricetto
altare
Sagrestia
Camera
Camera
Cappella
Camino
porta del giardino

III – Firenze, palazzo Pandolfini, facciata su via San Gallo.

II – Disegnatore italiano del XVI secolo, pianta di palazzo Pandolfini tra il 1520 e il 1529.

IV - Aristotele da Sangallo (?) e Andrea di Cosimo Feltrini, soffitto. Firenze, palazzo Pandolfini.

V – *Maestranza fiorentina, soffitto. Firenze, palazzo Pandolfini.*

VI – Giovanni Stradano (attr.), Geometria, Musica. Firenze, palazzo Pandolfini.

VII – Ignoto fiorentino, Il rogo del Savonarola, 1498 circa. Firenze, Museo di «Firenze com'era».

VIII – Ignoto fiorentino, La piazza del Granduca, seconda metà del XVI secolo. Firenze, Museo di «Firenze com'era».

IX – Bernardo Bellotto, Veduta della piazza del Granduca, particolare del lato settentrionale, 1742. Budapest, Szépmüvészeti Múzeum.

«LE STANZE PICCOLE RAVIAN LO INGEGNO...»

Enrica Neri Lusanna

Al piano terreno del palazzo Pandolfini, all'angolo tra via San Gallo e via Salvestrina, in quel cuneo murario che per irregolarità costruttive[1] si qualifica come la più antica e tormentata parte della costruzione, uniche testimonianze, sfuggite a una risistemazione ottocentesca, si conservano due piccoli ambienti che si segnalano per la pregevole singolarità della loro decorazione. Entrambe le stanze di dimensioni ridotte comunicano una sensazione di concentrato raccoglimento anche in virtù dei due soffitti lignei cassettonati e decorati e delle pitture che ornano le pareti di una di esse. La tradizione orale, nonché qualche tarda scrittura[2], avanzano per esse la denominazione di 'biblioteca di Giannozzo'; infatti le due stanze comunicanti, site vicino a una camera e quindi originariamente prossime alla cappella, paiono esemplarsi su un modello che è quello largamente adottato nella realizzazione degli studioli cinquecenteschi: insieme di studiolo, tesoretto, camera e luogo consacrato, situati nella zona del palazzo la più appartata per favorire fughe meditative e proficui ozii. E tali dovevano essere, se si pensa che il palazzo, pressoché isolato, era inserito in una cornice campestre. È di Leonardo il detto: «Le stanze ovvero abitazioni piccole ravian lo ingegno et le grandi lo sviano»[3]. Tale espressione cronologicamente costituisce la cerniera tra i due momenti di maggior diffusione dello studiolo, situandosi appunto tra Quattrocento e Cinquecento, secolo quest'ultimo che, dominato da animi intellettualmente più tormentati, favorisce una più complessa messa a punto icnografica e simbolica del tipo[4]. Non si può dire che le stanze di palazzo Pandolfini perseguano unitariamente un tal fine, anche se il risultato a posteriori lo può quasi confermare. Sono infatti concepite, dal punto di vista decorativo, in due momenti diversi, che rispecchiano, come vedremo, le personalità di chi le ha volute, di chi vi ha vissuto: da un lato Giannozzo Pandolfini, primo vescovo di Troia, dall'altro suo nipote Ferrando, anch'egli vescovo nella cattedra messapica. Giannozzo è stato inoltre prefetto di Castel Sant'Angelo, letterato, umanista, familiare di Leone X, di cui un pregevole busto della prima metà del Cinquecento si conserva ancora in palazzo Pandolfini; e in familiarità con artisti, letterati, scrittori, così come si conveniva a chi volesse frequentare degnamente la corte papale nel momento in cui vi si agitava la più intensa temperie artistica e il più assoluto malcostume, che è poi lo stesso momento in cui, con le premesse del Concilio di Trento, si sancisce la fine di un mondo profondamente scosso da istanze contraddittorie. Quelle istanze permeavano lo stesso Giannozzo[5]. Dotto e colto sulla scia degli avi umanisti, affida con raffinata discrezione la propria fama imperitura all'erezione del palazzo, che, iniziato nel secondo decennio del secolo, diviene a Firenze l'antesignano di

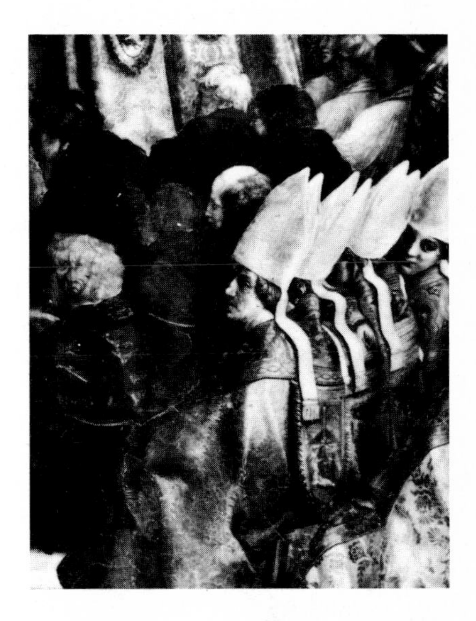

1 – Raffaello e scuola, Incoronazione di Carlo Magno, particolare con il presunto ritratto di Giannozzo Pandolfini. Roma, Stanze Vaticane.

2 – Anonimo fiorentino della seconda metà del Cinquecento, Ritratto di Giannozzo Pandolfini. Firenze, collezione Pandolfini.

un'architettura rinnovata in senso classico, distinguendosi egli, come altri suoi concittadini notabili, nello scegliere il luogo ideale di costruzione nella Firenze più periferica[6]. Ma se l'iscrizione umanistica all'esterno[7], nell'umiltà dell'affermazione, proclama di fatto l'importanza del committente associandone il nome a quello di due papi, e se Vasari ne loda l'amicizia con Raffaello e coi San Gallo, ai quali funge anche da protettore, altri riverberi sul suo nome getta la penna di scrittori quali l'Aretino e l'Ariosto, che del vescovo di Troia ricordano innanzitutto la crapulenta dissolutezza vissuta con una nutrita compagnia, prodiga di motti e facezie, in ciò capeggiata dal buffone fra Mariano, che a Roma nel ricordo, dopo gli anni trenta, era divenuta quasi un mito[8], vituperata e vagheggiata allo stesso tempo.

3 – Giorgio Vasari, Leone X in mezzo al Collegio, particolare con il ritratto di Giannozzo Pandolfini. Firenze, Palazzo Vecchio.

Il caustico scrittore toscano esprime il suo rigido giudizio: «Vorrei piuttosto essere confinato in prigione per dieci anni che stare in palazzo come ci stette Accursio, Serapica, e Troiano»[9], mentre prendendo le distanze da Leone X e dal suo corteggio si indugia a descrivere ciò che piaceva mangiare al vescovo di Troia e agli amici: gli ortolani, i beccafichi, i fagiani, i pavoni e le lamprede[10]; accompagnato in questo sdegno compiaciuto da Ludovico Ariosto (*Satira*, IV, 162).

Capita tuttavia di trovarlo citato, ma da fra Mariano, in compagnia dei più alti spiriti della cristianità: con papa Lino, Sergio, Clemente, Pietro e San Tommaso, in una satira o meglio pasquinata, forse da attribuirsi allo stesso Aretino[11].

Le sue arguzie e lo spirito beffardo, che spinto al massimo in una burla poteva ritorcerglisi contro, costellano invece la *Cortigiana*[12], sì che la sua figura si può individuare col giudizio che su di lui espresse il Busini in una lettera al Varchi: «Il vescovo ... era da fare un balzo in su la trementina»[13].

Un'espressione arguta si può ancora cogliere nel supposto volto di Giannozzo (fig. 1), ovvero del vescovo, primo nella penultima fila a destra nell'affresco di scuola di Raffaello, con l'*Incoronazione di Carlo Magno*, nelle Stanze Vaticane, seguendo una piuttosto vaga indicazione vasariana[14].

Nel ritratto 'ideale' (fig. 2) che conservano gli eredi Pandolfini, invece, rimane solo una grave dignità prelatizia e sullo sfondo il 'palazzo': non ancora terminato nella parte alta ci autorizza a ritenerlo idealmente fissato nella situazione in cui era alla morte di Giannozzo e fino al 1529, anno in cui risultano pagamenti per tale compimento[15]. In questo ritratto di scuola fiorentina della seconda metà del Cinquecento, l'esattezza filologica di una situazione (forse desunta da un dipinto precedente) si sposa a un intento storico-celebrativo, essendo rappresentato sullo sfondo Castel Sant'Angelo.

Ultima effigie, in senso cronologico, è quella che gli tributa lo stesso Vasari in un affresco della sala di Leone X in Palazzo Vecchio (fig. 3), in cui si esalta la magnificenza del papa. Più facilmente individuabile da questa descrizione vasariana dell'immagine dipinta da Raffaello[16], ci mostra un vescovo di aspetto giovanile, abbastanza somigliante ai due ritratti precedenti.

Forse il Vasari, così fedele nel raffigurare i personaggi tramandati alla posterità dal celebre quadro di Raffaello che ritrae Leone X con Giuliano di Medici e l'arcivescovo De Rossi, avrà creato del Pandolfini un'immagine ideale[17].

4 – Andrea di Cosimo Feltrini, particolare di soffitto. Firenze, palazzo Pandolfini.

5 – Andrea di Cosimo Feltrini, disegno. Firenze, GDSU, 142 orn.

6 – Andrea di Cosimo Feltrini, disegno. Firenze, GDSU, 702 orn.

Se la solennità dell'iscrizione all'esterno del palazzo, anche se postuma, e le agevolazioni concesse dal papa per l'esecuzione del raffaellesco progetto della costruzione, testimoniano quanto stretto fosse il rapporto di Giannozzo con Leone X dal punto di vista politico-culturale[18], anche nella pratica di un attento dialogo con le arti fu, se non di confronto, certamente di emulazione.
Infatti il soffitto dipinto nella stanza a terreno del palazzo (tav. IV a colori), piccolo microcosmo rinascimentale, può configurarsi come la scelta distillata da parte di una mente vigile della cultura romana e fiorentina. Tiene della prima nell'impaginato e nella cromia, tiene della seconda nello stile delle grottesche e delle *grisailles*, potendovisi infatti riconoscere artisti operanti a Firenze.
Complessa ne è la struttura: una cornice a dado che si aggancia alle pareti colma il dislivello interno tra la banda che sporge orizzontalmente e il *plafond* attraverso un profilo fortemente sagomato a listelli concavi, piatti e a gola rovescia, anch'essi tutti decorati. Nell'estrema striscia del dado un fregio a *grisailles* si dipana in una serie di volti umani immersi tra le fronde che inaugurano una rappresentazione metamorfica in cui l'elemento vegetale si trasforma e si fonde in quello che è il motivo ricorrente di ogni impresa decorativa commissionata dalla famiglia Pandolfini: ovvero il delfino, qui disarticolata e arcuata figura fitomorfa che, tenuta in un giuoco formale di grande astrattezza, ritorna nei triangoli di risulta del soffitto in tinte verde e ocra su fondo cinabro; e in un'accezione più naturalistica, alternato a maschere e a vasi, in una modanatura di raccordo, dipinto a *grisaille* su fondo blu.
Il riquadro del soffitto si articola al centro in un grande occhio (oggi vuoto, ma forse destinato a contenere una raffigurazione d'Apollo) sottolineato dalla cornice dorata che lo raccorda alle due specchiature dal fondo nero in cui sono raffigurate due storie del dio: la gara di *Apollo e Marsia* tra Cleopatra e Lucrezia, e *Apollo e Dafne* tra due Virtù. Maschere tra delfini, motivi floreali, uccelli, putti aggrappati a sfingi dal copricapo a canestra, oppure putti cavalcanti ippocampi si ritrovano nel restante soffitto dal colore rosso cinabro.
Tale messe di motivi costituisce il repertorio illustrativo di Andrea di Cosimo Feltrini, specializzatosi quale pittore di grottesche in imprese condotte a più mani, dove egli si trovò collaboratore di Andrea del Sarto, del Franciabigio e del Pontormo[19]. Tra i confronti più stringenti si segnalano le grottesche del Refettorio di San Salvi, i graffiti di palazzo Sertini, accompagnati da due noti disegni degli Uffizi che illustrano il tema ricorrente delle Sfingi e del putto su ippocampo (fig. 4)[20].
A questi vanno aggiunti due disegni, sempre al G.D.S.U., che in uno studio d'ornato inseriscono teste di putti dalle inquietanti e stravolte espressioni quali si ritrovano, addirittura con lo stesso ornamento in fronte, cioè una perla, nella fascia esterna del soffitto in esame (figg. 5-6)[21]. Le figure di una forte ricchezza chiaroscurale sono fuse nel modellato e assai articolate nei contorni. Questa grande libertà e questo vigore di segno sono confermati anche dal tratto rapido e incisivo della grafica.
La presenza di Andrea di Cosimo Feltrini in imprese quali la decorazione della cappella dei Papi in Santa Maria Novella e del chiostro dello Scalzo

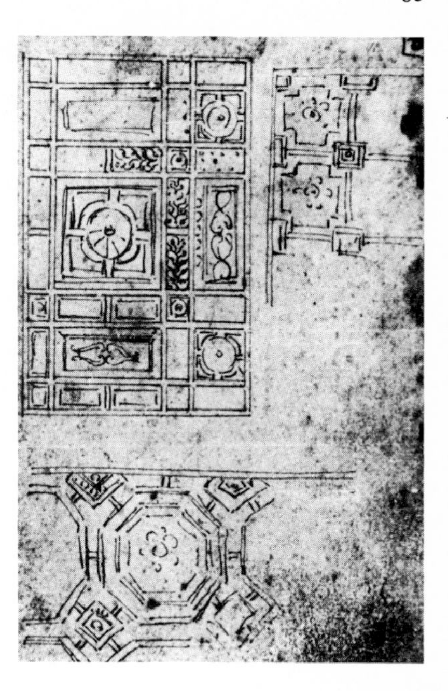

7 – Aristotele da Sangallo, disegno di soffitto. Lille, Musée des Beaux Arts.

(da datarsi al secondo decennio), entrambe in un certo qual modo vicine a Giannozzo, l'una perché eseguita per Leone X, dal vescovo di Troia sempre seguito nelle scelte, l'altra perché prossima topograficamente agli «Orti troiani», confinando con essi il chiostro, avrà contribuito a far convergere la scelta verso il più aggiornato e originale pittore di grottesche fiorentino.

Va però tenuto presente che non esiste a Firenze soffitto d'impronta così marcatamente 'romana' e che tale impronta, conferitagli dalla struttura e dalla cromia, regge il confronto con quelle del soffitto della stanza di Alessandro e Roxane alla Farnesina (1510-1511), o denuncia lo stesso impianto del soffitto di palazzo Stati Maccarani, invero di datazione piuttosto tarda[22].

Come conseguenza si è supposto (Thiem) che l'ultima fase conosciuta del Feltrini volgesse proprio verso esperienze romane, praticate sulle novità cromatiche e compositive introdotte da Raffaello nella loggia di villa Madama a imitazione dell'antico: con un fondo rosso cinabro decorato a grottesche in contrasto con gli inserti neri decorati a *grisaille*. È pur vero, tuttavia, che al tono caldo e affocato e ai densi ma corposi elementi decorativi dell'insieme non è estranea la tradizione fiorentina.

Più che ad una responsabilità globale del pittore fiorentino per l'ideazione e per l'esecuzione del soffitto in questione si deve invece pensare a una sua collaborazione con chi in questo momento teneva stretti i contatti con Roma, ovvero allo stesso Giovan Francesco da Sangallo che figura responsabile della fabbrica di palazzo Pandolfini. Abbia egli fornito o meno il disegno, un altro dato ci sembra opportuno esaminare, proprio basandosi sul fatto che le scene del mito d'Apollo non sembrano opera della stessa mano che ha curato l'esecuzione della grottesche. Le figure che le animano, eseguite con colori cangianti impregnati di staffilate luminose, costruite con un'attenta indagine anatomica, già però di maniera forzata e insistita, oltre a discostarsi dalla qualità ben più alta delle restanti pitture, ci sembra si possano avvicinare ad alcune opere inserite nel *corpus* di quel 'petit maître' che fu battezzato «Maestro di Serumido» da chi, anche se in via del tutto propositiva, tentò di accostarlo al misterioso Aristotele da Sangallo[23].

Estimatore di Michelangelo e di Raffaello allo stesso tempo, introdotto presso entrambi, per poco tempo allievo del Perugino, e sempre compagno di lavoro di Franciabigio e Granacci, oltre che amico del Bachiacca, Aristotele resta a tutt'oggi noto per la sola attività grafica. Anche se la ferrea autocritica gli impedì secondo Vasari di dedicarsi ad altro tipo di pittura che non fosse quella ornamentale, esercitò fino all'ultimo la sua professione, come appare dal testamento in cui, come in gran parte degli atti, preferisce qualificarsi con la sola referenza di pittore[24]. Dal quarto decennio a capo della fabbrica giannozziana, deve di fatto averla seguita a fianco del fratello fin dal suo inizio, che sarà da rintracciarsi all'aprirsi del secondo decennio, prima comunque della bolla leonina del 1517. Se dunque si prende in considerazione l'eventualità che possa spettare ad Aristotele il progetto del soffitto, e vari e non distanti da quello di palazzo Pandolfini sono i disegni di 'palchi' (fig. 7)[25] che gli si attribuiscono, pur nell'incertezza che dal punto di vista attributivo regna nella grafica dei

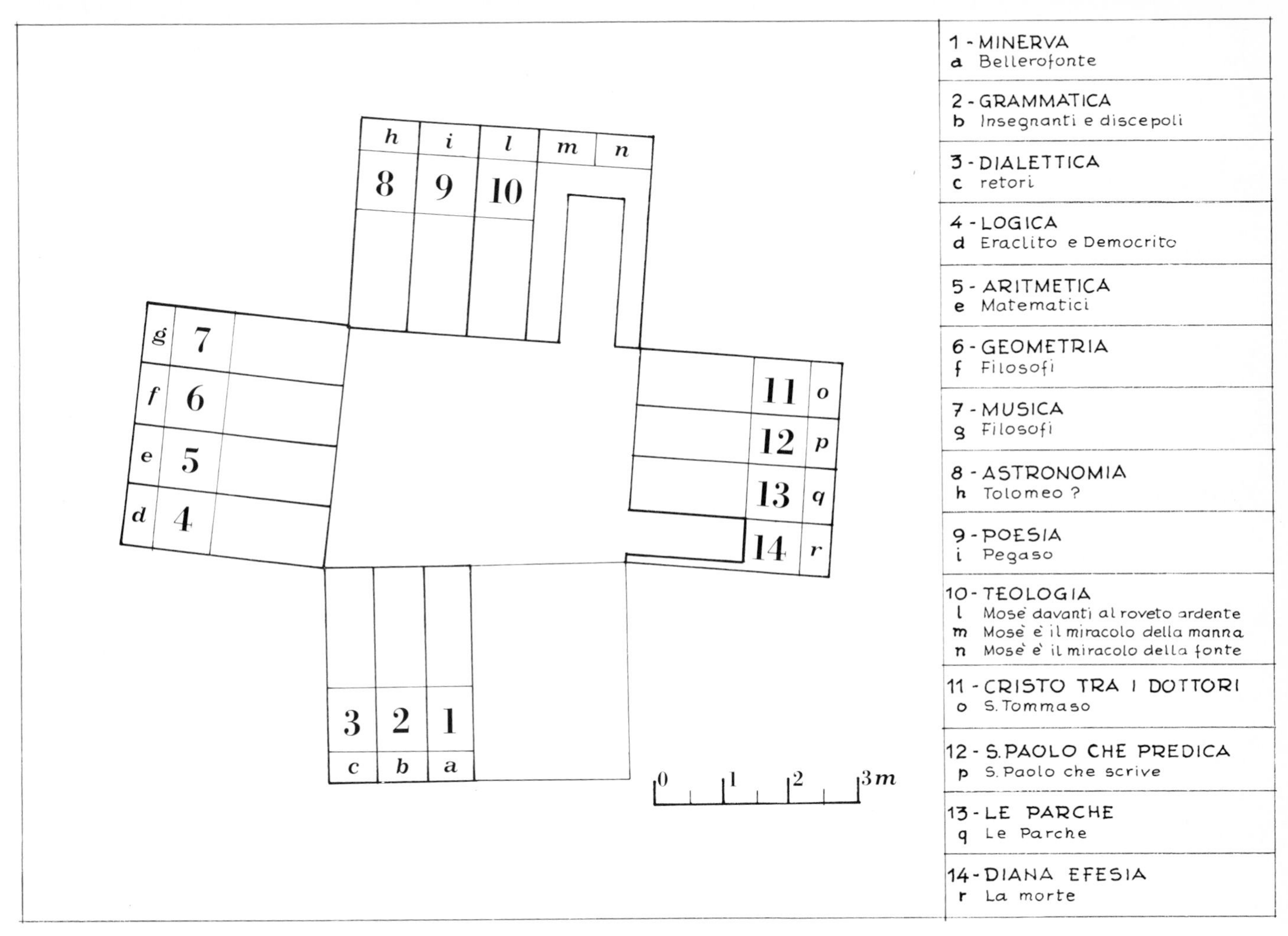

8 – Aristotele da Sangallo (?), Apollo e Marsia, particolare di soffitto. Firenze, palazzo Pandolfini.

9 – Maestro di Serumido, Annunciazione, particolare della predella. Firenze, San Felice.

10 – Grafico con la sequenza degli affreschi dello 'studiolo'. Firenze, palazzo Pandolfini.

Sangallo in genere, sarà opportuno tentare di individuarvi anche una sua fattiva partecipazione, verificandone eventuali tangenze con il «Maestro di Serumido». I confronti più stringenti sembrano potersi istituire non tanto con le piccole figure disperse nel paesaggio e dominate dai grandi fondali delle *Storie di Andromeda* agli Uffizi, quanto piuttosto con la pala eponima, ma soprattutto con il *Martirio di San Pietro* e con l'*Annunciazione* della predella della pala di San Felice in Piazza (figg. 8-9). Infatti le figure piccole e atticciate dai volti rigonfi, alla ricerca di un'espressione che talvolta diviene smorfia, di un gesto che si enfatizza rimanendo bloccato, bagnate di barbagli luminosi, potrebbero accostarsi o al San Francesco di Serumido, in quelle pieghe stirate e filettate di luce, o all'imperatore che ordina il martirio dell'apostolo e agli astanti per quei corpi individuati sotto le vesti da precise scansioni anatomiche.
Essendo le stanze con molta probabilità le più antiche del palazzo è plausibile che venissero arredate sollecitamente ancora prima del 1520[26]. Anche il secondo soffitto (tav. V a colori) tenderebbe a dimostrarlo, pur senza le implicazioni colte del precedente, e piuttosto nella scia tradizionale dei cassettonati fiorentini. Raccordato alle pareti da uno zoccolo modanato nell'ordine a ovuli, rabeschi, dentelli, mascheroni, è diviso a grandi riquadri più volte incorniciati con al centro su uno sfondo blu il simbolo del pellicano realizzato in carta pesta. Se una data susseguente quella del soffitto d'Apollo non disturba, lo stesso non si può affermare per il ciclo di affreschi che fascia il piccolo ambiente nella sua totalità.
Una cronologia intorno alla metà del secolo, che ben conviene per ragioni di stile ai dipinti che ora esaminiamo, implica una loro connessione con altra figura che non Giannozzo, come lui dedita sì all'arte, ma non ad un eccessivo edonismo. Una mente dotata di una visione soprattutto etica delle arti figurative che la porta a rifuggire i preziosismi formali per concentrarsi nella foga del messaggio semplice e immediato e pur denso di contenuto, con una volontà didascalica memore dell'estetica medievale o di un neo-platonismo addomesticato.
Il ciclo, che non ha avuto finora menzioni critiche, si dipana in quattordici riquadri istoriati, divisi da erme, sovrastati da scene rigorosamente schizzate a monocromo. Scompartiti in una raffigurazione centrale in cui predomina il monocromo giocato su toni verdi, seppia, bruni o grigi chiari, sono talvolta costellati da altre storie, ulteriormente esplicative, in piccolo formato.
Iniziandone la lettura interpretativa da destra verso sinistra, (fig. 10), partendo dall'immagine di *Minerva*, simbolo della Sapienza e della Filosofia, con in mano l'asta ordinatrice del mondo, troviamo i tre riquadri che rappresentano le Arti del Trivio: ovvero la *Grammatica* sotto le spoglie di una figura che tenta di aprire una porta, quindi la *Dialettica*, assisa con in mano un'asticciola attorno a cui si attorciglia un serpente (fig. 11), indi la *Logica*, rappresentata, secondo una iconografia inusitata, da Tobiolo e l'Angelo (fig. 12)[27]. Solo la posizione tra le due Arti precedenti del Trivio e le conseguenti Arti del Quadrivio ci consentono di associare a tale disciplina questa storia biblica, la cui rappresentazione tanta fortuna ha avuto nella Firenze di fine Quattrocento - inizî Cinquecento.
Seguono quindi l'*Aritmetica*, la *Geometria*, la *Musica* (tav. VI a colori) e

11 – Giovanni Stradano (attr.), Minerva, Grammatica e Dialettica. Firenze, palazzo Pandolfini.

12 – Giovanni Stradano (attr.), Logica e Aritmetica. Firenze, palazzo Pandolfini.

13 – Giovanni Stradano, (attr.), Astronomia, Poesia e Teologia. Firenze, palazzo Pandolfini.

14 – Giovanni Stradano (attr.), Cristo fra i dottori e San Paolo. Firenze, palazzo Pandolfini.

15 – Giovanni Stradano (attr.), Parche e Diana Efesia. Firenze, palazzo Pandolfini.

l'*Astronomia* (fig. 13), il tutto concludendosi nella *Poesia* simboleggiata da Apollo e dalle Muse, cui si accosta la *Teologia* riassunta nella raffigurazione della Trinità con i simboli evangelici. *Cristo tra i dottori*, e *San Paolo* (fig. 14) sono seguiti dal riquadro con le *Parche* (fig. 15), mentre a conclusione di tutto il ciclo domina la *Diana Efesia*, nella versione iconografica messa a punto dalla scuola di Raffaello nelle Logge Vaticane.
Minerva o la Sapienza, le Arti liberali e la Poesia, attraverso la cui pratica si approda a un livello di conoscenza parziale, perché profana, che solo la verità rivelata, che la Teologia salvaguarda, può rendere completa attraverso le parole di Cristo e di San Paolo: questo il tema illustrato, ossia il processo gnoseologico dell'uomo, costellato di difficoltà (sopra la *Grammatica*, prima tappa di esso, è rappresentato un discepolo battuto dal precettore)[28], di ambiguità (la *Dialettica* è affiancata da un uomo a due teste, simbolo, secondo l'invenzione di Leonardo, della virtù e del suo opposto)[29], di impotenza. Infatti sotto la scena a *grisaille* che raffigura *Eraclito e Democrito* di fronte al mondo[30], l'uno sorridente, l'altro piangente, *Tobiolo e l'Angelo*, ovvero la conoscenza attraverso la fede, sono la risposta della logica cristiana al paganesimo disperato. Nonostante l'aiuto delle Arti liberali, sovrastate da sapienti (filosofi e astronomi), solo con la fede *sub lege*, esplicata con le *Storie di Mosè* nelle scene a *grisaille* a partire dalla *Teologia*, e con quella *sub gratia*, illustrata da episodi del Nuovo Testamento, si può percorrere questo *iter* conoscitivo che verrà inevitabilmente interrotto dalla Morte, su cui domina però la *natura naturans*[31] oggetto eterno di inesauribile e appassionata investigazione da parte dell'uomo.
Un tale programma, nella sua commistione di elementi neo-medievali, pagani e religiosi, affonda le sue radici nella cultura neo-platonica, coltivata dall'Accademia ficiniana, il cui ricordo nella Firenze di pieno Cinquecento è ancora tutt'altro che spento; e ci indirizza verso una personalità non solo colta, ma anche particolarmente attenta alla vita spirituale. L'ipotesi di Ferrando Pandolfini quale committente, sembrerebbe assai probabile se la si appoggia con altri dati probanti. La raffigurazione delle *Parche*, infatti, così come viene realizzata nella scena grande a monocromo seppia, ci fornisce il termine *post quem* per la datazione del ciclo. Tale iconografia di Atropo, Lachesi e Cloto[32] creata da Giovanni Boldù per un conio nel 1458, fu divulgata a stampa da Pietro Apiano nel suo *Inscriptiones sacrosanctae vetustatis* (figg. 16-17), apparso a Ingolstadt solo nel 1534. E dalla morte di Giannozzo Pandolfini cioè dal 1525, come ci indicano i documenti, pur in mezzo a contrasti patrimoniali ed ereditari, solo il secondo vescovo di Troia, Ferrante, domina nel palazzo di via San Gallo, dal momento che, oltre a seguire da vicino le complesse vicende della costruzione, ne riscatta anche la proprietà, passata dal 1536 al 1541 nelle mani di Niccolò de' Medici.
Assai legato alla dimora di suo zio, che lascerà solo negli ultimi anni di vita, Ferrando Pandolfini rappresenta una figura di religioso assai stimata per la sua attività pastorale. La sua biografia, almeno come si può arguire dai centoni scritti dal Passerini e dal Gamurrini, non è costellata di fatti sensazionali, se si eccettua l'eccezionale cerimonia durante la quale impartì una cresima di massa a diecimila fiorentini nel 1543[33]. Fu tuttavia uomo

16 – Giovanni Boldù, medaglia. Washington, National Gallery.

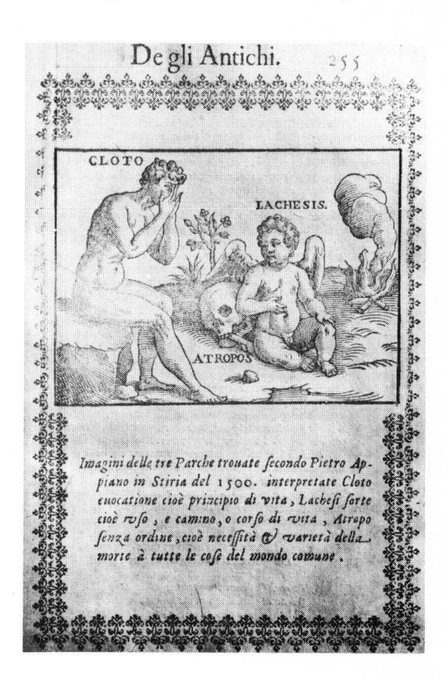

De gli Antichi. 255

CLOTO

LACHESIS.

ATROPOS

Imagini delle tre Parche trouate secondo Pietro Appiano in Stiria del 1500. interpretate Cloto euocatione cioè principio di vita, Lachesi sorte cioè uso, e camino, o corso di vita, Atropo senza ordine, cioè necessità & varietà della morte à tutte le cose del mondo comune.

17 – Le parche, incisione da V. Cartari, Le immagini colla sposizione degli dei antichi, *Venezia 1556.*

dedito alle lettere e alla poesia. Un taccuino inedito che gli è appartenuto, come suonano le prime parole «Ferdinandi Pandulphini sum» e che reca la data 1525[34], contiene alcune liriche che secondo una nota scritta di pugno di Ferrante risultano essere «cose di nuovi autori alla petrarchesca». Tra questi, oltre a colui reso noto dalle sole iniziali G P (Giannozzo Pandolfini?) a cui si deve la lirica «Piango e a chi pianger usa / suol sovente scemar chiuso dolor» e col quale dialoga in versi tal Nicofilo Filesio, sono presenti petrarchisti minori quali Del Brevio e Benedetto Varicenzio con una preziosa poesia inneggiante al palazzo Pandolfini[35]. Oltre a questi interessi letterari dei quali ci è pervenuta una pallida ma significativa testimonianza, Ferrante coltivava una conversazione che attirava le celebrità letterarie della città[36]. Tra queste una è esplicitamente nominata dal Gamurrini, ossia Cosimo Bartoli, accademico fiorentino e preposto del Battistero. Figura non secondaria nella Firenze di metà secolo, allievo del Verino, di una cultura estesa a varie discipline, ma mai troppo profonda, ha avuto il merito di far conoscere l'Alberti, di tradurre Platone, di commentare il Ficino[37]. Erudito, linguista, architetto, ebbe un particolare interesse per le arti figurative, così come ha manifestato nel suo libro di *Ragionamenti* che edito a Venezia nel 1568[38] fu scritto a Firenze tra il 1550 e il 1552. Manipolando le sue sette letture dantesche tenute tra il 1541 e il 1547, le riassume in cinque parti imbastendovi divagazioni filosofiche che introduce prendendo spunto dalla descrizione di un'allegoria o di un ciclo pittorico della cui invenzione iconografica e concettuale è l'ideatore. Articolate sotto forma di dialoghi queste divagazioni ben due volte hanno come protagonista Ferrante Pandolfini o la sua dimora.

Nel secondo «Ragionamento» il vescovo di Troia illustra agli altri dotti interlocutori il significato di un dipinto in una casa vicina al Duomo, del cui programma iconografico e simbolico è responsabile il Bartoli. Di fronte alla rappresentazione delle sette Arti liberali, a decorazione di una cintura che cinge Flora, immagine di Firenze, Ferrante commenta «che noi altri doviamo cingere di esse per diventare mediante quelle più prudenti e più grati a Dio». La figura di Minerva è invece spiegata come virtù intellettiva «volendo mostrare che dal profondo segreto della sapienza di Dio nasce ogni sapienza e ogni intelletto puro, et separato da ogni terrena feccia o spurcizia dentro gli animi degli homini».

Questi temi di soggetto morale e religioso ricorrono anche negli altri dialoghi e in particolare nel quarto che ha come protagonisti Niccolò de' Medici, Bernardo Segni e Lorenzo Ridolfi, avvenendo la conversazione proprio dinanzi agli affreschi che ornano la loggia del palazzo del vescovo di Troia in via San Gallo, e il cui programma si deve all'ingegno dell'accademico fiorentino. Nelle pitture che in modo complesso illustrano il ciclo della vita dell'uomo e la sua caducità, l'immortalità e il tempo sono oggetto di divagazione dotta. Davanti all'immagine delle Parche e del bambino che piange appena nato, il senso della morte è giustificato con queste parole: «Homo saria infelicissimo se il mundo fussi eterno»; «se il mundo fussi eterno s'abbandoneria il culto divino». Si può perciò pensare che il programma del ciclo d'affreschi qui esaminato sia scaturito senz'altro dalla mente erudita del Bartoli. Il tema illustrato, ossia il processo conoscitivo esercitato sulla natura con i soli mezzi umani, e completato unicamen-

18 – Giovanni Stradano (attr.), Astronomia. Firenze, palazzo Pandolfini.

19 – Giovanni Stradano, Allegoria del Tempo e dell'Immortalità. Firenze, GDSU, 825E.

te con la rivelazione attraverso Mosè, Cristo e San Paolo[39], non è che la collazione di temi ampiamente affrontati nei cinque libri dei *Ragionamenti*. Il pensiero morale del Bartoli vi si rivela talmente incisivo ed esclusivo da perseguire lo scopo di esaltare nelle opere il contenuto a discapito della qualità formale. Di tale estetica si fa portavoce proprio lo stesso Ferrante allorché nel secondo dialogo dice ai suoi interlocutori che «la 'inventione' diletterà non meno che la pittura»[40]. Le spoglie tonalità degli affreschi qui esaminati, la loro esecuzione a monocromo, l'impaginazine didascalica confermano che anche nella piccola stanza tra via San Gallo e via Salvestrina l''invenzione' ha avuto il predominio. Del resto, come appare dal primo dialogo dei *Ragionamenti*, il Bartoli non doveva limitarsi a fornire il programma iconografico, ma interveniva nella realizzazione con precisi suggerimenti grafici. È questo il caso della fontana che, scolpita per la villa del vescovo Ricasoli dal Camilliani, fu realizzata su disegno dell'accademico fiorentino tra il 1550 e il 1552, anni questi che possiamo considerare come il periodo di stesura dei *Ragionamenti*. Sebbene in questi dialoghi realtà e fantasia si intreccino e situazioni cronologiche e topografiche disparate si fondano, va però notato che l'illustrazione degli affreschi nella loggia di palazzo Pandolfini avviene davanti a Niccolò de' Medici che, comparendo in veste di ospitante aiuta a datare tra il 1536 e il 1541, quando cioè risulta proprietario del palazzo, il momento del dialogo, fornendoci un termine per tali pitture, oggi scomparse, volute, come esplicitamente viene affermato, da Niccolò per compiere l'opera iniziata dallo stesso vescovo di Troia[41].

Gli affreschi dello studiolo, invece, non sembrano potersi sistemare entro il quarto decennio. La data *post quem* del 1534, offerta dall'incisione delle Parche, nonché le vicende di cui fu oggetto il palazzo, ritornato in possesso di Ferrante solo nel 1542, autorizzano a collocare il ciclo dopo tale anno.

Gli affreschi dipinti con colori cupi, schizzati come se fossero disegni nelle fasce a monocromo e nelle storie di contorno più piccole, rivelano nelle scene grandi un *ductus* indugiato e frammentario, che non sempre punta a sostanziare plasticamente le figure, ma tende a definirne i contorni e le espressioni in maniera caricata, rivelando la pratica delle incisioni nordiche; e nordici sono anche certi caratteri, talvolta solo illustrativi e di genere, che troviamo nell'aggrottato matematico (fig. 12) o nella caricaturale figura in basso nel riquadro dell'*Astronomia*. Le erme che ritagliano le specchiature costituiscono una citazione di quel 'gigantismo' che, derivato da Michelangelo, furoreggiò in Firenze soprattutto con il Bandinelli; e, insieme ai caratteri della pittura sopra evidenziati, testimonia quanto l'autore degli affreschi fosse al corrente delle novità realizzate nel quinto decennio del secolo a Roma da Perin del Vaga, impegnato nella decorazione di Castel Sant'Angelo.

Tra i pittori nordici attivi a Firenze all'inizio della seconda metà del Cinquecento, Jan der Straet[42] sembrerebbe presentarsi quale più probabile candidato all'autografia di tali affreschi, anche se, per la verità, scarsissime sono le opere a lui riconosciute nel periodo immediatamente seguente il suo arrivo a Firenze, da far risalire al 1553.

Uno dei confronti più calzanti tra gli affreschi di palazzo Pandolfini e

20 – Giovanni Stradano (attr.), Aritmetica. Firenze, palazzo Pandolfini.

21 – Giovanni Stradano, La morte agognata dai poveri. Windsor Castle.

22 – Giovanni Stradano, Fuga in Egitto. Windsor Castle.

l'attività grafica del pittore è costituito dalla figura dell'*Astronomia* (fig. 18) e da un disegno della maturità del pittore fiammingo, datato 1585, ovvero l'*Allegoria del tempo e dell'immortalità* (fig. 19)[43], in cui le figure femminili, specie la Parca seduta all'arcolaio, hanno profili fisionomicamente insistiti, un plasticismo ottenuto con forti lumeggiature di colore rilevato a biacca, un panneggio sfilato. Espressioni intense e inquietanti di figure senili si ritrovano nel riquadro dell'*Aritmetica* (fig. 20) e nel disegno con la *Morte gradita ai poveri* (fig. 21)[44] che reca la data 1565, nonché negli *Stampatori al lavoro* del 1550[45]. La grafia tremula e insistita che tratteggia velo, manto, lineamenti della prima disciplina del Quadrivio risulta molto vicina al segno che contraddistingue il nucleo grafico delle storie della *Vita di Maria*, in particolare la *Visitazione* e la *Fuga in Egitto* (fig. 22)[46]. Se il disegno con soggetto allegorico ci può solo confermare certi indirizzi di stile e una possibile identità di mano, ponendosi a nostro avviso di circa due decenni più tardi del ciclo, i soggetti della *Vita di Maria* mostrano maggior attinenza anche cronologica, densi come sono di sedimenti culturali fiamminghi. Impressi ad Anversa come annota van Puyvelde, sembra dubbio che si possano ritardare al 1570 come propone il Thiem[47]. Essi denunciano infatti le componenti stilistiche nordiche, predominanti nel pittore fiammingo prima della sua conversione a una maniera di dipingere più fusa, più vasariana: quelle componenti che dobbiamo riconoscere insite nelle pitture qui esaminate, anche se si può dubitare di una paternità dello Stradano.

Se, come sembra, la loro realizzazione sarà avvenuta per volere di Ferrante, e quindi prima del 1557, dal momento che a questa data il palazzo viene affittato, si possono ritenere una delle prime opere del pittore fiammingo che, dopo qualche anno, inizierà una stretta collaborazione con Vasari in Palazzo Vecchio.

Chiuso, così, il periodo più aureo del palazzo, sulla scia di una spinta edificatrice, che ne fa uno dei centri più discretamente aggiornati nel campo artistico e letterario, e più prestigiosi per la presenza di personalità di spicco quali i vescovi troiani, le successive vicende, pur costellate di figure eccelse quali il senatore Filippo[48], seguiranno ormai i binari di una decorosa, dotta, ma mai innovativa committenza.

Per gli utili suggerimenti desidero ringraziare Cristina Acidini Luchinat, Sandro Cecchi, Simona Lecchini Giovannoni.

NOTE

[1] Si vedano a questo proposito le considerazioni che accompagnano i grafici di rilevamento del palazzo. Le stanze misurano: m. 3,53 × 4,20 e m. 4,22 × 4,35.
[2] L. GINORI LISCI, *I palazzi di Firenze*, Firenze 1972, pp. 507-512. In tutte le antiche piante sono denominate come «camera». Un documento del 23 febbraio 1699 (vedi BIGAZZI, nota 40) risulta stilato «in una delle stanze a terreno a uso di studio di detto palazzo». In un inventario tardo settecentesco (BNC, ms. Tordi 488) si nominano cinquantadue quadri di più grandezze, parte di pietre dure e parte a scagliola, conservati nella stanza all'angolo tra via San Gallo e via Salvestrina.
[3] J. P. RICHTER, *The Literary Works of Leonardo da Vinci*, 3, London 1970, I, 313, n. 509.
[4] Si veda sulla tipologia degli studioli e sulla loro evoluzione W. LIEBENWEIN, *Studiolum*, Berlin 1977.
[5] Su Giannozzo si veda L. PASSERINI, *Genealogia della famiglia Pandolfini*, BNC, Passerini, ms. 46, c. 225. L. PASTOR, *Storia dei Papi*, IV, 1, Roma (1921) 1960 (ed. cons.); VASARI-MILANESI, *Le vite*, IV, 364; VI, 435.
[6] Così anche i Della Gherardesca che costruiscono in fondo a borgo Pinti, i Ridolfi verso porta San Gallo, i Bartolini in via Valfonda.
[7] Sull'iscrizione «Iohannes Pandolfinus Episcopus Troianus a Leone X et Clemente VII Pontificibus Maximis Beneficiis Auctus a fundamentis Erexit Anno Salutis MDXX» si veda F. SAXL, *The Classical Inscription in Renaissance Art and Politics*, in «Journal of the Warburg and Courtauld Institutes», IV, 1940-1, pp. 29-46; Francesco Pandolfini, pupillo del Fontius, aveva copia manoscritta di una serie di iscrizioni antiche.
[8] P. ARETINO, *Le Lettere*, (I-II) a cura di F. Flora, Milano 1960, n. 2, p. 599.
[9] P. ARETINO, *op. cit.*, 44.
[10] P. ARETINO, *op. cit.*, 10.
[11] G. CESAREO, *Una satira inedita di Pietro Aretino*, in *Raccolte di studi a P. D'Ancona*, Firenze 1902, pp. 175-191.
[12] P. ARETINO, *La Cortigiana*, Prologo, I, 12; IV, 15.
[13] G. B. BUSINI, *Lettere a Benedetto Varchi*, Firenze 1860, p. 87.
[14] VASARI-MILANESI, IV, 361.
[15] Si veda il Regesto di P. Ruschi *ad annum*.
[16] Il quadro risulta ispirato nel taglio al ritratto di Clemente VII ora a Capodimonte di Sebastiano del Piombo.
[17] VASARI-MILANESI, *Ragionamento Terzo*, VIII, p. 157, «sopra lui [il Cardinale Rossi] in quel vano pieno che volta a noi le spalle e si poco il viso è il Cardinale Piccolomini Sanese: e l'altro che gli si volta è Pandolfini Fiorentino, l'altro in profilo, senza niente in testa, è il Cardinale di Como Milanese».
[18] Il PASSERINI, *op. cit.*, sottolinea come Leone X fosse fortemente debitore nei confronti di Giannozzo e consequentemente assai a questo legato.
[19] Per l'attività del Feltrini si veda C. e G. THIEM, *Andrea di Cosimo Feltrini und die Groteskendekoration der Florentiner Hochrenaissance*, in «Zeitschrift für Kunstgeschichte», 24 (1961), pp. 1-39.
[20] Firenze, GDSU, Uff. orn. 145; Uff. 1564 F.
[21] GDSU, orn. 702, orn. 699.
[22] C. L. FROMMEL, *Der Römische Palastbau der Hochrenaissance*, Tübingen 1973, II, 325.
[23] F. ZERI, *Eccentrici Fiorentini*, in «Bollettino d'Arte», XLVII, 1962, pp. 318-326.
[24] ASF, *Notarile Antecos.*, P 500, c. 238 r.
[25] Si allude in particolare a un disegno di soffitti contenuto nel taccuino di Lille, Musée des Beaux Arts, Inv. PL 836 + 759.
[26] Il documento del 21 luglio 1532 (Archivio Bartolini Salimbeni, *Libro Pand.*, c. 62) che ci informa come Ferrante fece eseguire un palco falso prima del 1529, sarà forse da riferire al soffitto in esame ché mal si conviene una data così tarda al primo cassettonato, anche se sia il Feltrini che Aristotele erano ancora attivi.
[27] Su l'iconografia e la simbologia di Tobiolo e l'Angelo si veda G. COOR ACHENBACH, *The Iconography of Tobias and the Angelo in Florentine Paintings of the Renaissance*, in «Marsyas», VIII, 1943-45, pp. 71-86; E. H. GOMBRICH, *Tobias and the Angel, Symbolic Images*, in *Studies in the Art of the Renaissance* 1972, pp. 26-30.
[28] Tale iconografia, inaugurata da Benozzo Gozzoli nel Sant'Agostino a San Gimignano, si trova associata alla *Grammatica* in un disegno di Federico Sustris eseguito tra il 1573 e il 1580, Firenze, GDSU n. 1649 orn.
[29] Il disegno fa parte della raccolta di Oxford. Si veda J. BYAM SHAW, *Drawings by Old Masters at Christ Church-Oxford*, Catalogue, I, Oxford, 1976, pp. 32-36.
[30] Su Eraclito e Democrito e sulla loro rappresentazione nelle arti figurative si veda E. CHASTEL, *Marsilie Ficin et l'Art*, Genève 1975, p. 67 e p. 70 n. 16.
[34] L'iconografia della Diana Efesia che come *natura naturans* è stata riscoperta e inserita da Raffaello nel trono della Filosofia nella Stanza della Segnatura, è stata esaminata da H. THIERSCH, *Artemis Ephesia*, Berlin 1935, pp. 93-95. La Diana ritratta in palazzo Pandolfini segue la variante dipinta nelle Logge Vaticane: pur mantenendo gli altri attributi, quali il pettorale contenente i fanciulli che reggono il serto con il cancro in mezzo e i due leoni sugli avambracci, arricchisce le ependiti con protomi di

unicorni, dromedari, pegasi, leoni, mantenendo alla base i consueti buoi.
[32] Per la diffusione di questa rappresentazione delle Parche si veda J. SEZNEC, *La sopravvivenza degli antichi dei*, London, I ed. 1940) Torino 1981 (ed. cons.), p. 299 n. 70.
[33] Il PASSERINI, *op. cit.*, c. 231 ricorda che Ferrante († 1560) fece costruire quasi dai fondamenti il palazzo episcopale di Troia e fece dono alla cattedrale di un ricco reliquiario con la testa di Sant'Urbano; E. GAMURRINI, *Istoria genealogica delle Famiglie nobili toscane e umbre*, Firenze, 1685; L'UGHELLI (*Italia Sacra*, Venetiis, 1717, 1, p. 1347) tesse le lodi di Ferrante, mentre tace sull'attività pastorale di Giannozzo. Il PASTOR, *op. cit.*, 332, ci informa che sotto Paolo V egli lavorò per una riforma cattolica nel suo vescovato. Il suo impegno religioso militante è esaltato in una cronaca cinquecentesca (*Per la Cronica di Firenze nel Cinquecento*, in «Rivista delle Biblioteche» 1906, n. 17, pp. 70-96), ricopiata da Francesco Monke e Stefano Rosselli da un apocrifo della Biblioteca Marucelliana. Infatti monsignor Pandolfini a Firenze nel 1543 cresimò più di diecimila cristiani «che per la negligenza del clero fiorentino non avevano potuto ricevere il Sacramento; e inoltre faceva carità in casa, perché era prelato degno e virtuoso e per la sua buona vita molto odiato dagli altri prelati».
[34] Firenze, BNC *Magliabech.*, VII, 718.
[35] Cfr. A. QUONDAM, *Petrarchismo mediato*, Roma 1974, pp. 30,36,61.
[36] Su Cosimo Bartoli si veda in particolare, G. MANCINI, *Cosimo Bartoli (1503-1572)*, in «Giornale Storico della Letteratura Italiana», LXXXVI, 2, 1918, pp. 84-135, e CH. DAVIS, in *Giorgio Vasari. Principi, letterati e artisti nella carte di Giorgio Vasari*, Arezzo 26 sett. – 29 nov. 1982, Firenze 1982.
[37] Cosimo Bartoli dette infatti la volgarizzazione del *De re aedificatoria* e stampò il commento inedito del *Convito* di Platone, scritto in latino, poi volgarizzato da Marsilio Ficino. Tra i suoi trattati più originali ed eruditi *Del nuovo modo di misurare le distantie* stampato nel 1564 contiene la descrizione competente dei vari strumenti, anche astronomici.
[38] *Ragionamenti accademici*, Venezia 1567.
[39] Mosè e San Paolo sono personaggi sempre ricorrenti negli scritti del Bartoli.
[40] La maggior importanza del contenuto rispetto alla forma è più volte ripetuta, e sempre ricorre un'*excusatio*, allorché gli interlocutori si trovano davanti a un dipinto, circa l'opportunità della sua esecuzione. Pur tuttavia il Bartoli si fa premura di indicare anche i colori e la loro corretta applicazione, attribuendovi un significato simbolico.
[41] Si cfr. il Regesto documentario. C'è comunque un errore di date o di persone nel dialogo del Bartoli perché Niccolò de' Medici non poteva risultare proprietario di palazzo Pandolfini dopo il 1541, anno questo dell'inizio delle letture dantesche, alcune delle quali risultano già essere state pronunziate dall'accademico, come si evince dalla conversazione nel giardino troiano; il che porta a situarla almeno al 1542, allorché Ferrante ne era già rientrato in possesso.
[42] Sullo Stradano si veda VASARI-MILANESI, VII, pp. 617-618. Il disegno con l'*Allegoria del tempo* è commentato da G. THIEM, *Studien zu Jan der Straert, gennant Stradanus*, in «Mitteilungen des Kunsthistorischen Institutes in Florenz», VII, 1958, pp. 88-111.
[43] Firenze, GDSU, 825 E.
[44] Windsor Castle, n. 4756. Si veda L. VAN PUYVELDE, *Flemish Drawings at Windsor Castle*, London 1942, p. 24.
[45] Windsor Castle, n. 4761.
[46] L. VAN PUYVELDE, *op. cit.*, p. 23. I disegni citati sono contrassegnati dai nn. 4702 e 4707.
[47] G. THIEM, *op. cit.*, p. 103.
[48] Per la figura di Filippo Pandolfini si rimanda al PASSERINI, *op. cit.*, c. 233.

DA GIANNOZZO ALLA 'VAGA' ELEONORA. RICERCHE D'ARCHIVIO

Isabella Bigazzi

I documenti rinvenuti in occasione di questa mostra permettono di far luce sulle vicende relative alla fondazione del palazzo Pandolfini di via San Gallo, le quali risultano assai più intricate di quanto finora si sapesse[1]. Gli stessi rapporti tra Giannozzo Pandolfini, Leone X, Raffaello e i Sangallo risultano in questa prospettiva maggiormente messi a fuoco.
Una lettera di Giannozzo al fratello Francesco del 5 dicembre 1485 getta luce su alcuni dei 'crediti' acquisiti dal Pandolfini presso personaggi dell'ambiente papale. Francesco ospitava allora con disagio «bona parte de la famiglia del Vescovo», quale era di tal genere che «non che una casa metano in vilupo uno castello»[2]. Il vescovo in questione non è mai nominato «che non sono materie da scriverne allungo et massime in questi tempi che le lettere capitano in mane», ma Giannozzo esorta il fratello alla prudenza e alla parsimonia: «Però Francesco, e' si vole tu scrivi ad Roma al Vescovo che e' vogli provedere et chonsiderare alle spese si sono fatte per lo 'ntereso suo, le quale non sono state né per 15 dì, ma per uno mese, ma per due cavalcature»[3]. Nella stessa lettera si nota anche una particolare sollecitudine di Giannozzo verso il fratello Battista. Questi che intratteneva cospicui rapporti d'affari con la corte napoletana, proprio l'anno precedente aveva ottenuto dal re il vescovado di Troia per il fratello[4]. Un'ulteriore testimonianza sulle relazioni personali di Giannozzo si può avere da una lettera spedita a messer Bernardo, ossia al Bibbiena, sulla questione di Milano, in cui si riportano le impressioni di una persona arrivata da quella città: «... et Milano tutto sotto sopra et in detto borgho si forzifichavano (et diceva il detto venuto da Milano) che detti svizari hanno una foggia nuova et un numero grande d'artegleria ad modo d'archibusi che li portano in gran fa [...] et fanno loro uno grande servizio ...»[5]. La lettera si deve riferire alla difesa di Milano contro i francesi degli anni 1512-13, culminata nella battaglia di Novara (6 giugno 1513).
Nello stesso mese e anno «Episcopus Troiae tunc temporis existens Romae commisit Magistro Iuliano Francisco de Sangallo architectori ut faceret seu fieri faceret unum gigantem et unam gigantessam pro honorando festo Sancti Iohannis Baptistae»[6]. Il che, confermando i rapporti del vescovo con i Sangallo, ci dimostra ancora una volta come il tema del 'gigante' occupasse l'immaginazione in quest'epoca. Mentre qui il colosso accompagnato dalla consorte e svilito nella sua possanza a livello di addobbo rivela l'inclinazione e il gusto del vescovo per la mascherata e la festa che sono un lato del suo giocondo carattere, ben diversamente si poneva il problema Michelangelo che nel 1525 rifiutava «l'idea del colossale disarmonico»[7] in una lettera che è un capolavoro di pungente satira[8].

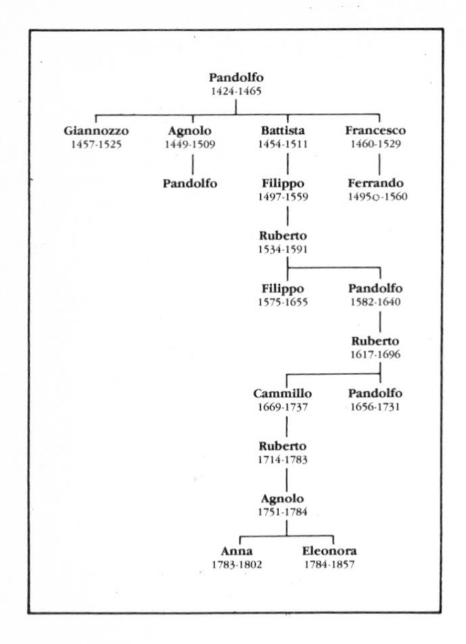

1 – Albero genealogico dei Pandolfini proprietari del palazzo di via San Gallo (dis. A. Bigazzi).

Può forse essere superfluo ricordare per l'ennesima volta la visita compiuta da Leone X a Giannozzo nella sua trionfale sosta a Firenze del 1515 durante il viaggio alla volta di Bologna, ma merita ricordare come in quell'occasione fosse venuta al papa l'idea di fare la facciata di San Lorenzo. La chiamata di Raffaello a Firenze è da mettere in relazione con questo progetto papale[9], così come si può pensare che uno dei disegni sangalleschi per la facciata di San Lorenzo, quello più ornato dei due più classici, il n. 278 degli Uffizi, possa essere non lontano dal progetto fornito da Raffaello, a differenza degli altri di maggiore severità per l'impiego dell'ordine dorico e veramente più sangalleschi, nei quali il Sanpaolesi scorge il salto di qualità verso la grande maniera cinquecentesca[10].
Le vicende personali s'intrecciano con la storia dell'epoca, così nello stesso 1515 Giannozzo viene mandato come legato apostolico dell'esercito pontificio[11] proprio in quella guerra dispendiosissima contro Urbino così insistentemente perseguita e istigata da Alfonsina Orsini e intrapresa da Leone X all'indomani dell'incontro di Bologna. Nominato in seguito castellano di Castel Sant'Angelo, nel 1522 Giannozzo rinunzia al vescovado in favore del nipote Ferrando, figlio di Francesco.
Quello che però interessa nello studio della successione e dei passaggi ereditari del palazzo in seno alla famiglia Pandolfini è la donazione che Giannozzo fece il 30 ottobre 1520, lo stesso anno che si legge nell'iscrizione sul fregio del cornicione del palazzo. Il vescovo Giannozzo, riservandosi l'usufrutto vita natural durante, dona al maggiore dei nipoti maschi legittimi, Pandolfo del defunto Agnolo di Pandolfo «Unam domum seu palatium cum palcis, salis, cameris, voltis, lodiis, et cum horto, seu viridario sitam Florentiae et in via Sancti Galli e contra monasterium Sanctae Luciae cui a primo via Sancti Galli, a 2° alia via quae est intermedia inter dictam domum et bona et monasterium Sanctae Luciae de Florentia, a 3° via retro quae vadit versus Sanctum Marchum, a 4° bona et seu societas Sanctis Ioannis Baptiste quae vulgariter nuncupatur la Compagnia di San Giovanni Scalzo a 5° in parte hortum dicti ipsius domus monasterium fratrum capituli et conventus Sancti Petri del Murrone de Florentia»[12].
Con la donazione Giannozzo istituisce il fidecommisso che regolerà con ordine di primogenitura e maiorasco i passaggi ereditari del palazzo all'interno della famiglia. Stabilito che niente possa valere a far revocare o annullare la donazione, si dispone che, nel caso Pandolfo muoia lasciando figli maschi, il palazzo passi al maggiore vivente di questi e così di generazione in generazione, ma nel caso che Pandolfo muoia senza eredi, i beni passino ad altro fratello maggiore o ad altro parente più prossimo e maggiore d'età della stessa famiglia, proseguendo poi di primogenito in primogenito. Un'altra clausola della donazione riguarda l'esclusione dalla proprietà degli ecclesiastici, anche nei casi in cui per le regole stabilite dal fidecommisso a loro spettasse la successione. Proibita la vendita, alienazione, pignoramento, obbligazione e anche la locazione a lungo termine affinché i beni rimangano sempre alla famiglia, nel caso di contravvenzione alle regole imposte si ordina che succeda il maggiore e più prossimo dei 'clerici'. Non varrebbe forse la pena di soffermarsi su tutte queste clausole della donazione, se in effetti i casi previsti da Giannozzo non si fossero almeno in parte presentati nel corso degli anni. La descrizione della

domum o *palatium* è sommaria e non ci fa capire a che punto fosse la costruzione, tuttavia già la dizione di *palatium* si adatta a un edificio in avanzato stato di costruzione, se non del tutto ultimato. Ciò concorderebbe con quanto si legge nei documenti rinvenuti dal Ruschi[13]. Da notare che insieme con la casa grande o palazzo, monsignor Giannozzo dona alla nipote e ai discendenti anche i mobili, gli arazzi e le suppellettili di valore che alla sua morte si troveranno nel palazzo. La successiva donazione del 1524 conferma la precedente, precisando alcune clausole. Ad esempio si fa espresso divieto di togliere e rimuovere in alcun modo statue antiche, usci di pietra fine, cammini, alabastri, fontane et altri conci fini «existentes murati in dictis bonis»[14]. L'anno successivo Giannozzo muore e suo nipote Pandolfo diventa quindi proprietario del palazzo. L'altro nipote Ferrando, figlio di Francesco e di Marietta Tornabuoni, che gli era successo nel vescovado e che ne continuerà l'opera nel palazzo, è escluso per le regole del fidecommisso dalla proprietà di questo. Dai campioni delle decime del 1534 risulta infatti che Ferrando «abita a Troia al suo Veschovado» e possiede insieme al fratello Dionigi «una chasa posta nel popolo di San Brocholo chon una bottega sotto a uso d'arte di lana»[15], il che non esclude certamente che Ferrando abbia potuto in qualche modo abitare nel palazzo di via San Gallo. Troviamo invece il nome di Pandolfo d'Agnolo e di Caterina di Pigello di Folco Portinari nel campione della decima repubblicana del 1498 dove si legge che «A dì XI di luglio 1521 di nuovo fu accesa questa posta per virtù di scripta degli Offitiali del Monte n. 13»[16]. Nelle varie partite tuttavia non viene registrata la proprietà della casa grande di via San Gallo, che appare invece per la prima volta nel campione della decima granducale del 1534, dove viene descritta come «Una chasa grande chon giardino posta in via di San Ghallo popolo di Santo Lorenzo chonfinata a primo via, 2° 3° 4° frati di San Piero del Murrone, 5° la chonpagnia dello Schalzo, la quale non ne mai stata adecimata che sserve per suo uxo»[17]. Proprio questa annotazione toglie dei dubbi sull'esistenza di una possibile denuncia precedente. Per un breve periodo tuttavia la proprietà del palazzo passa a Maria Menghi, sposa di Niccolò de' Medici, dalla quale con sentenza del 1541-42 ritornerà ai Pandolfini[18].

Nella descrizione delle case ordinata da Cosimo I nel corso del censimento del 1562, in cui quartiere per quartiere sono descritti gli edifici, i proprietari, gli abitanti, il numero delle persone e la stima degli edifici, il palazzo risulta di proprietà del figlio di Pandolfo, Ruberto, e viene descritto come «un palazzo posto in via di San Gallo contiguo alla via che divide dicto palazzo dalla chiesa di sancta Lucia et al monasterio di Santo Giovannino hierosolimitano». Vi abita Marietta Tornabuoni, madre di Ferrando, «lasciata usufructuaria durante sua vita dal vescovo de' Pandolfini suo figliolo». La stima è di cento fiorini e gli abitanti risultano otto «bocche»[19]. L'ambiente attorno è quello tipico delle zone della città comprese tra l'area corrispondente alla cerchia del 1172 e quella del 1284, dove la proprietà degli enti religiosi e delle arti si estende per la maggior parte, lasciando vaste aree coltivate a orti e giardini, con insediamenti monastici, o di tipo popolare, o ospitaliero, abitate da artigiani, operai e artisti[20]. Il palazzo risulta infatti tra il monastero di Santa Lucia e quello di San Giovannino, vicino alla casa della compagnia del Crocifisso di San Piero del Murrone e

a quella della compagnia de' portatori e allo spedale della stessa compagnia.
Nel 1568, ancora una volta, il palazzo non viene descritto nella denuncia dei Pandolfini, ma in quella delle due sorelle Lucrezia e Maddalena Salviati, le quali il 13 ottobre di quell'anno denunciano di possedere «una parte della casa di via San Gallo che si diceva la casa del vescovo di Troia de' Pandolfini, non comprendendo l'orto né una camera terrena nele stanze di sopra, nel popolo di Santo Lorenzo in via di San Gallo a primo, 2° 3° via, 4° le monache di Santo Giovannino». La casa risulta appigionata al conte Clemente Pietra, cavaliere di Santo Stefano, per mezzo di una scritta privata. L'uso di appigionare questi palazzi a personaggi della corte medicea che avevano bisogno di una residenza adeguata al rango era assai diffuso[21]. In un primo momento la tassa imposta sul palazzo è di fiorini 2. 12.6 che viene però raddoppiata il 3 novembre dello stesso anno[22]. Il 23 febbraio 1569, in seguito alla divisione dei beni tra le due sorelle, avvenuta per lodo di ser Luca Bandocci il 7 ottobre 1568, ognuna delle due denuncia «La metà d'una parte della casa di via Santo Gallo detta l'orto de' Pandolfini». Per diversi anni la casa grande resta di proprietà delle Salviati, finché in seguito a una sentenza del 30 aprile 1585 degli Ufficiali de' Pupilli il possesso non ritorna ai Pandolfini nella persona di Pandolfo di Ruberto[23]. Nel campione della decima del 1534 sia di Lucrezia che di Maddalena Salviati, in conto avere, alla partita del 29 maggio 1585 è registrato infatti il riferimento alla decima di Pandolfo Pandolfini e pertanto la tassa viene scalata dai conti delle Salviati[24]. Pandolfo di Ruberto di Pandolfo denuncia di nuovo il palazzo ritornato in sua proprietà e paga di decima fiorini 6.6 il 29 maggio 1585[25].
Pandolfo è l'ultimo discendente dell'erede diretto di Giannozzo e pertanto alla sua morte, avvenuta l'8 dicembre 1616, in vigore della clausola della donazione del 1520 che prevedeva il passaggio dell'eredità al maggiore nato dei parenti più prossimi, la proprietà del palazzo passa a Filippo di Ruberto di Filippo pronipote di quel Battista al quale Giannozzo doveva il suo vescovado. La causa per l'assegnazione dell'eredità viene discussa davanti al giudice dei quartieri di San Giovanni e Santa Maria Novella, competente territorialmente, e si risolve il 22 dicembre 1616 a favore di Filippo che è il maggiore dei nipoti di Pandolfo[26]. Filippo aveva infatti tre fratelli: Benedetto, commissario della cavalleria, Pandolfo che aveva sposato Virginia del senatore Cosimo Tornabuoni, Carlo cavaliere di Malta e una sorella, suor Costanza, monaca in San Giuliano[27].
Filippo è un personaggio di spicco sia nella storia della famiglia che in quella del palazzo. Nato nel 1575, nominato senatore nel 1637 dal granduca Ferdinando II[28], svolse una brillante carriera politica. Esercitò per vari anni la carica di Collaterale delle milizie, finché non fu chiamato ad assolvere nel 1649 l'importante incarico di Governatore di Livorno, vacato per morte di Cosimo Riccardi. Fu una persona di notevole cultura, matematico, amico del Galilei e del Viviani, di letterati come Francesco Rondinelli e molto devoto alla memoria di Bernardo Davanzati. Fu a capo dell'Accademia fiorentina, ebbe per qualche tempo la carica di Luogotenente dell'Accademia del Disegno e fece parte dell'Accademia della Crusca. Strettamente legati agli interessi e alla cultura di Filippo, oltre che al

suo amore per la famiglia, appaiono anche le cure dedicate al palazzo e alla villa di Signa, da lui ampliati, restaurati e arricchiti.
Nel suo primo testamento del 31 gennaio 1647 (s.c.) che si apre con una meditazione sulla brevità dei giorni che «passano non altrimenti che l'ombre», ricorda che i miglioramenti fatti al palazzo e orto «ingombrano la metà o più dell'intera stima e valuta di esso compreso ancora in detti acquisti le rimesse da carrozza con un'altra stanza o magazzino allato ad essa, nella detta via di San Gallo, confinanti con la compagnia de' facchini»[29]. Lo stesso viene ripetuto nel secondo testamento del 27 maggio 1651[30]. Oltre alla ricostruzione della cappella di San Silvestro e alla decorazione di alcuni ambienti dell'interno del palazzo[31], Filippo aveva dunque acquistato nuove proprietà confinanti, non limitandosi dunque a «ridurre a perfezione» quanto già esisteva. Anzi, perché i nuovi acquisti non andassero divisi dal palazzo, sottopose gli stessi ai medesimi vincoli di primogenitura e maiorasco che gravavano sul palazzo. Il 18 dicembre 1646 aveva dotato l'oratorio di San Silvestro costituendolo in Rettoria[32], secondo il tenore della bolla di Leone X del 15 giugno 1517 che dava facoltà a Giannozzo di trasferire la chiesa in altro luogo, riedificarla, dotarla e riservarsene il patronato. La bolla di Leone X è trascritta nel rogito del notaro Vignali.
Anche la villa del Ponte a Signa fu oggetto delle cure di Filippo fin dal 1628 ampliandone la proprietà con l'acquisto di nuovi beni. Sempre nei suoi testamenti si legge che «sopra il qual palazzo e beni predetti il detto signor testatore ha fatto molti e notabili muramenti, accrescimenti, acquisti e miglioramenti, et in oltre ha compro et acquistati altri beni contigui»[33]. La villa, che rientra anch'essa nella parte sottoposta alla primogenitura, viene descritta nell'arroto di Ruberto, erede di Filippo come un «palazzo con sue appartenenze di pratelli, cortili et altro nel comune di Gangalandi»[34]. Un disegno a penna e acquerello della villa appare nel grande albero genealogico della casa Pandolfini esistente nelle *Carte Pucci*[35]. L'edificio appare circondato da un muro di cinta, su un piano a terrazza ornato di nicchie e fontane, con un giardino sul retro ad aiuole geometriche rallegrato da fontane.
Filippo nel suo primo testamento lascia eredi universali i figli da nascergli ai quali sostituisce i nipoti Ruberto e Cosimo figli del fratello Pandolfo. Lascia poi usufruttuario del palazzo il fratello fra' Carlo con l'obbligo di dare abitazione ai nipoti qualora avessero voluto abitarvi. Nel secondo testamento però, erede universale in mancanza di eredi diretti è solo l'«amatissimo» Ruberto. Con il suo testamento Filippo unifica la primogenitura indotta da Giannozzo con un'altra istituita da Battista Pandolfini e inoltre dà facoltà all'ultimo dei discendenti che si trovi nel caso di non avere più eredi della famiglia Pandolfini di lasciare il maiorasco e la primogenitura «ad un'altra persona nobile» con l'obbligo «di denominarsi di detta famiglia de' Pandolfini et usare l'arme del signor testatore con lassare in tutto e per tutto il proprio casato e arme».
Filippo muore senza lasciare eredi diretti il 13 giugno 1655, e la proprietà del palazzo va al nipote Ruberto, che la denuncia negli arroti del 1655[36] come un «palazzo con orto posto nel popolo di San Lorenzo in via di San Gallo detto il palazzo de' Pandolfini». Nella stessa denuncia si trova anche

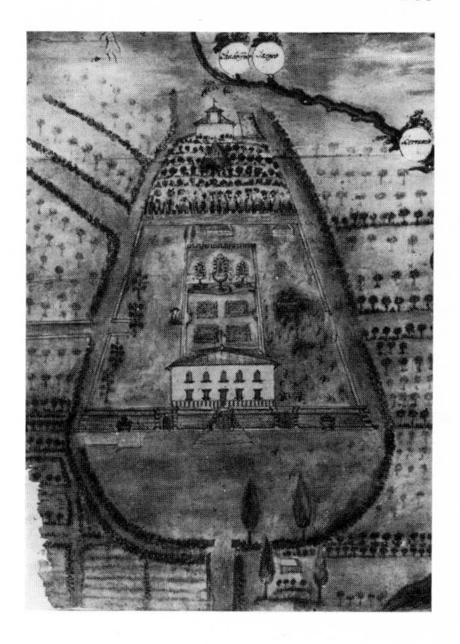

2 – Disegnatore del XVIII secolo, La villa di Signa, particolare dell'albero genealogico della famiglia Pandolfini, maggio 1721. Firenze, ASF, Carte Pucci, VIII, 42.

«una parte di casa cioè terreno, camera, cucina e orto a terreno in detto popolo et via dirimpetto al monastero di San Giovannino» e «una casa posta in Firenze nel popolo di San Lorenzo in via di San Gallo consistente in un terreno per uso di magazzino ridotto in tre stanze, con orto e pozzo»[37]. Ruberto era nato il 3 luglio 1617, avvocato, Auditore delle Riformagioni, fu eletto senatore da Cosimo III nel 1670 e nominato Provveditore del Magistrato de' Pupilli[38]. Nel suo testamento del 24 gennaio 1676 (s.c.) in cui lascia eredi i figli Pandolfo, Filippo e Cammillo, sottopone alla primogenitura anche «la casetta o piani di casa posti in via San Gallo di Firenze, sopra la stalla del signor testatore comprata da Giulio Cesare Pignotti sotto suo dì»[39].

Morto Ruberto il 9 marzo 1697 (s.c.) i tre fratelli procedono alla divisione dei beni per mezzo di un lodo arbitrale pronunciato il 23 febbraio 1699 (s.c.) dal marchese Luca degli Albizzi[40]. A Pandolfo, come al maggiore, spettano i beni della primogenitura tra cui il palazzo di via San Gallo nel quale «per fino a tutto il passato mese di novembre anno [hanno] abitato tutti e tre i sopraddetti signori fratelli Pandolfini, con tutti i miglioramenti di essa fatti fino a questo presente giorno», la rimessa da carrozze in via San Gallo e «la libreria tanto legale che di belle lettere che presentemente si trova nella casa di Firenze», oltre a «tanti mobili, masserizie, quadri, statue, tavolini di marmo esistenti nella casa di Firenze». È interessante anche il riferimento alla biblioteca, che in seguito fu venduta e in parte dispersa. Da notare poi che il lodo divisorio fu dato «in una delle stanze a terreno a uso di studio di detto palazzo», forse la stanza d'angolo tra via San Gallo e via Salvestrina?[41] Pandolfo, che nella parte della primogenitura aveva avuto anche la villa di Signa, denuncia i propri beni e salda la decima il 30 aprile 1699[42]. Anche Pandolfo prosegue la tradizione culturale e politica dei suoi avi. Dottore, accademico della Crusca, Console dell'Accademia Fiorentina, fu nominato senatore nel 1708[43]. Nel suo testamento del 1727[44], dettato nel suo settantunesimo anno d'età, in cui lascia erede universale il fratello Cammillo, vi sono legati a favore di artisti a cui egli avesse tenuto a battesimo i figli e un legato particolare per costruire un sepolcro «all'insigne e non mai a bastanza celebrata memoria del'incomparabile signor dottore Lorenzo Bellini professore d'anatomia e lettere giubbilato nell'almo studio pisano»[45]. La tomba, da erigersi in San Felice in Piazza, doveva esser simile nella forma, fatte salve le proporzioni, a quella di Michelangelo in Santa Croce, con tre statue rappresentanti la Medicina, la Filosofia e la Poesia e due cartelle con l'arma della casa del Bellini e l'impresa da lui scelta nell'Accademia della Crusca[46]. Non a caso un professore di anatomia viene associato alla memoria di Michelangelo, che viene così a porsi come precursore di un metodo d'indagine. L'interesse per la medicina di Pandolfo è rivelato anche dai rapporti con il dottor Cipriano Targioni, che possedeva i manoscritti del Bellini, e persino da una prudenziale norma riguardante il suo cadavere. Si legge infatti nel suo testamento «che non mi lascino seppellire se non trenta ore doppo la mia morte e copulativamente sin tanto che non sia sparato»[47]. Anche Pandolfo, come suo padre, lascia alla primogenitura il palazzo e tutti i libri, quadri e statue esistenti in esso, con la clausola che la famiglia abiti il palazzo di via San Gallo, come già egli stesso, mantenendone la stima. Un'ulteriore

clausola riguarda l'aumento di beni a favore della primogenitura a cui obbliga l'erede.
Cammillo, che aveva già fatto testamento nel 1715[48] lasciando erede il figlio Ruberto Francesco Maria Pietro Gasparo, avuto dalla moglie Gostanza de' Bardi di Vernio, e tutti gli altri figli legittimi e naturali, adisce l'eredità del fratello Pandolfo con beneficio d'inventario, e il 7 agosto 1731[49] denuncia la proprietà dei beni ricevuti dal fratello. La descrizione del palazzo è uguale a quella degli arroti precedenti: «un palazzo con orto posto nel popolo di San Lorenzo in via San Gallo detto il palazzo de' Pandolfini». Insieme sono registrate anche «una parte di casa, cioè terreno, camera, cucina et orto a terreno in detto popolo e via dirimpetto al monastero di San Giovannino», poi «una casa posta in Firenze nel popolo di San Lorenzo in via di San Gallo consistente in un terreno per uso di magazzino ridotto in tre stanze con orto e pozzo», e un'altra casa sempre in via San Gallo, ma vicino a Santa Caterina. Naturalmente anche la villa di Signa continuava a far parte dei beni primogeniali insieme a terre e case poste a San Martino a Gangalandi, San Colombano a Settimo, Santo Stefano a Ugnano, San Mommè, nella podesteria di Radda e nel comune d'Empoli. A Firenze era di proprietà Pandolfini anche una casa in via Maggio con riuscita nello sdrucciolo de' Pitti. Il Mecatti tra le case abitate dai Pandolfini ricorda quelle di «Palmiero sulla piazza di S. Margherita», «Del Colonnello in via Sant'Egidio» e «Di Cammillo suo fratello in via San Gallo»[50]. Proprio Palmieri il 10 luglio 1743[51] ringrazia l'erudito pratese Buonamici, col quale era in corrispondenza, per avergli fornito notizie d'archivio sulla famiglia le quali però ben vagliate si sono rivelate attinenti ai Pandolfini di Prato. Ora, all'Archivio di Stato di Prato esiste un rilievo di una delle finestre del piano nobile, in alzato, profilo, pianta e sezione, disegnato a china e acquerellato in grigio e rosa su carta bianca leggermente ingiallita[52]. Lo stile del disegno in verità sembra più tardo di questa data, sebbene negli inventari dell'archivio sia considerato del XVIII secolo. Anche il titolo «Pianta, Alzato, Profilo, e Taglio di una Finestra del Piano Nobile del Palazzo già Pandolfini», nella dizione «già Pandolfini» sembra alludere al fatto che il palazzo non appartenga più alla famiglia. Questo forse indurrebbe a posticipare il disegno al momento in cui la proprietà passa ad Eleonora, sposata con il cavalier Enrico Nencini di Pistoia, ma ignoriamo come il disegno sia giunto a Prato.

3 – Anonimo dei primi del XIX secolo, pianta, alzato, profilo e taglio di una finestra del piano nobile del palazzo già Pandolfini. Firenze, ASP, Ceppi riuniti, 3001.

Ma ritornando a Cammillo, la sua eredità viene raccolta dai figli Ruberto e Ferdinando che il 9 gennaio 1738 procedono alla divisione dei beni mediante lodo arbitrale del canonico Filippo Martini[53]. Un passo del lodo è assai interessante, anche se non si riferisce proprio al palazzo ma a una dipendenza, ossia alla «rimessa, stalla, con casa sopra di tre piani distinta in diversi quartieri modernamente fatta fabbricare quasi di pianta dal signor senatore Cammillo in via San Gallo, parte sopra la stalla e casa antica della primogenitura vecchia e parte sopra la rimessa della vecchia primogenitura, mediante l'acquisto fatto di due piani di casa che esistevano sopra la detta rimessa da esso signor senatore Cammillo e comprati dallo spedale di Bonifazio per scudi quattrocento per instrumento rogato ser Zanobi Maria Ulivi il dì sedici ottobre millesettecento trentatre»[54]. Il palazzo e queste aggiunte toccano al primogenito Ruberto Francesco Ma-

ria Pietro Gaspero insieme a tutti gli altri beni della primogenitura[55]. Ruberto, nato nel 1714, sposato nel 1752 con Settimia Teresa Incontri, fu dall'imperatore Francesco I creato conte e nominato Segretario di Reggenza[56]. Alla sua morte avvenuta il 10 maggio 1783 il palazzo e gli altri beni passano al figlio Agnolo che viene registrato nella 'Liretta' del *Catasto lorenese*[57]. Negli arroti del 1783 si ha una nuova descrizione del palazzo che si manterrà identica anche negli arroti successivi, ma che a differenza di altre descrizioni, non è sufficientemente particolareggiata per farci capire la disposizione degli ambienti e la pianta: «un palazzo posto nella via di San Gallo, e nel popolo di San Lorenzo, composto al pian terreno di un cortile con suo giardino con uno stanzone per i vasi e numero quattro stanze sopra e con tutti i suoi sotterranei e con più e diversi appartamenti esistenti in detto pian terreno, come pure al primo e secondo piano vi esistono più e diversi appartamenti». La decima è di scudi 13.18.5. L'anno successivo Agnolo muore, lasciando affidate alla cura dei tutori e della madre, Cassandra Federighi, le due figlie Anna ed Eleonora nominate eredi in mancanza di figli maschi[58].
In presenza di un'amministrazione pupillare si procede alla stima del patrimonio mediante la compilazione di alcuni inventari[59] per i mobili, le argenterie, le carrozze e i quadri. Questi inventari sono assai interessanti oltre che per gli oggetti elencati, perché forniscono mediante la successione in cui sono citate le stanze, una sorta di percorso all'interno del palazzo. Si ha così il primo ingresso (la loggia), un «salotto che riesce sul giardino» (la sala che si affaccia sul giardino), il «secondo salotto che riesce in via Salvestrina», una «stanza contigua» (sempre su via Salvestrina), ancora «una stanza contigua che riesce in via San Gallo» (la stanza d'angolo, forse quella già nominata come studio), la «stanza accanto alla Cappella», la scala (era diversa), «il salotto a mezza scala» (un mezzanino) e poi «una camera», «la sala», «il salotto parato di verde», la «stanza parata di dommasco cremisi», la «stanza parata di giallo e turchino», la «stanza parata di color verde mela», dopo di che si passa alla «sala delle donne», forse al secondo piano. Alcune considerazioni generali possono essere fatte sull'inventario dei quadri in cui si notano valori di stima assai bassi per i quadri più antichi, contrapposti a valori invece piuttosto alti per i quadri del Seicento. Si rileva anche una prevalenza di soggetti profani con preferenza per le storie mitologiche, le battaglie, le vedute, le marine, i paesaggi in genere. Inoltre, era notevole la raccolta dei ritratti sia di membri della famiglia che di altri personaggi non precisati. Numerose anche le statue, distribuite in diverse stanze. Ad esempio nel «Loggiato» si elencano «due statue a figura intera, una rappresentante Bacco e l'altra l'Autunno, 15 busti e due teste, 2 busti con sue basi, 1 pila e 2 pezzi di colonne», nell'ingresso: «2 busti di marmo bianco», nella sala terrena «6 statue antiche rappresentanti Bacco, Apollo, Ercole, Mercurio, Paride, Traiano sedente e l'Autunno sopra le loro basi, 1 busto di marmo rappresentante Leone X, un gruppo di marmo bianco rappresentante Venere e Cupido»[60].
Nel 1802, Anna Pandolfini, sposata con Filippo di Girolamo Strozzi, proprietario a sua volta del Palazzo Nonfinito, muore lasciando eredi la sorella Eleonora sposata al cavalier Enrico Nencini di Pistoia, la madre Cassandra Federighi, il marito e la figlia Vittoria[61]. Del 14 settembre 1803

è un altro inventario[62] che riguarda il giardino del palazzo, firmato da Antonio Bartolini. Il giardino era ornato da cinquantanove piante di agrumi, da piante di gaggie e da un boschetto di agrumi, mentre altre piante ne ricoprivano i muri di cinta. In un altro inventario senza data, ma probabilmente della stessa epoca perché quello del giardino ne costituisce quasi un allegato, si trova la descrizione, corredata da piante, di tutti gli edifici di proprietà Pandolfini esistenti a Firenze. Così anche del palazzo di via San Gallo si ha una descrizione che ci accompagna stanza per stanza[63]. Il palazzo ha già l'ala lunga su via San Gallo e nella pianta del piano terreno si può vedere ancora la vecchia cappella barocca e lo scalone. Nel 1803, alcuni quadri della collezione vengono venduti al pittore Fabre e questa vendita potrebbe essere spiegata con i rapporti esistenti tra Eleonora e Ugo Foscolo.
Una nuova denuncia dei beni del 6 novembre 1806 registra il passaggio della proprietà ad Eleonora Nencini[64]. Così, con una delle donne ispiratrici della poesia delle *Grazie*[65] si chiude un capitolo nella storia di un edificio, giunto a noi modificato all'interno per i restauri compiuti dall'erede della stessa Eleonora, Alessio Hitrof.

NOTE

[1] Si veda il saggio di Pietro Ruschi in questo catalogo e i documenti relativi nel Regesto.
[2] ASF, *Mediceo avanti il Principato*, F. 96, c. 169.
[3] *Ibid.*
[4] E. GAMURRINI, *Istoria genealogica delle famiglie nobili toscane et umbre*, Firenze 1685 (ristampa anastatica Bologna 1972, vol. V, p. 123).
[5] ASF, *Carte Strozziane*, serie I, F. V, n. interno 31.
[6] BNF, *Poligrafo Gargani*, 1473: D. M. MANNI, *Zibaldone*.
[7] A. PARRONCHI, *Opere giovanili di Michelangelo*, Firenze, Olschki, 1981, vol. III, pp. 169-176.
[8] P. BAROCCHI-R. RISTORI (a cura di), *Il carteggio di Michelangelo*, edizione postuma di G. POGGI, Firenze 1965, vol. III, DCCXXX, pp. 190-191.
[9] GOLZIO, *Raffaello*, Città del Vaticano 1936, p. 36.
[10] P. SANPAOLESI, *Architetti premichelangioleschi toscani*, in «Rivista dell'Istituto Nazionale d'Archeologia e Storia dell'Arte», 13-14 (1964/65), pp. 284-288, fig. 21.
[11] E. GAMURRINI, *op. cit.*, vol. V, p. 125; R. E. MAZZANTI-T. DEL LUNGO, *Raccolta delle migliori fabbriche antiche e moderne di Firenze*, Firenze 1876.
[12] ASF, *Notarile antecosimiano*, G. 72 (1520/21); B. Gamberellus c. 292 *r.*; C. L. FROMMEL, *Der römische Palastbau der Hochrenaissance*, Tübingen 1973, vol. II, p. 356; anche in ASF, *Carte Strozziane*, serie II, F. CXVI, cc. 13*r.*-22*v.* con la data 25 ottobre 1520; citato in MAZZANTI-DEL LUNGO, *op. cit.*
[13] Si veda in questo catalogo.
[14] ASF, *Notarile antecosimiano*, G. 73 (1523/25), B. Gamberellus; anche in ASF, *Carte Strozziane*, serie II, F. CXVI, cc. 23*r.* - 26; MAZZANTI-DEL LUNGO, *op. cit.*; C. L. FROMMEL, *op. cit.*, p. 356.
[15] ASF, *Decime granducali*, Campione del 1534, San Giovanni, Chiave, 3647, cc. 167*v.* - 168*r.*
[16] ASF, *Decima repubblicana*, Campione del 1498, San Giovanni, Chiave, 33, c. 205*r.*
[17] ASF, *Decime granducali*, Campione del 1534, San Giovanni, Chiave, 3649, cc. 150*r.* - 151*r.*
[18] Si veda il saggio di Pietro Ruschi.
[19] ASF, *Decime granducali*, Ricerca delle case, 3783, c. 85r.; L. GINORI LISCI, *I palazzi di Firenze nella storia e nell'arte*, Firenze 1972, p. 510, n. 9.
[20] C. SODINI, *Il Gonfalone del Leon d'oro nel Quartiere di San Giovanni a Firenze*, Firenze 1979.
[21] ID., *ibid.*, pp. 35-36.
[22] ASF, *Decime Granducali*, Arroti del 1568, Santa Croce, 2296, n. 129, c. 264*r*; 2297, n. 161, c. 50*r*;

MAZZANTI-DEL LUNGO *op. cit.* ricorda che il palazzo era di proprietà delle Salviati e appigionato a Clemente Pietra.
[23] ASF, *Decime granducali*, Arroti del 1585, San Giovanni, 3125, n. 101, c. 209*r*; ricordato in MAZZANTI-DEL LUNGO, *op. cit.*
[24] ASF, *Decime granducali*, Campioni del 1534, Santa Croce, Ruote, 3594, c. 547*r*; 3595, c. 62*r*.
[25] ASF, *Decime granducali*, Arroti del 1585, San Giovanni, 3125, n. 101, c. 209*r*.
[26] ASF, *Decime granducali*, Arroti del 1616, San Giovanni, 3200, n. 249, c. 253*r*.
[27] ASF, *Carte Pucci*, VIII, 42.
[28] E. GAMURRINI, *op. cit.*, pp. 124-125; S. SALVINI, *Fasti consolari dell'Accademia fiorentina*, Firenze 1717, pp. 500-501; MECATTI, *Storia genealogica della Nobiltà e cittadinanza di Firenze*, Napoli 1754, p. 200.
[29] ASF, *Notarile moderno*, notaro Matteo Neroni, testamenti, prot. 13661, n. 23, cc. 59*v*.-61.*v*; l'aumento di valore è ricordato in MAZZANTI-DEL LUNGO, *op. cit.*, p. 12.
[30] ASF, *Notarile moderno*, notaro Matteo Neroni, testamenti, prot. 13661, n. 37, cc. 90*r*.-93*v*.
[31] Si veda il saggio di Enrica Neri Lusanna in questo catalogo.
[32] ASF, *Notarile moderno*, notaro Giovanni Antonio Vignali, atti, prot. 15792, n. 65, cc. 46*r*.-50*r*.
[33] ASF, *Notarile moderno*, notaro Matteo Neroni, testamenti, prot. 13661, n. 23, c. 60*v*.; n. 37.
[34] ASF, *Decime granducali*, Arroti del 1655, San Giovanni, 3284, n. 118, cc. 247*r*.-255*r*.
[35] ASF, *Carte Pucci*, VIII, 42; tutto il disegno dell'albero genealogico misura (h × l) cm. 124,5 × 162.
[36] ASF, *Decime granducali*, Arroti del 1655, San Giovanni, 3284, n. 118, cc. 247*r*.-225*r*.; MAZZANTI-DEL LUNGO, *op. cit.*.
[37] ASF, *Decime granducali*, Arroti del 1655, San Giovanni, 3284, n. 118.
[38] E. GAMURRINI, *op. cit.*, pp. 129-30; S. SALVINI, *op. cit.*, p. 501; MECATTI, *op. cit.*, p. 200.
[39] ASF, *Notarile moderno*, notaro Francesco Maria Poggiali, testamenti, prot. 18388, cc. 47*v*.-52*v*.
[40] ASF, *Notarile moderno*, notaro Iacopo Giacomelli, Atti, prot. 22863, n. 15, cc. 16*r*.-31*r*.
[41] Si veda il saggio di Enrica Neri Lusanna in questo stesso catalogo.
[42] ASF, *Decime granducali*, Arroti del 1699, San Giovanni, 3363, n. 23, cc. 105*r*.-125*r*.
[43] S. SALVINI, *op. cit.*, p. 645; MECATTI, *op. cit.*, p. 200.
[44] ASF, *Notarile moderno*, notaro Iacopo Antonio Martini, testamenti, prot. 24281, n. 50, cc. 84*v*.-88*r*. (1727, dicembre 22).
[45] *Ibid.*, c. 86*r*.
[46] Per i lavori in corso nella chiesa di San Felice non è possibile per il momento verificare se il sepolcro esiste.
[47] ASF, *Notarile moderno*, notaro Iacopo Antonio Martini, testamenti, prot. 24281, n. 50, c. 87*v*.
[48] ASF, *Notarile moderno*, notaro Iacopo Giacomelli, testamenti, prot. 22868, n. 56, cc. 125*r*.-126*v*. (1715, luglio 2).
[49] ASF, *Decime granducali*, Arroti del 1731, San Giovanni, 3428, n. 68, cc. 210*r*.-243*r*.
[50] MECATTI, *op. cit.*, p. 80.
[51] ASP, *Archivio storico del Comune*, Miscellanea Buonamici, 7, ins. 4.
[52] ASP, *Ceppi riuniti*, 3001, «Pianta, Alzato, Profilo e Taglio di una finestra del Piano Nobile del Palazzo già Pandolfini», misura del disegno della finestra in cm. (h × l) dal fregio (compreso) al vertice del timpano 58,14 × 23,3 (larghezza, comprese le due colonne), scala di braccia 2.
[53] ASF, *Notarile moderno*, notaro Iacopo Antonio Martini, Atti, prot. 24279, n. 2, cc. 6*r*.-13*r*.
[54] ASF, *Notarile moderno*, cit.; la decima dei beni dei due fratelli in ASF, *Decime granducali*, Arroti del 1738, San Giovanni, 3443, n. 176, cc. 198*r*.-240*r*.
[55] La decima di Ruberto è in ASF, *Decime granducali*, Arroti del 1750, San Giovanni, 3470, n. 75; ASF, *Decime granducali*, «Libri della consegna», 3804, n. 1327, cc. 4116*v*.-4118*r*.
[56] ASF, *Carte Pucci*, VIII, 42.
[57] ASF, *Catasto lorenese*, «Liretta», 21, c. 1941, in conto dare alla partita del 4 giugno 1783 è registrata l'eredità di Ruberto; L. GINORI LISCI, *op. cit.*, p. 510.
[58] ASF, *Notarile moderno*, notaro Cosimo Braccini, testamenti, prot. 27524, n. 28, cc. 32*v*.-34*v*. (1784, settembre 15).
[59] BNF, *Ms. Tordi* 488, cit. in L. GINORI LISCI, *op. cit.*, p. 512.
[60] La libreria Pandolfini venne venduta a Guglielmo Libri e poi da questi a Lord Ashburnham.
[61] ASF, *Catasto lorenese*, «Liretta», 26, cc. 3313; Arroti del 1802, 256, n. 270.
[62] *Collezione privata*, manoscritto. Ringrazio sentitamente il proprietario prof. Detlef Heikamp per avermi concesso di fotografare il manoscritto e le piante che lo illustrano, rendendone possibile la pubblicazione.
[63] Si rimanda alla trascrizione del documento nel regesto e alle fotografie.
[64] ASF, *Catasto lorenese*, Arroti del 1806, 260, n. 316.
[65] «Leggiadramente d'un ornato ostello,
che a lei d'Arno futura abitatrice
i pennelli posando edificava
il bel fabbro d'Urbino, esce la prima
vaga mortale, e siede all'ara ...»
UGO FOSCOLO, *Le Grazie*, II, vv. 53-57.

NOTE DOCUMENTARIE

n. 1
1803, settembre 14
Inventario e stima del giardino del Palazzo Pandolfini, datato e firmato da Antonio Bartolini perito stimatore. L'inventario è stato redatto dopo la morte di Anna Pandolfini Strozzi.
(*Berlino, collezione prof. Detlef Heikamp*, manoscritto segnato «n. 2 / Filza n. 1» «Stime, relazione e descrizione dei Palazzi e case di Firenze e ristretto annesso a dette stime»)

Inventario e stima del nostro Giardino di Via S. Gallo

N. 59	Cinquanta nove piante di agrumi di diverse grandezze che 2 da 12 uomini scarse, 8 da 8 che parte dette scarse, undici da 4, cinque da 2, otto da 1, e 25 nestini, 102 vasellini pieni di diverse erbe e violi rose della China, catalogni gaggii et altro, 35 vasi voti di diverse grandezze che parte fessi, 4 cassette di terra cotta, 8 basettine piccole tinte verde; nel boschetto 8 piante di agrumi che sette grosse e 1 detta piccola; lungo i muri 12 aranci forti parte grossi e parte piccoli, 4 catalogni a spalliera, 4 mugherini, una pianta di gaggio al muro, 1 arancio dolce a spalliera lungo lo stanzone movibile, 7 piante di limone, che parte aranci innestati a limone, e parte piantine piccole di limone	Sc. 242 —

Stanzone movibile delle piante

12	Dodici dadi di pietra fissi in terra, 13 colonne di abeto di braccia 6 l'una, 25 correnti e cinque soccorsi con suoi asciadoni, 5 pezzi di seggiola	
		Sc. 242 —

	segue l'inventario e stima	Sc. 242 —
N.	con sue chiavarde e vite di ferro, 5 correnti lungo il muro con 17 staffe fisse al muro e 5 staffoni di ferro, 119 pezzi di panconcello di diverse grandezze, 900 embrici per coprire detto stanzone, 1000 tegolini come sopra, diversi pezzi di stoie parte buone e parte dette lacere, un'intelaiatura per la suddetta e paglione per il detto stanzone movibile	148. 6. 6. 8

Boschetto dei cedrati

32	Trentadue dadi di pietra fissi in terra, 32 colonnini di diverse grandezze, 25 correnti, 6 pezzi di seggiola, 55 pezzi di panconcello, 500 embrici per il detto boschetto, 600 tegolini come sopra e stoie lacere di diverse lunghezze, 40 pezzi di stoie lacere e paglione per il suddetto	50. 2. —

Attrazi del giardino

	Una vanga, 2 marre, 1 zappone, 2 para tanaglie che un paro con sue molle, 1 paro morsette, 2 succhiellini, 1 trapano, 2 pale lacere, 1 pennato, 1 forcone, 1 paro cesoie da tondar bossoli, due	
		Sc. 441. 1. 6. 8

segue l'inventario e stima Sc. 441. 1. 6. 8

gattucci laceri, 1 vaglio lacero, 1 martello, 1 vanghetto, 6 panieri per uso del giardino, 1 corbello novo, 1 scalotto, 1 carretto da piante lacero, 1 mazza cavallo da mutar piante con suoi cappi e sua stangha, 4 scale, 1 carretto fatto a cassetta per uso del giardino, 4 mezzine di rame due lacere in tutto 39 13. 5.16. 8

Sc. 455. –. 3. 4

Adi 14 settembre 1803

Io Antonio Bartolini perito stimatore avendo stimato tutte le infrascritte robe, che esiste nel giardino del palazzo di via San Gallo, di proprietà dell'Illustrissimi Signori Eredi della fu Illustrissima Signora Contessa Anna Pandolfini Strozzi, e Signora Contessa Eleonora Pandolfini Nencini, giudico secondo la mia coscienza esser questo il suo giusto valore, che ascende alla somma di scudi quattrocento cinquanta cinque, zero, soldi tre e denari quattro, et in fede. Mano propria.

n. 2
Senza data, probabilmente 1803[1]
Descrizione e stima del palazzo Pandolfini di via San Gallo. È probabile che la data sia la stessa dell'inventario e stima del giardino. La descrizione è corredata di piante del palazzo.
(*Berlino, collezione prof. Detlef Heikamp*, manoscritto)

Palazzo esistente nel popolo dell'Insigne Collegiata di S. Lorenzo, e nella via S. Gallo che fa squadra con via Salvestrina e corrisponde col suo giardino anche in via Larga.
I suoi confini sono
A primo via S. Gallo, 2° via Salvestrina, 3° via Larga, 4° monache di S. Giovannino dei Cavalieri, salvo etc.

Descrizione
Sotterranei

Dal ricetto che introduce alla scala principale, che sale ai piani superiori, si ha l'accesso ad altra scala di pietra, discesa una branca della quale si giunge ad un ripiano in volta, con altra scaletta di faccia che sale alla via Salvestrina.
A sinistra di detto ripiano si trova un piccolo ricetto, dal quale scendendo quattro scalini si giunge ad una stanza per la brace con suoi reclusori di soprammattone coperta in volta sostenuta da due robusti pilastri // di materiale. Ritornati in detto piccolo ricetto, e discesi tre scalini esistenti in faccia ai predetti si trova una cantina in volta per le legne, con stanzino di luogo di comodo.
Trapassando il primo ripiano a piè di scala e scendendo tre scalini si arriva ad una stanza in volta con pozzo e trogolo, e da questa si entra in una cantina in volta per le legne, ed in un ricetto esso pure in volta, con due armadi nel muro, dal quale si ha l'ingresso ad una spaziosa cucina con volta sostenuta da due pilastri e corredata di due armadi internati nelle pareti, e d'un cammino, suoi fornelli e acquaio. A sinistra di questa cucina si trova una dispensa coperta in volta e sulla destra esiste una stanza in volta per uso del carbone la quale rimane sotto il lastrico del parterre. Accanto al nominato cammino si entra in una stanza in volta per uso di tinello con scaletta morta.
Ritornati nella surriferita stanza del pozzo, si passa da questa in una stanzetta buia coperta in volta, con armadio internato nel muro, con una lapida // che cuopre un pozzo e con un sottoscala; quindi si entra in una cantina in volta, con trogoli per le biade e con ripiani per i fiaschi del vino e con più una bodola con scaletta che introduce ad una sottoposta cantinetta buia, essa pure coperta in volta. Dalla detta cantina poi si passa in un andito a squadra coperto in volta, e situato sotto il lastrico dell'ingresso del pian terreno.
Quest'andito introduce ad una gran cantina in volta, divisa da due archi e fornita di sedili per le botti, la quale ricorre lungo la via di S. Gallo da cui con diverse finestre ferrate prende lume.

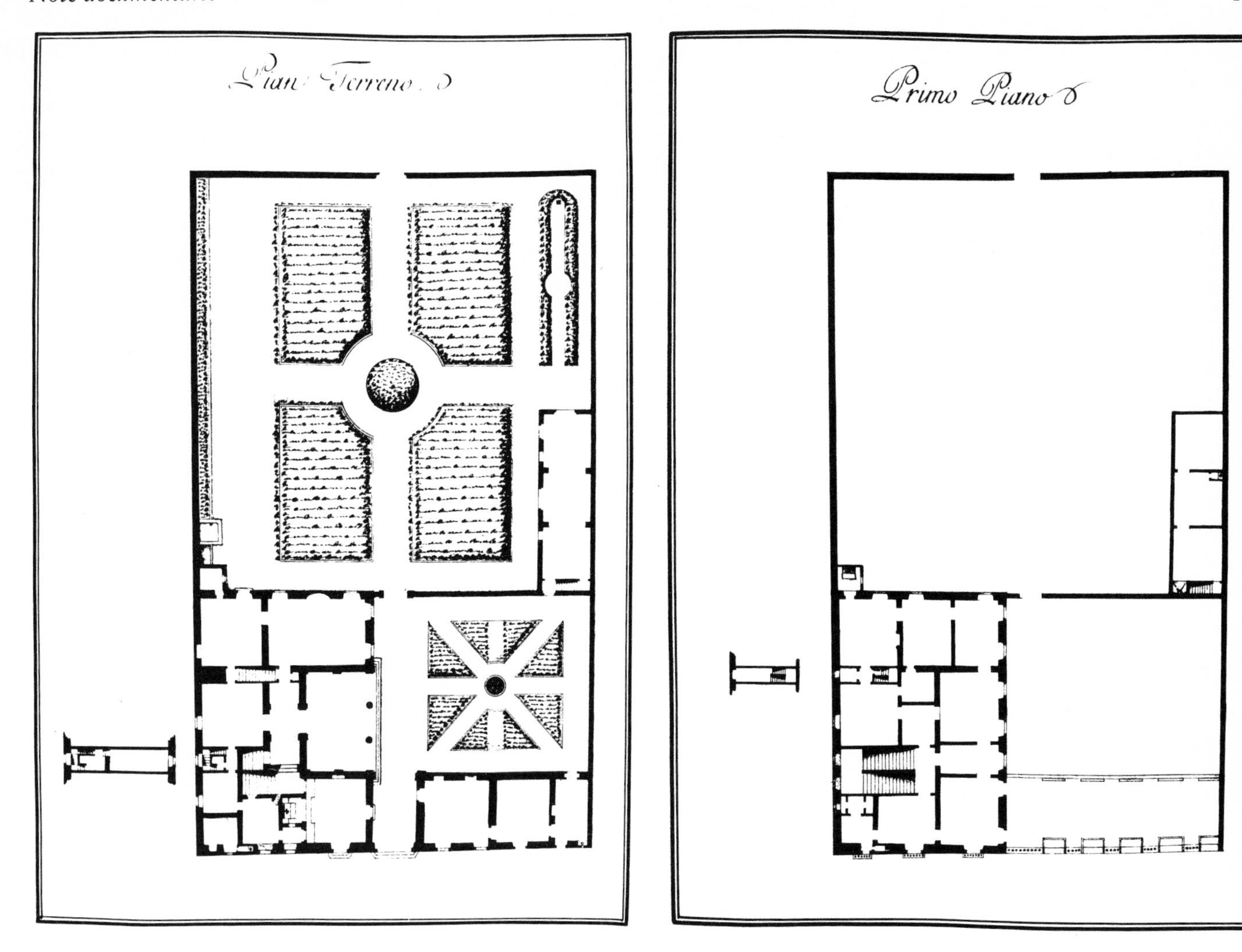

4 – a) Pianta del piano terreno, del giardino e della scaletta segreta del palazzo Pandolfini di via San Gallo. Disegno a corredo dell'inventario del palazzo; b) Pianta del primo piano e della scaletta segreta del palazzo Pandolfini. Berlino, collezione prof. Detlef Heikamp.

Pian terreno

Dalla via di S. Gallo con magnifica porta architettata di rustico si passa in una loggia lastricata e coperta in volta, e a destra di questa salendo tre scalini si trova una stanza con tre armadi a muro, e quindi altra stanza che introduce in una terza con un armadio nel muro, con stanzino del luogo di comodo // e con porta che mette nel parterre. Queste tre stanze son coperte in volta, servono per uso di scrittoio e d'archivio e corrispondono sulla via di S. Gallo.

A sinistra della nominata loggia si passa in un oratorio pubblico sotto il titolo di S. Silvestro che ha il suo ingresso principale dalla via di S. Gallo. Esso è coperto in volta a schifo alla romana, dipinta e formellata. L'altare resta situato in una specie di tribuna coperta in volta a mezza botte con mensa di pietra, gradini di legno e quadro dipinto in tela rappresentante un Gesù Crocifisso, dietro al quale esiste nella parete altra pittura.

A sinistra della tribuna dell'altare si trova una piccola sagrestia coperta in volta, con nicchia corredata della sua pila di pietra e con una finestra a coretto rispondente in detta tribuna. A destra poi della ridetta tribuna esiste il posto ove è collocato l'organo.

Ritornati nella suddivisata loggia d'ingresso, si passa da questa in un recinto quadrilatero ad uso di parterre, diviso in vari viali e suoi riquadri, aventi // in mezzo una vasca adornata con statua e priva d'acqua e con diversi frutti e viti distribuiti a spalliera sulle pareti circondarie.

Da questo parterre mediante un cancello di ferro situato in una semplice vela di muro, fiancheggiato da due pilastri architettati, con sopra urne di terra cotta, si passa in un giardino assai esteso diviso in arcole, con un promontorio di verzura rilevato nel suo mezzo, con un viale coperto d'allori e lecci ad uso di ragnaia ed in cui esistono quattro sedili o panchine di pietra, con molte spalliere d'agrumi e fiori situate presso i muri circondari del giardino medesimo, con più un boschetto di cedrati e limoni, oltre i vari prodotti di fiori, et altro che esistono sul suolo. Questo giardino ha una porta architettata per cui si passa in via Larga. Sopra di essa esistono due vasi ed una statuetta. A sinistra del giardino medesimo esiste il trogolo ed il pozzo con sua tromba corredata del castello e manubrio di ferro; e dalla parte destra si trova un lungo stanzone a palco per riporvi le piante, diviso da due archi, con tre // porte tonde ed un quadra che corrispondono nel giardino, con più altra piccola porta interna, che mette in un ripiano, il quale con altro uscio comunica col nominato parterre.

Da questo ripiano salita una branchetta di scala di pietra si perviene ad una stanza con cammino e quindi in altra stanza con luogo di comodo, da cui si passa in una terza stanza, tutte tre situate sopra il citato stanzone delle piante coperte a tetto e servono per abitazione dei domestici.

Ritornati nel tante volte citato parterre, si trova a sinistra del medesimo una gran loggia a cui si sale mediante tre gradini di pietra. Questa è coperta in volta a lunette, con tre archi di fronte sorretti da due colonne di pietra e nella quale esistono due piedistalli di pietra con sue statue di marmo rappresentanti una l'Estate e l'altra l'Autunno.

Da questa loggia si passa di fronte in un ricetto in volta che dà l'accesso alla scala per cui si discende ai sotterranei, e all'altra scala principale che porta // ai piani superiori.

A destra del ricetto medesimo esiste un breve passare in volta con due laterali stanzini cavati nella grossezza del muro, e quindi si trova una sala con volta a lunette, con una nicchia in cui esiste un gruppo di marmo rappresentante Venere ed Amore. In questa sala, che corrisponde sul parterre e sul giardino, vi sono le porte architettate di marmo e vi sono inoltre nelle lunette della volta diverse medaglie con busti il tutto di marmo.

A sinistra di questa sala si passa in un salotto con volta formellata e dipinta, con finestra aperta fino a terra, che dà l'ingresso al giardino. Lateralmente a detta finestra si trova un piccolo stanzino in volta dipinto ad uso di bagno con sua tinozza di rame e cannella per l'acqua e con piccola porta che mette nel giardino; nel lato medesimo esiste ancora uno stanzino con porta che dà l'accesso segreto alla via Salvestrina.

Da questo salotto si passa in una camera grande coperta in volta a lunette, tutta dipinta a // riquadrature e lambrì, corrispondente sulla via Salvestrina, con una porta che mette nel suddivisato ricetto della scala. In seguito si trova un passare coperto in volta, sulla sinistra del quale esiste una nicchia lavorata in parte alla mosaica con pila di marmo; e sulla destra si entra in uno stanzino, con un sottoscala e con una scaletta di pietra, per cui si sale ad una stanzina in volta che prende lume dal ricetto della scala.

Transitato il surriferito passare si entra in un salotto coperto con soffitta di legno lavorata e dipinta, con finestra che prende lume dalla via Salvestrina; quindi si trova sulla via di S. Gallo altro salotto con camminetto alla francese, soffittato come l'antedetto. Da ambedue questi salotti si passa in una stanza sulla via di San Gallo coperta in volta, con l'accesso alla sopraccitata sagrestia, con un camminetto ridotto ad uso d'armadio a muro, con uno stanzino

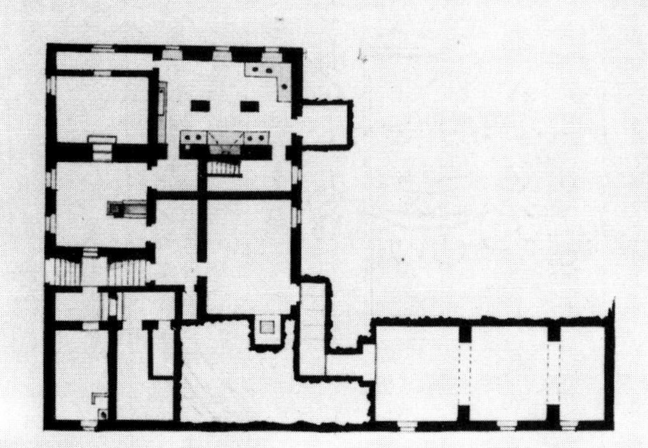

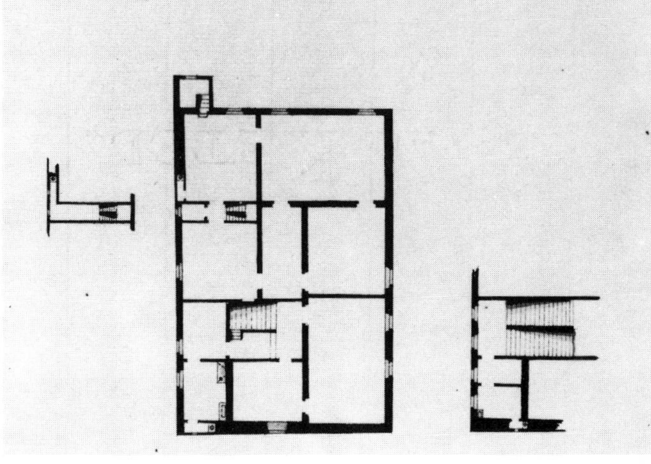

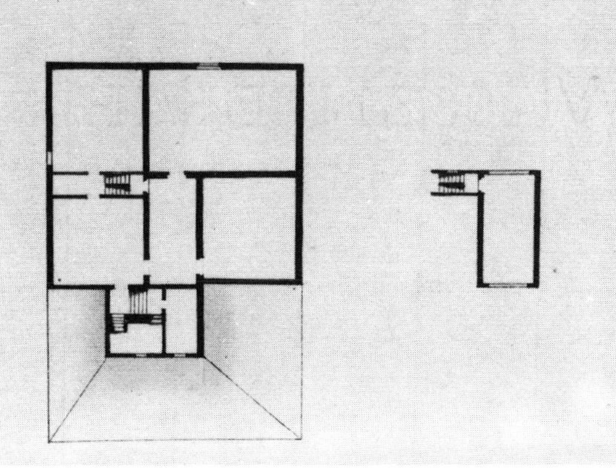

5 – a) Pianta del sotterraneo del palazzo Pandolfini; b) Pianta del secondo piano, del mezzanino tra primo e secondo piano e della scaletta segreta; c) Pianta del terzo piano e della loggia sul tetto del palazzo Pandolfini. Berlino, collezione prof. Detlef Heikamp.

in volta situato sotto una branca della scala principale, e con più una breve scaletta di pietra, che mette al primo ripiano della scala // principale, sul quale vi è l'accesso allo stanzino dell'organo descritto nell'oratorio.
Ritornati nel ricetto della scala principale e salite di questa due sole branche, si giunge ad un ripiano coperto in volta, a sinistra del quale si passa in una stanza a palco con cammino, e quindi in altra stanza parimente a palco, ed ambedue corrispondenti sulla via Salvestrina, ed inservienti per uso di credenza.
Da detto ripiano salita altra branca della prenominata scala si giunge al

Primo piano

Consiste questo in un ricetto in volta a capo-scala, a destra del quale si passa in un salotto con camminetto alla francese, da cui con bodola e sua scaletta si scende in una piccola stanza situata sopra il pubblico oratorio. Dal medesimo salotto si entra in una camera con tre stanzini, che uno con il luogo di comodo e gli altri due per uso di spogliatoi. //
Quindi si trova altro salotto che con due aperture introduce ad una terrazza scoperta, che ricorre lungo la via di San Gallo, che rimane situata sopra la prima loggia d'ingresso e sopra le tre stanze addette all'uso di scrittoio ed archivio.
Ritornati nell'ultimo descritto salotto, si passa in una piccola sala che ha l'accesso al ricetto a capo-scala, e ad un salotto con camminetto di marmo nero e giallo, e quindi si trova altro salotto, che fa cantonata sul parterre e sul giardino. A sinistra di questo si trova una camera, con piccola retrocamera buia, che ha un armadio internato nel muro.
Dalla detta camera si passa in un salotto dipinto a formelle, con camminetto alla francese e con una piccola cappella dipinta che resta sopra la stanzina del bagno. Dal ridetto salotto si entra in un piccolo ricetto con scala segreta che viene dal pian-terreno, e sale ai piani superiori. A destra di questo si trova uno stanzino dipinto per uso di toelette, a cui è annesso altro stanzino con luogo di comodo.
Dal nominato piccolo ricetto si entra anche in una camera // grande con l'accesso alla surriferita retrocamera, e con l'ingresso ad una stanza per uso di guardaroba, dalla quale si passa nel ricetto a capo-scala, e nel sopraccitato salotto con camminetto di marmo giallo e nero.
Tutto questo primo piano è coperto a palco.
Salita una branca della scala principale si perviene ad un ripiano in volta, a sinistra del quale si trova una stanza stoiata per uso di scrittoio, a cui è annesso uno stanzino col luogo di comodo.
E salendo una porzione d'altra branca della medesima scala principale si trova un piccolo ripiano che dà l'accesso al

Secondo piano

Consiste questo in una sala a palco corrispondente sulla via Salvestrina, con uno stanzino per uso di toelette. Da questa sala si passa di faccia in un passare, ove fa capo la scaletta segreta, e quindi si trova una stanza con luogo di comodo e con una piccola scaletta per cui si scende ad un pianerottolo // ove è la finestra per attinger l'acqua dal pozzo situato nel giardino.
A destra di quest'ultima stanza si entra in una gran camera a palco e dietro a questa si trova un'altra camera essa pure a palco, con una camerina buia che ha il suo regresso nella sopraccitata sala.
Proseguendo a salire la prenominata branca di scala principale si arriva ad un ripiano stoiato e di faccia si passa in una stanza grande a tetto per uso di guardaroba. A destra del ripiano medesimo si entra in altra stanza a tetto per stirare la biancheria, con uno stanzino con luogo di comodo.
Parimente dal detto ripiano si passa in un andito che dà l'accesso ad una stanza a tetto, e ad una cucina essa pure a tetto, con cammino e acquaio, e con cancellato di legno per tenerci le legne, carbone etc.
A destra del nominato andito si trova una scaletta, di cui salita una branca si giunge ad un ripiano, che introduce ad una soffitta a tetto; da questa si passa in un ricetto a tetto a cui fa capo la tante volte citata scaletta segreta, e quindi si entra in // altra stanza a tetto, con rinserrato di legname per uso di pollaio.
Ritornati in detto ricetto, e salita una branca della citata scala segreta si trova un terrazzo coperto.
Dalla prima nominata soffitta si passa a destra in una stanza a palco situata sotto il terrazzo, la quale introduce a due altre separate soffitte.
Finalmente salita altra branca della scala che si parte dal descritto andito si trova una stanza a

tetto per uso di guardaroba, ed uno stanzino esso pure a tetto.
Il palazzo di cui si tratta non è di una grande estensione; nella sua ristrettezza egli è però ben distribuito e corredato di tutti i comodi con esuberanza e dignità; la sua costruzione è solidissima. Non è posto nel centro della città, ma la sua situazione è sì bella e ridente che non lascia nulla a desiderare. La magnificenza e vaghezza degli ornati di pietrami di cui è decorato esternamente lo rendono degno degli encomi di tutti gli intendenti da cui gli vien con ragione accordato uno dei primi posti fra quelli che abbellano questa Dominante. Concorrono a compierne il pregio una grandiosa terrazza scoperta, un // parter, ed un ampio giardino diviso in arcole corredato di stanzone da piante a cui sarebbe però desiderabile la riunione del comodo di acqua viva. Tutto ciò riunito in un sol corpo dà un risalto non ordinario a questo stabile, e lo rende degno di un giusto prezzo d'affezione non sottoposto a calcolo, e che soltanto esiste nell'opinione. Dopo aver fatto pertanto i più reiterati esami e le più mature riflessioni, detratti i consueti mantenimenti, la decima e dazio comunitativo in fiorini venti, le imposizioni ordinarie e straordinarie di fogne etc., il mantenimento del lastrico di tre strade, mantenimenti del giardino, i pronti acconcimi, ed ogni altro aggravio ordinario, e straordinario niuno escluso né eccettuato prescindendo della gabella, siamo venuti in cognizione che il giusto suo valore possa ascendere alla somma di scudi novemila settantanove

Diciamo

Sc. 9079. – . –. –

I.B.

[1] L'inventario del giardino, datato 1803, è allegato a questo manoscritto.
La descrizione del palazzo di via San Gallo, che fa parte dell'inventario di tutte le proprietà Pandolfini a Firenze, è corredata da cinque piante disegnate a inchiostro e acquerellate relative ai piani del palazzo: «Sotterraneo», «Pian terreno» con il giardino e la pianta della scaletta del mezzanino, «Primo piano» e pianta della scaletta segreta, «Secondo piano» con la pianta del mezzanino tra primo e secondo piano e pianta della scaletta segreta, «terzo piano» e pianta della stanza sul tetto.

FIRENZE 1495-1527: UN CLASSICISMO MANCATO

Gabriele Morolli

L'eclisse laurenziana

Anche per l'umanesimo Roma, da subito, era stata la città delle meraviglie: dall'aurorale autopsia di 'quelli del tesoro', di Brunelleschi e Donatello che, all'inizio del Quattrocento, si erano avventurati fra le sue ancora per tanti versi incomprensibili, ma fascinose rovine; sino alla meridiana epifania dei suoi cento e cento monumenti impeccabilmente *instaurati* e *renovati* che si ricompose miracolosamente, per un aureo istante di pienezza, davanti agli occhi della mente del 'divino' Raffaello e dell'altrettanto olimpica corte di Leone X. E, da sempre, il dialogo formale tra Firenze e Roma era apparso condizione necessaria, anche se non sufficiente, per l'inveramento delle aspirazioni umanistiche, specialmente in sede architettonica.

È d'altronde un fatto che l'umanesimo stesso conobbe, al proprio interno (tra il fatidico 1400 e il fatale 1527), una cangiante serie di 'evoluzioni' ideologiche cui, puntualmente, corrisposero mutati atteggiamenti di lettura nei confronti dei modelli offerti dall'antichità.

Così, sullo scorcio del Quattrocento, l'architettura non è più tanto il luogo, geometrico e spirituale, della conciliazione armoniosa fra microcosmo e macrocosmo, fra realtà quotidiana dell'essere e realtà assoluta del dover essere; l'ardita metafora del dominio universale e metastorico di una *ratio* cosmica, perfettamente intelligibile, però, dall'uomo grazie ai parametri di controllo della prospettiva e delle proporzioni sostanziatesi una volta per tutte nelle forme paradigmatiche della classicità; quanto l'arte per eccellenza capace di creare uno scenario, il più possibile confortato dal *decorum* e dalla *magnificentia*, per una neoplatonica repubblica dei sapienti; l'attività iperspecialistica ed iperframmentata al suo interno (archeologi, idraulici, fortificatori, teorici, intagliatori-architetti, pittori-architetti platonici, sperimentatori aristotelici, capomaestri ingegneri, letterati dilettanti d'architettura e così via), però capace di mantenere unita, almeno a livello di rappresentazione estetica, quella polifonia di tendenze, quella *concordia discors* di aspirazioni in cui si sarebbe poi necessariamente frammentata la coscienza inquieta e feconda dell'uomo del pieno Cinquecento.

E, appunto sullo scorcio del Quattrocento, è ancora una volta Firenze, per il tramite dell'intellighenzia laurenziana, ad indicare questa nuova, avventurosa rotta mentale e formale ad un tempo: l'architettura della classicità non è più frequentata per dedurne rassicuranti e fermi costrutti linguistici, ma esplorata e saccheggiata alla ricerca delle sue espressioni stilistiche più sofisticate e sontuose; l'antichità, nelle invenzioni di un Giuliano da San-

1 – Ventura Vitoni (su un probabile modello di Giuliano da Sangallo), particolare con bifora e arcone di una cappella del grande vano ottagono centrale cupolato, 1495-1518. Pistoia, chiesa della Madonna dell'Umiltà.

2 – Andrea Sansovino, particolare dell'altare marmoreo dei Corbinelli con il rilievo dell'Annunciazione dalle purgate architetture dello sfondo, 1490 circa. Firenze, chiesa di Santo Spirito.

gallo, tende ad assumere sempre più l'aspetto di un chimerico Iperuranio formale da consultare con ingorda reverenza[1].
Lo stesso iperrazionalistico principio tipologico della centralità tende sempre più a divenire, nelle opere della maturità del maestro laurenziano[2], un geniale pretesto per il montaggio di macchine solo in apparenza semplici e in realtà sempre più strutturalmente complesse, spazialmente capziose (le ville-palazzo dagli innumerevoli ambienti articolati attorno a sterminati cortili o saloni monumentali, i templi dagli spazi termali sempre più dilatati e imperniati sull'esecuzione di cupole via via più ambiziose): nella neppur troppo nascosta metafora di una visione del mondo sempre più avventurosa e sperimentale, sino al rischio della frantumazione delle stesse certezze da cui si erano prese le mosse.
Un umanesimo dunque più inquieto, che rompe il cerchio rassicurante e coercitivo della *polis* quattrocentesca, per misurarsi con spazi più vasti e più perigliosi, di livello sovraregionale e sovranazionale, europeo; ancora una volta emblematicamente incarnato dalla vicenda giulianea (le sue esperienze extrafiorentine, prima a Roma, poi in Francia, poi di nuovo a Roma), strettamente correlata alle sfortune dei Medici che, dopo la morte di Lorenzo, si videro privati temporaneamente della 'facile' signoria fiorentina e forzati a sperimentare, anch'essi, la propria volontà di potenza con disegni più ambiziosi, più grandi, con l'avventura imperiale dei due pontificati di Leone e Clemente.
Con la diaspora della cultura laurenziana, insomma, Firenze tardoumanistica traumaticamente scopre di non essere più l'immoto ombelico della circolare armonia territoriale di un'intramontabile *Laudatio* del Bruni, ma, al massimo, una tendenziale dimensione dello spirito legata non a luoghi fisici ed a ferme tradizioni, ma a periclitanti atti di volontà culturale e formale.
Con la fine della 'signoria' di Lorenzo la città si scopre in certo modo nuda, non più difesa dalle indiscutibili (o credute tali) certezze di un umanesimo civile precocemente invecchiato, e non più visitata dalle belle favole botticelliane, polizianesche, sangallesche, tutte come involatesi dietro alla cavalcata – stavolta non più giostra cortese, ma amara necessità effettuale – degli antichi signori incamminati sulla via dell'esilio.
Una via peraltro già lungamente sperimentata da un Leonardo, da un Michelangelo, da un Sansovino, dallo stesso Giuliano da Sangallo, le cui 'missioni diplomatiche' per conto del Magnifico si erano ormai trasformate, istituzionalizzate nel nuovo genere dell'artista errante di corte in corte, lasciando la città per così dire smarrita, vuota, preda di un momentaneo immobilismo volto all'eclettica riproposizione di modelli già integralmente esperiti[3].

L'introversione piagnona

La nascita *malgré soi*, nella Firenze postlaurenziana, della coscienza del relativismo di ogni sistema artistico-conoscitivo assoluto generò, quasi automaticamente, l'odio per le recenti certezze infrante: dal piano politico, con il rigurgito di un virulento neomunicipalismo medievaleggiante, in un

primo tempo monopolio del massimalismo preluterano del Savonarola, poi stemperato nell'inquieto segretariato del Soderini; al piano della cultura formale, con l'identificazione dell'arte antichizzante con l'errore, con l'eresia.
Alle aste dei beni medicei confiscati dal comune di nuovo libero, fanno eco i sinistri roghi delle 'vanità', dei prodotti 'contaminati' dalla raffinata arte umanistica perpetrati dai piagnoni; il fantasma di una libertà arcaica quanto ambigua occhieggia di tra i simboli inquietanti di una gelosa autonomia, incarnati dal *Marzocco*, dalla *Giuditta*, dal *David* esposti come prede di guerra, come apotrapaici emblemi tribali dall'alto dell'Aringhieragogna del palazzo della Signoria.
L'arte, come i costumi, deve procedere *à rebours*, scavalcare l'esperienza dell'umanesimo 'pagano', per confinarsi entro uno spazio più puro, non ancora contagiato. Ma non è il Medioevo *tout court* che si propone come terra promessa (del passato anziché del futuro) ai fiorentini smarriti, in un arretramento arcaistico che avrebbe avuto i caratteri di un'impossibile regressione, bensì l'incerto territorio di quell'umanesimo 'fiorito' che, all'inizio del secolo, dalle opere rarefatte e gentili di un Ghiberti, di un Angelico, di un Michelozzo aveva inutilmente cercato di contrastare, di stemperare lo 'strappo' violento della rivoluzione brunelleschiana, masaccesca.
È in questo singolare clima di artificiata 'primavera spiritale', di pallida estate delle morte correnti del primo umanesimo, perfettamente incarnato dalle dilavate e penitenziali immagini urbane presenti nella tarda produzione pittorica di un Botticelli piagnone, che possono germogliare le opere più significative di Simone del Pollaiolo detto il Cronaca[4]: l'antico deve essere mortificato, suscitando solo or qua or là, nell'impaginato architettonico dalle superfici volutamente spoglie, la memoria umiliata di una colonna, di un timpano, di una trabeazione; le membrature degli edifici debbono essere eminentemente struttuali, formalmente purgate, e dove gli ordini fossero necessari, che avessero l'apparenza dello spoglio tuscanico-dorico e non certo del rigoglioso corinzio brunelleschiano, dell'aggraziato ionico sangallesco.
E su tutto, come un aggressivo saio di penitenza, il trionfo del bugnato, ad occupar cantonali di palazzi, mostre di porte e finestre centinate, decorate da arcaiche raggere archiacute di conci: un costrutto che, pur derivando anch'esso dal repertorio formale dell'antichità, aveva conosciuto, specie a Firenze, la macerante ascesi della ferrigna edilizia civile del Medioevo e che ben si prestava, dunque, nelle intenzioni penitenziali di questa architettura piagnona, ad incarnare l'idea di una prassi costruttiva solida, utile e decorosa (quindi ancora vocazionalmente classicistica, vitruviana) che però prescindesse dall''inutile pompa' degli ordini canonici. Il bugnato rappresentando infatti, per certi versi, l'infanzia struttiva e ingenua, pura appunto da ogni edonistica tentazione di venustà mondana, del complesso sistema basato su colonne architravate, frontoni, trabeazioni, lesene e così via.
L'architettura insomma dei nudi campi d'intonaco, dei lisci paramenti lapidei appena segnati da membrature spoglie d'ogni ornamentazione, che, trionfante nella cronachiana e savonaroliana Sala Grande del Consiglio del palazzo della Signoria, identificava la massima bellezza con la più rigorosa

3 – Simone del Pollaiolo detto il Cronaca, particolare del fronte meridionale del Salone dei Cinquecento con le finestre centinate dell'originaria Sala Grande del Consiglio, 1495 circa. Firenze, chiesa di Santo Spirito.

4 – Simone del Pollaiolo detto il Cronaca (con Antonio da Sangallo il Vecchio e Baccio d'Agnolo), La galleria del tamburo della cupola con il grande fregio, il cornicione e la sovrastante loggetta ad arcate tra pilastri trabeati, 1506-1515. Firenze, Santa Maria del Fiore.

5 – Benedetto da Rovezzano, monumento funebre di Oddo Altoviti, 1507. Firenze, chiesa dei Santi Apostoli.

povertà, si apriva (o si chiudeva) sull'ambigua voluttà dell'essenziale, sulla contemplazione di estenuazioni formali per così dire puristiche, preraffaellite *ante litteram*.
Quasi a necessaria compensazione di un simile cilizio artistico, serpeggiava poi nella Firenze dei primissimi anni del Cinquecento anche un filone estetico che sì continuava ancora a privilegiare la decorazione architettonica amando coprire capitelli, pilastri, trabeazioni, specchiature e così via di un ricco *décor* antichizzante, ma che tendeva però significativamente a puntar non tanto sul repertorio formale per così dire apollineo della classicità (come invece aveva fatto, edonisticamente, l'antiquariato suntuario laurenziano e nella fattispecie sangallesco), quanto su quello saturnino, dove la grottesca più capricciosa ed esoterica sembrava ibridarsi con l'inquieta *drôlerie* medievale.
Nasce così il gusto per un universo formale ctonio, lunare, presente ad esempio negli edifici dipinti dell'ultimo Filippino, e ben impersonato dalle 'velenose' fantasie architettoniche di un Benedetto da Rovezzano[5], che con i suoi iperlavorati manufatti sembra investigare su un'antichità da cui Astrea è ormai fuggita per sempre, dove anche il *ludus* dell'invenzione fantastica è vissuto come una trasgressione, come un'angoscia.

L'arrivo di Raffello

È in questa città intestinamente stralunata, apparentemente tornata, per una stagione fugace, al centro del dibattito artistico grazie alla 'accidentale' presenza di un Leonardo ormai eterno *déraciné* e di un Michelangelo ansioso di spiccare il grande volo, profondamente segnata dal rifiuto moralistico del classicismo più meridiano e suntuario, che il giovane Raffaello viene a stabilirsi, indugiandovi dal 1504 al 1508, dopo avervi probabilmente soggiornato anche in precedenza, per brevi periodi, in compagnia del Perugino suo maestro.
L'urbinate prese stanza nel palazzo di Taddeo Taddei, allora ancor fresco di calce ed emblematicamente, paradossalmente redatto da Baccio d'Agnolo, ancipite protagonista del travaglio della Firenze dei primi del secolo in bilico tra classicismo romano e 'riforma', savonaroliana in un linguaggio impeccabilmente 'piagnone', arcaizzante, severo, schivo di ogni *elegantia* umanistica.
Da un simile penitenziale osservatorio Raffaello vide, e patì, tutte le incertezze ideologiche dell'ora: dal platonismo esasperato del michelangiolismo più intransigente allo sperimentalismo 'sanza lettere' del leonardismo più acceso, dalle mortificate semplificazioni dell'arte piagnona alle lambiccate eleganze di un classicismo saturnino[6].
La 'scuola del mondo', dentro e fuori il cerchio magico dell'affrescanda Sala Grande del palazzo della Signoria, dovette apparirgli sempre meno una nobile palestra di fervidi ingegni e sempre più un'aiuola feroce dove drammaticamente venivano messi in giuoco, ancor prima che una visione estetica, progetti esistenziali sentiti come categorici, irrevocabili e inconciliabili.
Raffaello, nella sua cristallina olimpicità urbinate, certo non dovette amare

tali 'eccessi', e la leggenda della sua speranza di poter subentrare a Leonardo e a Michelangelo per portare a compimento le progettate *Battaglie* soderiniane parrebbe adombrare la precisa volontà di operare una sintesi, che in Firenze si sarebbe dimostrata impossibile, fra correnti di pensiero così fieramente antagoniche.
Del resto le lacerazioni già avevano portato Leonardo nuovamente a Milano, Michelangelo finalmente a Roma, e al giovane grande mediatore, che certo intuitivamente sin d'ora cominciava ad aspirare al polifonico classicismo 'integrale', capolavoro progettuale dell'intera sua attività artistica e dell'intera sua vita, non restava che proiettarsi nel gran corpo dell'Urbe, nuovo laboratorio meridiano del classicismo rinascimentale, ultima frontiera dell'occiduo umanesimo.

La renovatio leoniana

Nella Roma dei primi anni del secolo Bramante da un lato aveva portato a compimento il sogno di un secolo di architettura umanistica, pervenendo alla formulazione di una metodologia progettuale e all'approntamento di un lessico che senza soluzione di continuità si collegavano e coniugavano alle eterne leggi armoniche dell'intero universo, e dall'altro aveva applicato questo impeccabile e sofisticatissimo congegno architettonico-formale alle 'occasioni' più varie e più impegnative di una committenza pontificia fastosamente esigente e intenzionalmente modernissima.
Ma proprio questo essersi spinti sino alla verifica ultima delle possibilità estreme del più perfezionato classicismo umanistico, ed anche l'essere stati per così dire obbligati a constatare le conseguenti estreme difficoltà derivanti 'fatalmente' dall'applicazione integrale dell'implacabile coerenza della *ratio* sintattica, proporzionale e prospettica connaturata al linguaggio stesso della classicità, in progetti di scala sempre maggiore (con il corollario del comprensibile desiderio di 'allentare' il rigore, di concedersi qualche 'licenza', magari affinché l'effetto generale risultasse addirittura più convincente), ingenerarono, se non nell'ormai maturo maestro certamente nell'ambiente intellettuale di cui era espressione, il sospetto che si fosse così giunti al punto limite di un linguaggio formale, che fosse giunto il momento di inaugurare una nuova stagione della fenomenologia architettonica. Raffaello giunge, così, nel momento migliore per raccogliere dalle mani del conterraneo Bramante il frutto estremo del criticismo umanistico, ulteriormente concentrando, però, il processo creativo non più su un'architettura come immagine armoniosa in cui si rispecchia l'assoluto equilibrio dell'idea, bensì come frutto sapiente, come manifestazione e rappresentazione seducente di un magistero formale stratificato nel tempo.
Il classicismo non è, insomma, più letto come epifania platonica di un superiore universo sovranamente ordinato, ma come un fenomeno storico (anzi come il massimo fenomeno nella storia delle forme create dall'uomo), che sperimentalmente (aristotelicamente) indagato nelle sue variegate manifestazioni (gli edifici di Roma antica) può essere sintetizzato in una nuova, affascinante lingua moderna. Filologia e acume interpretativo divengono, così, i cardini di un sistema in cui rispetto delle regole canoniche e fantasia

si fondono, creando un universo formale, sotto il segno di una rampollante *varietas*, dall'incredibile potenziale di seduzione, capace di una straordinaria durata nel tempo.

Da necessità cosmica il classicismo è divenuto linguaggio, governato da regole armoniose (accettate però per convenzione oltre che per intima convinzione), ma passibile anche di bizzarre deroghe, di gaie eresie, capace di produrre dal proprio seno (e quindi di contenere) persino il proprio contrario: da dove nascerà poi quel manierismo elegante, signorile, cortese che circolerà in tutta Europa e che si manterrà ben lontano da quello drammatico, 'openionoso' e solipsistico incubato nella coeva, angosciata Firenze.

Il classicismo e la sua architettura divengono, con Raffaello, non più soltanto 'ossa' (struttura, discorso mentale, astratto meccanismo geometrico-proporzionale), ma anche 'muscoli' e 'pelle' (variegata e fascinosa apparenza, rappresentazione anche effimera tanto di profonde certezze quanto di raffinati stati d'animo); divengono, insomma, un compiuto linguaggio capace di investire tutte le arti, che poi saranno dette del disegno, destinandole all'elevato compito di sintetizzare in immagini impeccabili le aspirazioni storicamente cangianti della cultura, di conferire retoricamente convincente bellezza alle forme storiche del potere.

Quando Giovanni de' Medici, figlio di Lorenzo il Magnifico, venne eletto pontefice, nel marzo del 1513, col nome di Leone X, Firenze era già tornata medicea dall'anno precedente, ed il rilancio della casata, a lungo preparato, diveniva un sogno possibile, innestando sulle recenti aspirazioni di potenza del papato, con la sua speranza di *Renovatio Imperii* e di *Instauratio Urbis*, la volontà effettuale di fondare una vera e propria dinastia politico-sacrale in grado di guidare con abilità machiavellica e maiestatica pienezza i destini d'Italia.

Per manifestare questo ambizioso progetto si rendeva necessaria un'arte che unisse ad un amplissimo spettro semantico, capace di dimostrare l'elevatissima cultura della corte papale, una leggibilità piana e convincente, adatta a persuadere del 'diritto' all'autorità del nuovo Leone anche gli strati più umili della società. Non si prestava certo a questo ad un tempo autocratico ed ecumenico disegno estetico (il quale avrebbe incontrato grande fortuna nel corso del Cinquecento presso tutte le maggiori monarchie europee, per inverarsi poi nella politica dell'assolutismo barocco) il classicismo antiquario, sovrabbondante e complicato da eruditi riferimenti esoterici del tardo Giuliano da Sangallo.

Infatti, nonostante che alla cerchia di questi venga affidato il primo effimero mediceo in Roma, il 'Teatro' sul Campidoglio per i tre giorni di festeggiamenti in onore dei pupilli leoniani Giuliano e Lorenzo, questa maniera amante degli effetti preziosi, di una decorazione ricercata, analitica più che sintetica, venne ben presto abbandonata, e il linguaggio architettonico del nuovo Impero cristiano divenne nella sostanza quello del classicismo 'integrale', suadente e non capzioso, fluido ed eloquente sino alla manipolazione degli stessi modelli dell'antichità pur di apparire convincente, più classico della stessa classicità, confezionato da Raffaello proprio in quel medesimo torno di tempo.

La seduzione di questo nuovo classicismo degli occhi ancor prima che

della mente, dell'apparenza effimera e gloriosa più che della faticata, intellettualistica sostanza, era evidentemente fortissima: il giovane pittore urbinate, un anno dopo l'elezione del papa mediceo, è da questi posto a capo del massimo cantiere architettonico della cristianità, succedendo a Bramante come capomaestro del nuovo San Pietro.
Roma e Firenze, già unite idealmente dalle due prime guide urbane 'moderne' d'Italia redatte da Francesco Albertini sin dal 1510[7], le quali descrivevano le recenti bellezze di entrambe le città, si fondono nelle intenzioni di Leone sino a divenire il primo nucleo propulsore, ideologico ma anche territoriale, dell'unificazione, dell'aggregazione politica del nuovo *Imperium*: l'universalismo da utopia umanistica si sustanzia in un concreto progetto di governo, effettuabile e quindi effettuale.
E se la fabbrica centrale del nuovo San Pietro era il segno tangibile della rinata potenza spirituale e politica del pontefice-imperatore, una medesima centralità doveva essere ricantata dalla chiesa della nazione fiorentina in Roma, ribadendo il primato nel tempo della casata medicea, così come doveva gemmare anche in terra toscana nel San Biagio di Montepulciano, a manifestare la continuità nello spazio del potere dei nuovi Cesari cristiani.

L'instauratio Florentiae

Ai manifesti e cogenti inviti che da Roma giungevano acciocché l'arte e l'architettura dell''ingrata patria' si sedesse pacificata alla generosa mensa del nuovo classicismo 'integrale', Firenze opponeva una sorda resistenza: la recentissima esperienza del relativismo di ogni ideologia totalizzante, incarnata dalla brusca quaresima piagnona, aveva nella sostanza infranto ogni fiducia e forse anche ogni desiderio di sogni universalistici, identificati ormai quasi automaticamente con la superbia, la delusione, l'eresia, il peccato.
Negli spiriti più avvertiti, che in quel momento erano, di necessità, anche i più disorientati, già covava infatti la volontà di fare esplodere all'interno del quieto universo delle forme derivate dall'antichità l'eversiva amarezza, la feroce ironia autolesionistica per il disinganno patito che sarebbe sfociato nel cosiddetto primo manierismo fiorentino. E l'ecumenico classicismo leoniano e raffaellesco non poteva certo suscitare interessi in questi agitati mondi formali.
A livello per così dire mediano permaneva poi nella città un'adesione blanda nei confronti di quell'arcaismo protoquattrocentesco che era stato il vessillo dell'arte della repubblica piagnona, e che ora tendeva a perpetuarsi sempre meno moralisticamente impegnato, sempre più di *routine*, intimamente provincialistico e paralizzante: un atteggiamento formale, comunque, non più aggressivo, e che si prestava, quindi, ad ogni sorta di revisioni, di trasformazioni, anche ad essere estrinsecamente permeato dalle tentazioni del nuovo classicismo romano.
Campione significativo e intrinsecamente dolente di questa oscillazione fra due posizioni nella sostanza non conciliabili è, in sede architettonica, Baccio d'Agnolo[8], che se da un lato continua sin bene addentro alla prima metà del secolo i modi 'piagnoni' di un'edilizia al tutto priva delle eleganze

6 – Baccio d'Agnolo, portale timpanato e finestra a cimasa piena della facciata sul giardino, 1510-1520 circa. Firenze, palazzo Antinori.

7 – Baccio d'Agnolo (attr.), portale e bifora architravata bramantesca sulla facciata di una villa-fortilizio, 1515 circa. Dintorni di Firenze.

degli ordini e innamorata della spoglia semplicità dei campi d'intonaco e del bugnato, dall'altro sottopone il proprio linguaggio ad un'accelerata modernizzazione, sortendo effetti di un'anche fascinosa, ma sempre faticata ambiguità.
Vi era poi, infine, il *côté* indubitabilmente leoniano, (fedele cinghia di trasmissione del crisostomatico classicismo raffaellesco) che, pur avendo costantemente testimoniato con opere squisite il suadente messaggio che da Roma si inviava alla riottosa Firenze[9], significativamente giunge a lanciare i suoi più forti segnali scegliendo il mezzo dell'effimero di Stato. Le nuove, seducenti maniere dell'antico sontuosamente rivisitato dai moderni vengono in effetti proposte agli occhi stupiti dei fiorentini tramite i mirabolanti apparati per i solenni ingressi del pontefice in città, allestiti sotto il coordinamento di Jacopo Sansovino da una schiera di artisti 'medicei' locali sui quali, comunque, facevano aggio i 'romani', quali ad esempio Antonio da Sangallo il Giovane[10]; o, ancor più significativamente, grazie ai suntuari progetti, del medesimo 1515, per la nuova facciata della chiesa medicea di San Lorenzo[11], alla cui ideazione vennero invitati i più grandi architetti leoniani, dai due Sansovino a Raffaello, a Giuliano da Sangallo, al giovane Antonio e ad Aristotile, nonché Michelangelo, che certo non poteva dirsi partecipe di questo amore per la pienezza del classicismo meridiano e che, pure, finì per risultare il prescelto, significativamente aiutato in un primo tempo da Baccio d'Agnolo.

Il ritorno di Raffaello

È in questo clima di rifondazione della cultura fiorentina che Raffaello stesso, con tutta probabilità, torna per qualche tempo nella città medicea, in concomitanza con i progetti per la fronte del San Lorenzo. E non a caso proprio in questo 'momento magico' vengono concepiti, ragionevolmente dallo stesso Raffaello, i piani di massima per l'unico edificio leoniano di Firenze, quel palazzo per Giannozzo Pandolfini che, pur presentando straordinarie innovazioni linguistiche quali le finestre a edicola con timpano alternativamente triangolare e curvilineo, il giuoco 'sapiente e magnifico' dei conci di bugnato attorno al portale, i balconi a balaustri, le specchiature a rincasso o l'alto fregio inciso a lettere capitali del coronamento, fa registrare la appariscente, sintomatica e comunque non minimizzabile 'eliminazione' dell'ordine architettonico.
Un'aferesi troppo macroscopica per non rivestire un significato di tutta evidenza, almeno per i contemporanei: quello cioè che a Firenze, nonostante la stessa ondata di entusiasmo classicistico leoniano, l'ordine stenta a passare. Sia stato per prudente indecisione dello stesso Raffaello o per postumi ripensamenti dei Sangallo responsabili dell'esecuzione, sta di fatto che il palazzo, serrato solo da cantonali bugnati, risulta privo di ogni partitura di pilastri o colonne, semplici o binate che fossero, rappresentanti invece di il nucleo ideologico e visivo di tutti i palazzi romani bramantesco-raffaelleschi.
E parimenti, com'era facile aspettarsi, anche il 'fragile' Baccio d'Agnolo, sin nel suo più classicizzante palazzo, quello per Giovanni Bartolini, pur

citando numerosi fonemi 'romani' (porte e finestre a edicola, nicchie con calotta a conchiglia, specchiature a rincasso, mostre orecchiate e così via), tanto da attirarsi le più aspre censure, le più velenose ironie del conservatorismo fiorentino, giungendo quasi 'a uscirne di senno', non osò imbrigliare l'intero edificio in un'ortodossa griglia di colonne architravate, in una canonica sovrapposizione degli ordini, ricorrendo ad ambigue lesene angolari trattate a bugnato liscio.
Torna anche qui, con forza, il problema del bugnato inteso *florentino more* come organizzazione struttiva della materia architettonica secondo un ordine che a un tempo precede e segue l'artificiata sintassi degli ordini classici, vissuto come aspirazione ad un mitico classicismo *autre*, più naturale e più 'vero' di quello storico, che da un lato non recidesse i legami con la limpida tradizione costruttiva del Medioevo toscano e che, dall'altro, tenesse cripticamente in vita l'ansioso amore, per così dire leonardesco, sperimentalistico, nei confronti di un'osservazione, di un'indagine 'scientifica' della natura naturale libere dal filtro della tradizione formale dell'antichità greco-romana considerata come mero accidente fenomenico, occasionale, appunto storico e, quindi, definitivamente concluso, incapace cioè di influenzare gli sviluppi di una ipotetica architettura futura.
Se, dunque, Raffaello fu a Firenze e se, in ipotesi, questi erano i dubbi e le riserve che impedivano il libero dispiegarsi della sua ormai collaudata e suadente maniera grande, certo quanto mai severo dovette essere il suo giudizio sulla cultura della città, che non poteva non apparirgli come paralizzata, attanagliata da dubbi, rigori, esperimenti per la sua visione semplificante e apollinea inconcepibili.

La classicizzazione del contado

A paragone dei difficili innesti fiorentini, il territorio dell'ormai morente Repubblica si rivelò più disponibile a visualizzare le aspirazioni del classicismo raffaellesco e ad accettare come esistente l'unità politica e ideologica fra Roma e Firenze cara a Leone X.
Una minor resistenza giustificata, comprensibilmente, dal minore spessore culturale della periferia rispetto al centro, e che per giunta poté forse essere vinta con maggiore facilità in quanto qui le novità romane non si presentarono sotto le specie dei complessi paludamenti del classicismo 'integrale' raffaellesco, ma nelle più 'abbordabili' forme di un sangallismo genericamente bramantesco.
La cultura dei Sangallo infatti a Roma non aveva prodotto solo l'attardata, patetica coerenza giulianea nei confronti di un archeologismo ancora quattrocentescamente inteso come suntuario affastellamento, ma anche quell'*aurea mediocritas* praticata dal Vecchio Antonio, e ripresa dal Giovane, che aveva elaborato una versione riduttiva, ma sempre di alta dignità formale e soprattutto di elevata applicabilità, del rinnovamento formale operato appunto da Bramante prima e poi da Raffaello nella Roma di Giulio II e di Leone X.
Solidità struttiva di un bugnato che non ambisce a sostituire capziosamente l'ordine architettonico, ma che in genere a questo ubbidiente si sottomette,

8 – *Antonio da Sangallo il Vecchio, particolare della facciata del grande atrio-nartece con la serliana bramantesca e raffaellesca, 1520 circa. Arezzo, chiesa della Santissima Annunziata.*

9 – *Andrea Sansovino, portale dorico della cappella di San Giovanni, 1520 circa. Monte San Savino.*

fornendogli un possente e ordinato basamento; corretto ma moderato uso degli ordini architettonici, impiegati sempre nelle loro versioni più semplici e più semplicemente realizzabili; adozione di un limitato repertorio di fonemi allusivi alle *elegantiae* romane (serliane, nicchie a calotta conchigliata, finestre a edicola, balconi a balaustri, obelischi e piramidi di coronamento e così via) sono i caratteri distintivi di questo moderno classicismo per così dire da contado, di questo volgare illustre ovunque comprensibile, che in effetti costella numerosi centri maggiori e minori della Toscana, da Arezzo a Lucignano, da Colle Val d'Elsa, a Monte San Savino, sino a Montepulciano[12], la fedelissima cittadina medicea locupletata da numerosi palazzi in cui è variamente ricantata la nuova maniera bramantesco-raffaellesca, quasi campestre ed aggressiva *ville radieuse* in cui si fosse voluto sperimentare il nuovo linguaggio leoniano 'prima' di presentarlo nella sofisticata Firenze, e alla quale venne comunque concesso l'onore di veder sorgere il piccolo San Pietro rusticano, 'salvatico', 'di villa' del San Biagio, iniziato per volontà espressa di Leone X e consacrato da Clemente VII. E su questa via, solo apparentemente minore, si pose anche Andrea Sansovino, interprete di un classicismo leoniano forse più gracile rispetto a quello sangallesco, che mai dimenticherà del tutto le magrezze laurenziane, giulianee della sua giovinezza portoghese, che comunque si svilupperà poi, grazie alla scienza nuova degli ordini canonici, in un fare più sonoro, e che si espanderà dalla Loreto medicea a Cortona e, soprattutto, alla materna Monte San Savino, più modesto ma sintomatico *pendant* del sangallesco Montepulciano[13].

Resistenze e eresie

Tra la morte di Raffaello e il Sacco di Roma il nuovo classicismo 'integrale' ha modo di continuare la sua sospesa e trionfale parabola, grazie anche al nuovo papa mediceo Clemente VII, sia a Roma che a Firenze. Ma, nonostante la compiuta pienezza di un simile messaggio artistico, questo si presentava come un'ideologia minacciosamente assediata, ben prima che dai Lanzichenecchi dal procedere stesso della storia.
Se infatti questa nuova forma di classicismo (che forse più che 'integrale' sarebbe utile definire come 'funzionale') era stata, dal criticismo insieme universalistico e sperimentale di Bramante prima e poi dalla disinvolta sintesi raffaellesca, per così dire tratta di cielo in terra; se si presentava non più come metafora di universi equilibri, ma come linguaggio calato nella storia, attento cioè alle esigenze di rappresentazione dei miti e delle mode culturali (e ad essi quindi eminentemente funzionale) dell'oggi, attento ad indagare e trascegliere nel fenomeno storico di ieri (che si chiama classicità) gli elementi, i costrutti reputati più convenienti, e al cui interno giunge persino a intravedere una scalatura di valori (del tipo: più o meno bello, più o meno canonico) legata per giunta all'appartenenza dei disparati modelli alle varie stagioni cronologiche della classicità stessa (che ora si è in grado, per la prima volta, se non proprio di leggere compiutamente almeno di intendere nella loro variegata successione); se, insomma, il classicismo da datità metatemporale era nuovamente rientrato nel gran

flusso del tempo, legittimando al suo interno l'uso di categorie quali il prima e l'ora, l'oggi e l'ieri, doveva necessariamente prepararsi anche ad accettare l'esistenza di un dopo, l'esigenza di incamminarsi *bon gré mal gré*, verso un domani.
L'*escamotage* insito nell'invenzione raffaellesca di uno 'stile' che all'essenza astrattiva dei costrutti assolutizzanti del classicismo-idea preferisse l'avvenente fenomenologia delle mille forme variate dal classicismo-funzione, non faceva in sostanza che ritardare il fatale (e, almeno storicamente parlando, niente affatto drammatico) scatto ulteriore verso il relativismo (intellettualistico o ludico) della maniera, verso quel particolare classicismo che invece di affermare si compiace di negare o, quanto meno, mettere in discussione le proprie regole compositive e formali.
Ed in effetti, appena la particolarissima congiuntura dell'*Imperium* mediceo è platealmente contraddetta dal realismo politico di Carlo V, di classicismo 'funzionale' non si parlerà più, il dibattito estetico trasferendosi immediatamente, e all'interno della stessa 'scuola' di Raffaello, sul nuovo tavolo del cosiddetto manierismo internazionale. Eccezion fatta forse, e significativamente come conferma *ad absurdum* dell'irreversibilità di un simile percorso, per il classicismo 'integrale' di un Jacopo Sansovino che, dopo il Sacco, trovò rifugio sulle marmoree isole della Laguna, creando nel cuore stesso della Serenissima, non a caso ormai politicamente sempre più emarginata, un lacerto innegabilmente splendido quanto sottilmente attardato dell'Urbe *instaurata* e *renovata* sognata da Raffaello.
Del resto la necessità di un rinnovamento inteso come brusca aggressione all'armonia di un classicismo appena restaurato, era già proclamata, nel cuore della stessa Roma leoniana, dal 'dramma' sempre meno squisitamente formale e sempre più spirituale, esistenziale di un Michelangelo[14]. E non è forse senza significato che proprio a Firenze, centro sì ormai avviato a svolgere un ruolo artistico sempre più provinciale, ma anche luogo deputato delle resistenze anticlassicistiche del nuovo secolo, esploda per così dire il bubbone appunto michelangiolesco in tutta la sua scandalosa eresia.
Il Michelangelo laurenziano della Sagrestia Nuova, della Biblioteca Medicea, della Tribuna delle Reliquie è, nella sostanza, acre negazione del classicismo leoniano, brutale dimostrazione che non può esistere più alcun classicismo come olimpico anche se fenomenico sommo equilibrio, amara irrisione dei calibrati concenti della visione rasserenante dell'architettura raffaellesca. Ed a queste amarissime verità, enunciate ad alta voce, si affrettavano a fare disarmonica eco le prime dissacranti fantasie degli eresiarchi pittorici Rosso, Pontormo e così via.
Ma, anche senza sposare *in toto* tali abissi o vertici di 'contestazione globale', l'intera cultura formale della città continuava a reagire, a rigettare il pacificato messaggio romano; non voleva e non poteva essere rassicurata, forse mai più. E il colpo di grazia a questo allotrio sistema di certezze già peraltro ferito a morte venne inferto dalla tragica e breve vicenda dell'ultima Repubblica fiorentina, quella della non-speranza, che, nata sull'onda dello scacco pontificio del Sacco di Roma, si trascinerà sino all'assedio del 1530, ove bruceranno una volta per tutte le aspirazioni utopiche verso antistorici autonomismi, i fantasmi patetici di un'ambigua libertà comunale.

Nell'architettura, nell'arte questo tormentato momento è, in effetti, tutto un fiorire di arcaismi or più or meno lambiccati[15], dalle tombe terragne rivisitate da incredibili *gisants* 'neogotici' alle decorazioni architettoniche neorobbiane, dai tabernacoli neomichelozziani alle logge neomaianesche, alle basiliche neobrunelleschiane, sino ai portali pseudomedievali del palazzo stesso della Signoria, dai quali si inneggia, tra fanatismo neopiagnone e disperazione per il reale isolamento politico, ad un Cristo come «*Sol Iustitiae*», eletto re della città «*Senatu Populoque*».
Le stesse rinnovate fortificazioni, con le grandi porte arnolfiane modernamente ristrutturate e munite di cannoniere dai Sangallo, nella sostanza unica struttura architettonica permanente della Firenze di Leone e Clemente, serviranno per l'inutile difesa dell'antimedicea Repubblica nata già morta.
Firenze ricambiava, per così dire, le visite di un Raffaello e le attenzioni dei papi medicei, incarnatesi nel classicismo 'funzionale' romano, con una virulenta resistenza che da formale si tramutava in armata; resistenza che uno dei suoi più prestigiosi esponenti, Michelangelo, manifestamente forzava sino al limite ultimo, al gesto estremistico del *cupio dissolvi*, sempre sotto il duplice profilo estetico e militare.
Una violenza che, anche nel mero campo della cultura, sancì di fatto un'ulteriore riprova dell'esaurimento della generosa esperienza del classicismo raffaellesco, della sperata *plenitudo temporis* ormai di tutta evidenza sfumata.
E proprio Firenze, che aveva così ferocemente rifiutato la suasiva proposta raffaellesca di un 'sistema', estetico e operativo a un tempo, capace di produrre raffinatissimi complessi in cui si manifestasse una mitica arte totale, di restituire dell'antichità non solo le ossa ma sin la variegata pelle, per una sorta di nemesi storica avrebbe presto conosciuto, tramite l'efficiente bottega vasariana, l'aggressione di un suntuario manierismo che se in fondo recuperava dell'ideale raffaellesco proprio il concetto e la prassi dell'unità delle arti, non era più certamente per creare il luogo deputato all'equilibrio esistenziale di solari cortegiani, bensì per approntare spazi celebrativi di un potere autocratico. Un nuovo magistero artistico quant'altrimai geniale, ma intimamente permeato di una frigida logica funzionarile che congelava il versicolore mondo delle belle favole e delle forme belle di Raffaello nell'impeccabile cenotafio formale dell'abilissima orchestrazione delle singole competenze di un artigianato di grandissima qualità, capace di applicare alla pietra, al marmo, al legno, allo stucco, alle stoffe, alle superfici affrescate e così via quella stessa monotòna pellicola di indifferente abilità, di artificiata perfezione che dissangua, ad esempio, le siderali ed assiderate epidermidi delle tavole di un Bronzino.
La politica stessa, del resto, e non solo l'arte, sembrava punire Firenze per l'ostinata, ipocondriaca sfiducia nella pienezza dei tempi annunciata dalla Roma medicea: del mito del potere dei Cesari restaurato, dell'Urbe ricondotta a nuova vita, rimase, amaro frutto, solo la signoria ereditaria concessa ai Medici da Carlo V sui territori dell'antica Repubblica ribelle in cambio della rinuncia del papato a ogni mira egemonica; rimase, magrissimo bottino politico raggranellato con guicciardiniano pessimismo, il certo non esaltante destino per la città di umbratile, ancorché onusta di antiche

10 – Anonimo repubblicano (Baccio d'Agnolo?), portale della Sala dell'Udienza, 1527-1529. Firenze, palazzo della Signoria.

glorie, provincia di un Impero: questo sì effettuale, perché fondato sulle armi e non sui sogni della cultura, ferocemente nuovo, stavolta, e non umanisticamente rinnovato.

NOTE

[1] Si pensi alle opere di Giuliano da Sangallo (1445-1516) maturo, improntate a un cosciente recupero delle complesse decorazioni parietali romane, quali il cortile del palazzo di Bartolomeo Scala, in Borgo Pinti a Firenze, del 1485-90, ricco di ornamentazioni anticheggianti a rilievo sia sui prospetti che sulle volte del portico; o l'ideazione del cassettonato grottesco del soffitto del vestibolo della Sagrestia di Santo Spirito, poi realizzato dal Cronaca (verso il 1495), o gli stucchi della volta a botte del portico di facciata della Villa di Poggio a Caiano, anch'essi del 1495 circa.
A una simile categoria di iperdecorazione classicizzante vanno riferite anche altre opere giulianee, quali la fronte della Santa Cristina di Bolsena del 1492-94, commessa dal cardinale Giovanni de' Medici, futuro Leone X, e realizzata da Benedetto e Francesco Buglioni, o il progetto perduto per la facciata della Basilica di Loreto, del 1500 circa, e il disegno per la loggia dei Suonatori per Giulio II, rappresentanti l'esito maturo di questo classicismo archeologizzante e suntuario.
[2] La villa di Poggio a Caiano, iniziata per il Magnifico Lorenzo attorno al 1480, con il prezioso portico di facciata ornato, attorno al 1495, dall'archeologizzante fregio in terracotta di Andrea Sansovino, dagli iperdecorati stucchi della volta a botte e dai saturnini affreschi di Filippino Lippi, venne ultimata sotto Leone X per quel che concerne il grandioso salone centrale voltato a botte.
La chiesa della Madonna dell'Umiltà a Pistoia, iniziata nel 1495 su probabile modello sangallesco, e realizzata da Ventura Vitoni entro il primo ventennio del Cinquecento, ad eccezione della copertura a cupola dovuta a Giorgio Vasari, accoppia in un significativo sincretismo all'amplissima volta a botte dell'atrio la pianta centrale cupolata della chiesa vera e propria, acculturata fusione di uno spazio suggestivamente termale con un puntuale riferimento al Pantheon.
In Francia al seguito del cardinale Giuliano della Rovere, tra il 1494 e il 1495, Giuliano offre a Carlo VIII un modello di palazzo esemplato sui complessi edifici già progettati per il re di Napoli o per Lodovico il Moro, vere e proprie centripete *urbes regiae* in miniatura.
[3] Il 'sordo' cubo del palazzo Strozzi, iniziato nel 1489 da Benedetto da Maiano (1442-1497), esemplato sul già attardato palazzo Spannocchi realizzato attorno al 1470 a Siena dal fratello Giuliano, e continuato dopo la morte di Benedetto da Simone del Pollaiolo detto il Cronaca, era già abitato nel 1504, ma i suoi lavori proseguirono sino al 1538.
La cappella di San Bartolo in Sant'Agostino a San Gimignano, eseguita dallo stesso Benedetto nel 1494 sul modello della Cappella di Santa Fina nella Collegiata della medesima città, opera del fratello Giuliano che l'aveva realizzata nel lontano 1468. L'altare di San Romolo e di San Matteo nel Duomo di Fiesole, del 1493, di Andrea Ferrucci (1465 c.-1526), che modernizza uno schema assai arcaico, impiegato ad esempio da Benedetto da Maiano nel 1489 per l'altare dell'Annunciazione della chiesa di Monte Oliveto a Napoli.
La loggia dell'Ospedale di San Paolo a Firenze, del 1489-96, ripropone l'ormai consueto schema del portico brunelleschiano dell'Ospedale degli Innocenti; mentre la loggia dei Tessitori, sempre a Firenze, del 1500 circa, divulga riduttivamente certe eleganze giulianee.
Si distingue da questa produzione 'eclettica' l'opera del giovane Andrea Sansovino (1460-1529), scultore sensibile all'architettura sin dalla impegnativa Pala marmorea per i Corbinelli in Santo Spirito, del 1490 circa, ricca di sontuosità laurenziana e presaga delle fortune architettoniche del prossimo soggiorno portoghese dell'artista.
[4] A titolo di mera ipotesi si segnalano qui due significativi complessi architettonici ascrivibili all'ultimo decennio del Quattrocento, il coro cupolato della chiesa di Monte Oliveto a Firenze e l'insieme delle cappelle del San Domenico di Fiesole, riconducibili per la loro rinnovata severità a un tempo spoglia e spaziosa all'ambito del Cronaca del San Salvatore al Monte.
Simone del Pollaiolo detto il Cronaca (1457-1508) è poi l'autore del raggelato cortile e del risentito cornicione del palazzo Strozzi, da lui continuato dopo la morte di Benedetto da Maiano.
Si vedano poi anche i piccoli edifici centrali, di chiara impronta cronachiana, delle lanterne in ferro battuto realizzate dal Caparra sui cantonali dell'edificio. Di consolidata paternità cronachiana sono poi: il palazzetto degli Alberti, oggi Museo Horne, del 1495 circa, con la significativa dialettica fra le purgate fronti e l'elegante cortile dai ricchi capitelli attribuiti ad Andrea Sansovino, il quale proprio in questo torno di tempo stava realizzando le decorazioni del vestibolo della Sagrestia di Santo Spirito, opera del medesimo Cronaca;
lo spoglio e impassibile palazzo Guadagni, commissionato nel 1503 da Rinieri di Bernardo Dei, di cui si segnala anche la cronachiana lanterna in ferro battuto del cantonale, attribuita al Caparra, in forma di piccolo edificio centrale;
il sontuoso ma spazialmente fermo vestibolo della Sagrestia di Santo Spirito, realizzato tra il 1492 e il 1494 su disegno giulianeo e con la collaborazione, per la parte scultorea delle colonne e dei lacunari della botte, di Andrea Sansovino;
la cupola della Sagrestia di Santo Spirito, del 1496-97, eseguita secondo l'arcaica tipologia brunelleschiana

delle creste e vele insieme al 'brunelleschiano' attardato Salvi di Andrea, e posta a coprire il modernissimo vano ottagono eseguito nel 1489-92 da Giuliano da Sangallo;
la Sala Grande del Consiglio nel palazzo della Signoria, iniziata nel 1495 per espressa volontà del Savonarola con l'intento di superare in ampiezza le sale delle pubbliche magistrature di Venezia e di Padova, fondata sui medievalistici piloni ottagonali del cortile della Dogana. Planimetricamente le dimensioni erano quelle dell'attuale Salone dei Cinquecento, ma l'altezza era assai più modesta. Vi erano numerose aperture: tre per ogni lato breve, quattro in quello lungo di ponente e due in quello di levante. Un altare era sistemato nella testata meridionale. Inaugurata in gran fretta nel 1496, l'anno successivo Antonio da Sangallo il Vecchio viene incaricato di eseguire il grande soffitto ligneo, e in questo ufficio gli succede, nel 1499, Baccio d'Agnolo, mentre al legnaiolo Clemente del Tasso è affidato il grande stemma centrale. Baccio d'Agnolo realizza poi il monumentale arredo ligneo della sala, composto di sei ordini di seggi con balaustra a colonnini e da una monumentale Udienza per la Signoria, nella testata settentrionale, con stalli connotati da una maggior ricchezza.
Attorno al 1500 il Cronaca completa poi il rifacimento del San Salvatore al Monte, che pur nella sua spoglia severità manifestamente risente del soggiorno romano dell'artista del 1497.
Insieme a Baccio d'Agnolo e Antonio da Sangallo il Vecchio, nel 1506, è incaricato di eseguire la galleria del tamburo della cupola di Santa Maria del Fiore. Nel 1508 il Sangallo è allontanato dall'incarico e, entro il 1515, viene realizzata su uno solo degli otto lati una loggia dallo spoglio doppio ordine tuscanico dorico trabeato, non più proseguita sia per le critiche michelangiolesche sia perché opera 'repubblicana' non certo particolarmente gradita ai Medici tornati nel frattempo padroni di Firenze.
Nel primo decennio del '500, presso il convento di San Vivaldo nella Val d'Elsa, vengono realizzate una trentina di cappelline, di cui oggi restano in piedi poco più della metà, destinate a comporre l'itinerario penitenziale di un Sacro Monte. Ignoto è l'autore del programma architettonico, ma se ne segnala la notevole qualità se non altro per quel che concerne l'invenzione tipologica, che spazia dagli arcaismi neoromanici di rotonde ritmate da arcate cieche alle severità 'savonaroliane' di campi di puro intonaco e di pilastri e colonne tuscanici. Una piccola *Civitas Dei* piagnona che ben si addirebbe al gesto di *pietas* progettuale di una Cronaca, di un Baccio d'Agnolo.

[5] L'archeologizzante portale della Badia Fiorentina, del 1495, che fa da dialettico *introibo* alla arcaistica, penitenziale cappella Pandolfini, sempre di Benedetto da Rovezzano (1474-1552), del 1500 circa.
Il lambiccato monumento di San Giovanni Gualberto, iniziato nel 1505 per il monastero di San Salvi, gravemente danneggiato dagli imperiali nel 1529 e smembrato (se ne conservano parti nel medesimo monastero di San Salvi, nel Museo Nazionale del Bargello e nella chiesa di Santa Trinita), dove a sbrigliate fantasie grottesche erano accoppiate, specie nelle storie a basso rilievo, singolari cadenze neomedievali.
La tomba di Oddo Altoviti, del 1507, ai Santi Apostoli di Firenze (il cui portale è egualmente attribuito a Benedetto), e la tomba di Pier Soderini, Gonfaloniere della Repubblica, nella chiesa del Carmine, allogata nel 1512, offrono un impressionante esempio di forzoso e macabro adattamento dell'esuberante, affastellata decorazione di derivazione grottesca al tema della morte, in un'ostentazione penitenziale della corruzione della (bella) materia, in una singolare *danse macabre* di ossa, teschi, serpenti, vermi e simili simboli funerei, perfidamente frammisti al canonico e solare repertorio di candelabre, vasi, ovoli, nastri, ghirlande, fuseruole, perle.
Benedetto realizza anche, sulla scorta del modello giulianeo del camino per il palazzo Gondi, monumentali camini per varie famiglie fiorentine, fra cui quello, del 1517 circa, per i Borgherini (il cui palazzo era stato eseguito su disegno di Baccio d'Agnolo), accentuando sino al parossismo l'iperdecorazione archeologizzante che va a coprire ogni membratura architettonica della decorazione.

[6] Il Vasari ricorda come nella bottega di Baccio d'Agnolo «vi si faceano [...] bellissimi discorsi e dispute d'importanza. Il primo di costoro era Raffaello da Urbino, allora giovane, e dopo Andrea Sansovino, Filippino, il Maiano, il Cronaca, Antonio e Giuliano Sangalli, il Granacci, et alcune volte, ma di rado, Michelangelo e molti giovani fiorentini e forestieri». Dove, indipendentemente dalla veridicità totale o parziale di queste riunioni precocemente 'accademiche', giova il far rilevare la disparità estrema delle posizioni estetiche incarnate dai vari artisti nominati, che tutto dovevano nella realtà rappresentare fuorché una armoniosa e serafica accolta di olimpici dotti.

[7] Francesco Albertini, *Memoriale di molte statue e pitture che sono nell'inclyta ciptà di Florentia*, Firenze 1510; Id., *Opusculum de Mirabilibus novae et veteris urbis Romae*, Roma 1510; Id., *Septem mirabilia orbis et urbis Romae et Florentiae civitatis*, Roma 1510. Il dotto autore di queste operette era, per giunta, canonico della medicea chiesa di San Lorenzo. Si noti, infine, la significativa distinzione concettuale e linguistica tra Roma, che è *urbs*, e Firenze, che è *civitas*.

[8] Vengono attribuiti al periodo giovanile di Baccio d'Agnolo (1462-1543), formatosi come legnaiolo, gli stalli del coro di Santa Maria Novella, del 1491-96, poi modificati nel corso del XVI secolo; gli stalli del coro della chiesa maggiore della Verna, del 1495, insieme al leggio del 1509; il coro della Basilica dell'Impruneta (dove lavorerà attorno al 1520); gli stalli del coro di Sant'Agostino a Perugia, verso il 1503.
I campanili realizzati su disegno di Baccio d'Agnolo sono quello di San Miniato al Monte, iniziato o ai primissimi del Cinquecento, o nel 1518 e rimasto incompiuto; quello di Santo Spirito, innalzato tra il 1503 e il 1517 a eccezione della neobrunelleschiana, arcaizzante cuspide, completata solo nel 1568-71; e, forse, il campanile di Santa Croce, che sarebbe dovuto sorgere accanto alla fronte della Basilica e che venne appena iniziato nei suoi fondamenti, mai realizzato e infine cancellato dai restauri del secondo Ottocento. Opere tutte di un classicismo penitenziale, il cui modello romano è ravvisabile nel 'bramantesco' campanile di Santa Maria dell'Anima del 1500-1511.

Ricchissimo è il catalogo dei palazzi realizzati da Baccio d'Agnolo o eseguiti seguendo fedelmente la sua 'maniera', tipicamente arcaizzante: innanzi tutto il palazzo Taddei, del 1503, in via de' Ginori, famiglia per la quale progettò anche la villa suburbana; il palazzo Ricasoli Firidolfi, in via Maggio, dal severo cortile e dagli architettonici ferri decorativi; la villa Belvedere al Saracino a Bellosguardo, del 1502-1518, commessa dai Borgherini per i quali Baccio eseguì anche, verso il 1517, il palazzo, poi Rosselli del Turco, di Borgo Santi Apostoli; il palazzo Torrigiani, in via Porta Rossa, su arcaizzanti sporti; il palazzo Torrigiani, in piazza dei Mozzi, con la fronte laterale prospettante sul fiume coronata da una sobria altana; il palazzo Buondelmonti, su piazza Santa Trinita, del 1520 circa, con la fronte originariamente impreziosita dagli affreschi di Jacopo di Francesco detto Jacone.
Un caso a parte rappresenta poi il palazzo Antinori, la cui fronte sul giardino è concordemente attribuita a Baccio d'Agnolo e riconducibile al suo linguaggio per così dire classicizzante verso il 1520, ma anche il cui cortile, dalle cronachiane, impassibili finestre, e soprattutto la cui facciata, vera e propria sofisticatissima impiallacciatura in pietra forte, volutamente priva di qualsivoglia aggettivazione umanistica, sembrerebbero potersi ascrivere al medesimo architetto. Questo sia perché le paternità del palazzo sinora avanzate, quali quelle di un Giuliano da Maiano o ancor peggio di un Giuliano da Sangallo, non risultano suffragate da prove documentarie, sia perché perfettamente in linea con l''ambiguità' linguistica di Baccio risulterebbe il dotare un palazzo già iniziato nella seconda metà del XV secolo di un fronte esterno saputamente arcaizzante, 'neoquattrocentesco', arricchendolo poi di raffinatezze classicistiche all'interno. Un po' come era accaduto per il palazzo Alberti, oggi Museo Horne, del Cronaca.
Al filone di un Baccio precocemente classicizzante sembrerebbero poi riconducibili le marmoree porte del Salone dei Duecento nel palazzo della Signoria, e specialmente quella dall'archeologico fregio marziale.
Alla seconda maniera di Baccio, quella leoniana, raffaellesca, appartengono innanzi tutto il palazzo dei Bartolini (famiglia per la quale l'architetto curò anche l'esecuzione della delizia suburbana di Valfonda), in piazza Santa Trinita, del 1519-38, criticato aspramente dal *côté* piagnone cittadino perché «aveva più forma di facciata di tempio che di Palazzo» (Vasari); il palazzo Lanfredini, sul lungarno Guicciardini, dalle pressoché inedite per Firenze finestre architravate con cimasa piana; nonché la chiesa di San Giuseppe, del 1519, originariamente pensata come struttura sostanzialmente centrale, con cappelle aperte su tutti e quattro i bracci della croce le cui aperture risultavano innervate da un doppio ordine di lesene e pilastri trabeati alla romana.
Un'analoga partitura ritmica la si ritrova poi a rivestire l'esterno del fianco di San Lorenzo, verso settentrione, traccia forse dei ben più ambiziosi progetti di Leone X per la fronte della chiesa.
Almeno frutto di un'idea di Baccio è inoltre il palazzo Cocchi Serristori, in piazza Santa Croce, dove la semplice ma ortodossa scansione delle lesene trabeate, inquadranti al primo piano sonore arcature e al secondo sintomatiche bifore architravate bramantesche, poggia su mensole laterali aggettanti trattate con la lambiccata sapienza artigiana di un maestro di intaglio.
Ragionevolmente infine da attribuirsi sempre a Baccio è la villa dei Ginori a Baroncoli, vera e propria fattoria fortificata medievaleggiante nei cui ferrigni paramenti murari in alberese sono incastonati alcuni preziosi costrutti formali scopertamente romanizzanti, quali la bramantesca bifora architravata.
[9] Si pensi alla marmorea e policromatica cappella Gondi in Santa Maria Novella, eseguita nel 1503 su disegno di Giuliano da Sangallo, che introduceva nel severo clima piagnone della città le eleganze materiche e linguistiche di un classicismo archeologizzante. Altrettanto dicasi del sontuoso altare maggiore della chiesa di Santa Maria delle Carceri a Prato, ideato dal medesimo Giuliano nel 1508 sul modello delle 'raffaellesche' edicole del Pantheon.
Più ambigui i due interventi leoniani di Antonio da Sangallo il Vecchio sulla piazza della Santissima Annunziata, aperti sì alla nuova magnificenza romana, ma anche attenti a non interrompere una mitica continuità col glorioso linguaggio brunelleschiano: il grande arco di accesso al chiostrino dei Voti, del 1509-1513, baldacchino effimero reso permanente dalle colonne in pietra esemplate sulle acerbe forme delle lesene del portale quattrocentesco, e il portico della Confraternita dei Servi, del 1516-1525, speculare al loggiato degli Innocenti, ma dalla testata resa sonora dall'inserzione dell'ordine gigante di pilastri.
[10] Il 30 di novembre del 1515 Leone X passa una prima volta per Firenze, diretto a Bologna, e vi fa ritorno il 22 del mese successivo. Giuliano del Tasso, Baccio da Montelupo, Baccio Bandinelli, Aristotile da Sangallo e Antonio da Sangallo il Giovane, sotto il coordinamento di Jacopo Sansovino, eseguono archi trionfali, rivestimenti di facciate, templi centrali, tutta una serie di finte architetture di legno e stucco, decorate da statue, bassorilievi, tele dipinte e così via, a fingere per un aureo e spettacolare momento l'immagine di una sognata Firenze *instaurata*.
[11] La facciata, che nelle intenzioni di Michelangelo doveva essere «d'architettura e scultura lo specchio di tutta Italia», prevedeva non il semplice rivestimento della fronte della basilica, lasciata al rustico dai continuatori di Filippo, ma la creazione di una sorta di nartece ospitante in basso un profondo atrio e al piano superiore un vasto ambiente a metà loggia delle benedizioni, a metà sacello per la conservazione delle reliquie.
L'esecuzione dell'opera, di cui restano significativi disegni, specie quelli del vecchissimo Giuliano da Sangallo e di Michelangelo, nonché il modello ligneo dello stesso Michelangelo, venne poi accantonata in quanto Leone X preferì concentrare le attività laurenziane del Buonarroti sulla cappella di famiglia della Sagrestia Nuova e sulla Libreria Medicea.
[12] La chiesa della SS. Annunziata ad Arezzo, iniziata nel 1491 da Bartolomeo della Gatta, viene portata avanti da Antonio da Sangallo il Vecchio (1455-1534) a partire dal 1504, coprendo la navata con una volta a botte e incatenando i valichi delle navatelle in un sistema di lesene trabeate, ed aggiungendo, attorno al

1520, un monumentale vestibolo giulianeo, voltato a vela e illuminato dalla bramantesca serliana di facciata.
La Madonna delle Querce presso Lucignano, attribuita anche a Giuliano, presenta all'interno l'impiego di un severo, canonico dorico.
La chiesa di Sant'Agostino a Colle Val d'Elsa, i cui disegni e modello risalgono al 1521, è un ampio spazio scompartito in tre navate da classicistiche colonne.
Il palazzo del Cardinale del Monte, oggi palazzo comunale, a Monte San Savino, presenta una perfetta sintesi fra il bugnato struttivo dell'architettura umanistica del Quattrocento fiorentino al piano terreno, e l'elegante alternanza di finestre a edicola a timpani semicircolari e triangolari inquadrate da paraste ioniche di diretta derivazione bramantesco-raffaellesca al primo piano.
A Montepulciano si vedano il palazzo Cocconi (del Pecora), dal raffaellesco piano terreno a bugnato con piattabande di conci e dalla singolare finestra del balcone su doriche colonnine binate al primo piano; il palazzo Cervini, commesso dal futuro papa Marcello II, dalle peruzziane ali aggettanti e dalla raffaellesca alternanza fra timpani curvilinei e triangolari delle finestre del piano nobile; il palazzo del Cardinale del Monte, poi Contucci, dalle ricche mostre a edicola delle finestre del piano nobile sorrette da robuste, allungate mensole memori del Michelangelo di Castel Sant'Angelo; il problematico palazzo Tarugi (per il quale è stato fatto anche il nome del Vignola) dal singolare ordine gigante ionico e dal verone angolare trabeato con colonnette in falso come nel bramantesco chiostro di Santa Maria della Pace.
Si vedano anche la loggia del Mercato, a severi pilastri tuscanici, e la canonica di San Biagio, anch'essa con un porticato ad arcate strette tra pilastri tuscanici sormontati da un verone con ariose bifore la cui colonnetta centrale posa in falso, sul colmo della sottostante arcata.
Infine l'impeccabile croce greca del San Biagio, che coniuga la giulianea Santa Maria delle Carceri (e «per li rami» la prospettica croce della brunelleschiana cappella dei Pazzi) ai gonfianti ritmi del San Pietro di Bramante, e sancisce il trionfo del dorico come nuovo ordine privilegiato rispetto ai più gracili, quattrocenteschi ionico e corinzio.
E che del resto lo sviluppo del tema della pianta centrale di San Pietro avesse da sempre appassionato il Sangallo, è indirettamente testimoniato dalla chiesa della Consolazione a Todi, iniziata dieci anni prima non a caso da quel Cola di Caprarola aiuto di Antonio il Vecchio ai tempi del palazzo di Alessandro VI a Civita Castellana sullo scorcio del Quattrocento.
[13] Andrea Sansovino (1460-1529) era entrato in contatto, sin dalla fine del primo decennio del secolo, col grande Bramante, realizzando i due monumenti sepolcrali dei cardinali Antonio Sforza e Girolamo Basso per la nuova abside di Santa Maria del Popolo, collocati esattamente al di sotto delle grandi serliane delle pareti laterali. Nell'orbita della committenza medicea aveva poi ideato il palazzo di Giuliano de' Medici a Roma, nel 1513, e sovrinteso, a partire dal 1514, all'esecuzione del grandioso Palazzo Apostolico a Loreto, sviluppando un disegno dello stesso Bramante, nonché alla realizzazione della Santa Casa, anch'essa già impostata dal 1509 su un'idea del grande urbinate.
Significativa pure la sua attività cortonese, con la ipotetica realizzazione del Duomo e della canonica, complesso dove effettivamente a scoperte citazioni romane, quali il dorico portale della chiesa o il loggiato ionico lungo il fianco, si intrecciano significative permanenze quattrocentesche, come nell'interno del Duomo stesso denunciano le magre colonne sormontate dal 'dado' brunelleschiano; e con l'esecuzione, nel 1520, dell'altare maggiore della chiesa della Madonna del Calcinaio, dove una ricchezza suntuaria memore degli ornati della Santa Casa è applicata ad un organismo che nella tipologia del ciborio voltato a botte cassettonata si richiama a forme protoquattrocentesche, michelozziane.
A Monte San Savino, infine, Andrea realizza certamente la loggia del Mercato che ripropone, pur trasformata da un'ornamentazione ricca e canonicamente classicistica (l'ordine corinzio dal fusto scanalato, inedito in Toscana), le forme dei portici, delle navate brunelleschiane; ed esegue, sempre attorno al 1520, in un impeccabile, peruzziano, serliano dorico romano, la porta della cappella di San Giovanni, attigua alla chiesa di Sant'Agostino, chiesa per la quale realizzò forse la cantoria e l'adiacente chiostro.
Da ricordare, infine, che al Sansovino si deve un disegno, conservato al Victoria and Albert Museum di Londra, per la tomba di Leone X, e del quale ben si ricorderà il Bandinelli nella tomba di Giovanni delle Bande Nere, in cui l'altro podio sul quale riposa il sarcofago del pontefice è innervato da un canonico ordine dorico. Ordine architettonico ormai avviato a divenire, data anche la sua ambigua commistione con il tuscanico, l'ordine-emblema della sovranità medicea.
[14] Dall'ereticale ossatura architettonica dipinta sulla volta della cappella Sistina, ricca di inediti costrutti linguistici, all'altrettanto eterodossa fronte della cappella di Leone X in Castel Sant'Angelo, dove l'equilibrato ordine dorico è accostato alla volutamente disarmonica partizione dell'allentata, 'sgrammaticata' finestra crociata.
Ideale continuazione di un simile *furor* eversivo nei confronti della tradizione è l'invenzione della finestra inginocchiata per il palazzo Medici, angosciato connubio fra l'inerte *aplomb* dell'edicola timpanata e il vitalistico scatto delle quasi biomorfiche, allungatissime mensole, generate da un modiglione posto ereticalmente in verticale, per così dire invertito.
[15] Per le tombe terragne si veda quella, impressionante per il voluto arcaismo, di Luigi Tornabuoni eseguita dopo il 1515 in Sant'Jacopo in Campo Corbolini e attribuita al fiesolano Cicilia. Un gusto radicato a Firenze se, poco prima della metà del secolo, Francesco da Sangallo (1494-1576), figlio di Giuliano, poteva ancor riproporlo, degustandone manifestamente tutti i suoi scoperti sapori *retro*, nel *gisant* del cardinale Leonardo Buonafede per la chiesa della Certosa del Galluzzo presso Firenze.
Attorno al 1525 Santi Buglioni (1495-1576), collegato anche direttamente alla gloriosa bottega di Luca

della Robbia essendo stato allievo del bisnipote di questi, Giovanni (1469-1529), inizia a decorare il portico dell'Ospedale del Ceppo di Pistoia, eretto una decina d'anni prima in arcaistiche forme neobrunelleschiane, con un lungo fregio in terracotta invetriata policroma dove il pacato e pausato raccontare dei pannelli continui delle *Sette Opere di Misericordia*, improntati ad una *pietas* antica, per così dire angelichiana, reagiscono a tratti con più smaliziate e inquietanti citazioni grottesche.
Giovanni della Robbia, verso il 1522, realizza il tabernacolo delle Fonticine, dove alla *romanitas* della mostra d'acque si unisce la citazione protoquattrocentesca di un ciborio voltato a botte estradossata sul tipo della michelozziana cappella del Crocifisso a San Miniato al Monte.
Attorno al 1530 Nanni Unghero (1490 c.-1546) esegue con la sua Sapienza di Pistoia un edificio ormai ostinatamente *demodé*, ove ad esempio le colonne del portico di facciata sono ancor memori di lambiccate eleganze antichizzanti da intagliatore, alla Giuliano più da Maiano che da Sangallo.
Baccio da Montelupo (1469-1535) infine, con la chiesa di San Paolino a Lucca, iniziata nel 1522, se da un lato si richiama alle esperienze del Cronaca di San Salvatore e del Baccio d'Agnolo di San Giuseppe, entrambe a loro volta collegate dalla sangallesca Santissima Annunziata di Arezzo (frutto a sua volta della giulianea chiesa dello scomparso monastero di San Gallo a Firenze e, forse, della cortonese Madonna del Calcinaio di Francesco di Giorgio), tutti edifici attenti alla complessa unificazione di differenti vani spaziali tramite lo strumento normalizzante del doppio ordine trabeato di lesene inquadranti arcate, dall'altro, con l'impeccabile incrocio delle botti di navata, coro e bracci del transetto, risale ben addentro nella tradizione architettonica del Quattrocento, sino alla cosimiana e brunelleschiana Badia Fiesolana, e ancor più indietro sino al suo ipotetico modello, la originaria basilica di San Lorenzo ideata da Filippo con l'incrocio di due impeccabili parallelepipedi voltati a botte e gemmanti lungo i lati i cubi delle cappelle.
Infine, sono attribuibili in ipotesi a Baccio d'Agnolo, individuato come l'unico artista dell'area fiorentina capace di concepire arcaismi così scoperti e radicali sullo scorcio del terzo decennio del secolo, tanto la mostra della porta laterale della sala dell'Udienza del palazzo della Signoria, quanto il grande pannello che decora, a mo' di gigantesca sovrapporta, l'ingresso principale dalla piazza del medesimo palazzo. Entrambe appaiono opere improntate ad un'intenzionale commistione di fonemi desunti dal classicismo tardoumanistico e dal gotico più sofisticato e maturo, cosicché in construtti decorativamente densi e desueti si trovano riuniti gattoni, cuspidi e mensoline trecentesche, modanature, cartelle e spartimenti quattrocenteschi, teste alate di cherubini appartenenti a un universo simbolico a un tempo medievale e rinascimentale, creanti tutti insieme un acre e intrigante rumore semantico, manifestamente frutto di quel fervido disagio ideologico, spirituale che contraddistinse i brevi anni dell'ultima Repubblica fiorentina.

Orientamento Bibliografico

J. Burckhardt, *Die Kultur der Renaissance in Italien*, Basel 1860 (trad. it. *La civiltà del Rinascimento in Italia*, Firenze 1959).
E. Müntz, *Les précurseurs de la Renaissance*, Paris 1882.
K. Stegmann e H. von Geymüller, *Die Architektur der Renaissance in Toskana*, 10 voll. München 1885-1908.
R. Redtenbacher, *Die Architektur der Italiänischen Renaissance...*, Frankfurt a.M. 1886.
A. Melani, *Architettura Italiana*, Milano 1887[2].
L. Scott, (pseud. Lucy Baxter), *The Renaissance of Art in Italy*, London 1888.
H. Wölflinn, *Renaissance und Barock*, München 1888.
Ch. Blanc, *Histoire de la Renaissance artistique en Italie*, Paris 1894.
E. Müntz, *L'Arte italiana nel Quattrocento*, Milano 1894.
R. Adamy, *Architektonik der Frührenaissance*, Hannover 1896.
A. Philippi, *Die Kunst der Renaissance in Italien*, Leipzig 1897.
K. Brandi, *Die Renaissance in Florenz und Rom*, Leipzig 1899.
A. Choisy, *Histoire de l'Architecture*, Paris 1899.
G. Clausse, *Les San Gallo architectes...*, Paris 1900-1902.
W.J. Anderson, *The Architecture of the Renaissance in Italy...*, London 1901[3].
C. von Fabriczy, *Giuliano da Maiano*, in «Iahrbuch der K. Preussischen Kunstsammlungen», XXIV, 1903, p. 137 ss.
D. Joseph, *Geschichte der Architektur Italiens von der Ältesten bis zur Gegenwart*, Leipzig 1907.
E. Mûnoz e M. Lazzaroni, *Filarete*, Roma 1908.
W. Limburger, *Die Gebäude von Florenz*, Leipzig 1910.
P. Frankl, *Die Renaissance architektur in Italien*, Leipzig 1912.

P. Zucker, *Raumdarstellung und Bild-Architektur in Florentiner Quattrocento*, Leipzig 1913.
J. Durm, *Die Baukunst der Renaissance in Italien*, Leipzig 1914.
G. Scott, *The architecture of Humanism. A history of taste*, New York 1914 (trad. it. Bari 1939).
J. Baum, *Baukunst und decorative Plastik der Frührenaissance in Italien*, Stuttgart 1920 (trad. it. Stoccarda 1926).
G. Gromort, *Histoire abrégée de l'Architecture de la Renaissance en Italie*, Paris 1922.
A. Haupt, *Palaast Architektur von ober Italien und Toscana von XIII bis XVIII Jahrhundert*, Berlin 1922.
F. Ràfols e F. José, *Arquitectura do Renacimiento italiano*, Barcelona 1922.
W. Bode, *Die Kunst der Frührenaissance in Italien*, Berlin 1923.
G.J. Hoogewerf, *De outwikkeling der italiaansche Renaissance*, Zutphen 1923.
P. Schubring, *Die Architektur der italienischen Frührenaissance*, München 1923.
A. Venturi, *L'Architettura del Quattrocento*, in *Storia dell'Arte Italiana*, Milano 1923, voll. VIII, 1-2.
D. Frey, *Architettura della Rinascenza da Brunelleschi a Michelangelo*, Roma 1924.
J. von Schlosser, *Die Kunstliteratur*, Wien 1924 (trad. it. *La letteratura artistica*, Firenze 1964).
A. Mori e G. Boffito, *Firenze nelle vedute e nelle piante*, Firenze 1926.
W.J. Anderson, *The architecture of the Renaissance in Italy*, 5th edition, revised and enlarged by Arthur Stratton, London 1927.
E.W. Anthony, *Early Florentine Architecture and decoration*, Cambridge (Mass.) 1927.
E. Panofsky, *Perspektive als 'Symbolische form'*, Leipzig- Berlin 1927 (trad. it. *La prospettiva come forma simbolica*, Milano 1961).
S. Vitale, *L'estetica dell'architettura. Saggio sullo sviluppo dello spirito costruttivo*, Bari 1928.
H. Willich e P. Zucker, *Die Baukunst der Renaissance in Italien*, Postdam 1929.
A. Stokes, *The Quattrocento... An essay in italian fifteenth century architecture and sculpture*, London 1932.
G. Giovannoni, *Saggi sull'architettura del Rinascimento*, Milano 1935[2].
A. Blunt, *Artistic Theory in Italy, 1450-1600*, London 1940 (trad. it. *Le teorie artistiche in Italia dal Rinascimento al Manierismo*, Torino 1966).
P. Sanpaolesi, *La cupola di S. Maria del Fiore*, Roma 1941.
W e E. Paatz, *Die Kirchen von Florenz*, Frankfurt A. M. 1940-1954.
G. Marchini, *Il Cronaca*, in «Rivista d'Arte», XXIII, Firenze 1941.
M. Salmi, *Firenze, Milano e il Primo Rinascimento*, Milano 1941.
G. De Angelis D'Ossat, *Un carattere dell'arte brunelleschiana*, Roma 1942.
G. Marchini, *Giuliano da Sangallo*, Firenze 1942.
G. Giovannoni, *L'urbanistica del Rinascimento*, in AA. VV., *L'urbanistica dall'antichità ad oggi*, Firenze 1943.
L. Grassi, *Disegni inediti di Simone del Pollaiolo detto il Cronaca*, in «Palladio», 1943, n. 1, p. 44 ss.
N. Pevsner, *An outline of European Architecture*, Harmonds worth 1943 (trad. it. *Storia dell'architettura europea*, Bari 1957).
G. Marchini, *Aggiunte a Michelozzo*, in «La Rinascita», VII, 1944.
R. Papini, *Francesco di Giorgio architetto*, Firenze 1946.
A. Panella, *Storia di Firenze*, Firenze 1949.
P. Sanpaolesi, *Le prospettive architettoniche di Urbino, Baltimora e Berlino*, in «Bollettino d'Arte», n. 4, 1949.
R. Wittkower, *Architectural Principles in the Age of Humanism*, London 1949 (trad. it. *Principi architettonici nell'età dell'Umanesimo*, Torino 1971).
A. Hauser, *Sozialgeschichte der Kunst und Literatur*, 1950 (trad. it. *Storia sociale dell'arte*, Torino 1956).
M. Kirchmayr, *L'architettura italiana dalle origini ai giorni nostri*, Torino 1950.
G. Marchini, *Aggiunte a G. da Sangallo*, in «Commentari», I, 1950, pp. 34-38.
P. Francastel, *Imagination et réalité dans l'Architecture civile du Quattrocento*, in *Hommage a L. Febvre*, Paris 1953.
W. Paatz, *Die Kunst der Renaissance in Italien*, Stuttgart 1953.
E. Sisi, *L'urbanistica negli studi di Leonardo da Vinci*, Firenze 1953.
C. Brandi, *L'architettura fiorentina del Rinascimento*, in *Il Quattrocento*, Firenze 1954, pp. 177-204.

A. Chastel, *Marsile Ficin et l'Art*, Genève 1954.
C. Maltese, *Il pensiero architettonico e urbanistico di Leonardo*, in *Leonardo. Saggi e Ricerche*, Roma 1954.
L. Hautcoeur, *Histoire de l'Architecture Classique en France*, Paris 1955, voll. III e IV.
H. Rosenau, *Historical aspects of the Vitruvian Tradition in Town planning*, in «Journal of the Royal Institute of British Architects», n. 10, 1955, pp. 481-487.
P. Zucker, *Space Concept and Pattern Design in Radio-centric City Planning*, in «Art Quarterly», n. 2, vol. XIV, 1956, n. 4, pp. 439-444.
A. Chastel, *Marsile Ficin et l'art*, Genève 1957.
L. Grassi, *L'arte del Quattrocento a Firenze e a Siena*, Roma 1957.
G. Munter, *Idealstadte, Ihre Geschichte von 15-17 Jahrunderts*, Berlin 1957.
T. Magnunson, *Studies in Roman Quattrocento Architecture*, Stockolms 1958.
B. Allsopp, *A History of Renaissance Architecture*, London 1959.
A. Chastel, *Art et Humanisme à Florence au temps de Laurent le Magnifique*, Paris 1959 (trad. it. *Arte e Umanesimo a Firenze...* Torino 1964).
P. Lavedan, *Histoire de l'urbanisme. Renaissance et temps modernes*, Paris 1959.
H. Rosenau, *The ideal city in its architectural evolution*, New York 1959.
R. Wittkower, *L'architettura del Rinascimento e la tradizione classica*, in «Casabella», 1959, 234, pp. 45-48.
R. Bonelli, *Da Bramante a Michelangelo*, Venezia 1960.
E.H. Gombrich, *The Early Medici as Patrons of Art*, in *Italian Renaissance Studies*, London 1960.
J. Ackermann, *The Architecture of Michelangelo*, London 1961.
L. Mumford, *The City in History*, New York 1961 (trad. it. *La città nella storia*, Milano 1963).
M. Zocca, *Sommario di Storia Urbanistica delle città italiane*, Napoli 1961.
E. Battisti, *L'antirinascimento*, Milano 1962.
J.Q. Hughes e N. Lynton, *Renaissance Architecture*, London 1962.
B. Lowry *Renaissance Architecture* New York 1962.
M. Salmi, *Aspetti del Primo Rinascimento: Firenze, Venezia e Padova*, in «Rinascimento», s. II, II (XIII), 1962, pp. 77-87.
A. Chastel e R. Klein, *L'Europe de la Renaissance. L'Age de l'Humanisme*, Paris 1963.
L. Firpo, *Leonardo architetto e urbanista*, Torino 1963.
P. Murray, *The Architecture of Italian Renaissance*, London - New York 1963 (nuova ed. New York 1969; trad. it. Bari 1977).
P. Murray e L. Murray, *The Art of Renaissance*, London 1963.
Y. Renouard, *Histoire de Florence*, Paris 1964 (trad. it. Firenze 1970).
C. Perogalli, *Storia dell'Architettura*, Milano 1964.
A. Chastel, *Le Grand Atelier d'Italie*, 1460-1500, Paris 1965 (trad. it. *La grande officina. Arte italiana 1460-1500*, Milano 1966).
A. Chastel, *Renaissance Meridionale. Italie 1460-1500*, Paris 1965 (trad. it. *I centri del Rinascimento, Arte italiana 1460-1500*, Milano 1965).
E. Cochrane, *The End of Renaissance in Florence*, in «Bibliothèque d'Humanisme et Renaissance». XXVII, 1965.
E. Garin, *Scienza e vita civile nel Rinascimento italiano*, Bari 1965.
L. Grassi, *Medioevo, Rinascimento, Manierismo, Barocco. Principi ed esperienze architettoniche*, Milano 1965.
F. Saxl, *La storia delle immagini*, Bari 1965.
AA. VV., *Florence au temps de Laurent le Magnifique*, Paris 1965.
G.C. Argan, *Il Primo Rinascimento*, Roma 1966.
E.H. Gombrich, *Norm and Form Studies in the Art of the Renaissance*, London 1966 (trad. it. *Norma e forma...*, Torino 1966).
M. Levey, *Early Renaissance*, Harmondsworth 1967.
P.M. Lugli, *Storia e cultura della città italiana*, Bari 1967.
M. Salmi, *Civiltà fiorentina del primo Rinascimento*, Firenze 1967[2].
L. Benevolo, *Storia dell'Architettura del Rinascimento*, Bari 1968.
R. De Fusco, *Il codice dell'Architettura. Antologia di Trattatisti*, Napoli 1968.
P. Marconi, *La cittadella come microcosmo*, in «Quaderni dell'Istituto di Storia dell'Architettura», Roma 1968.

P. SANPAOLESI, *Il Palazzo Pitti e gli architetti fiorentini della discendenza brunelleschiana*, in *Festscrift Ulrich Middeldorf*, Berlin 1968, p. 124 ss.
T.W. WEST, *A History of Architecture in Italy*, London 1968.
L. BENEVOLO, *La città italiana del Rinascimento*, Milano 1969.
H. BIERMAN, *Lo sviluppo della villa toscana sotto l'influenza della corte umanistica di Lorenzo il Magnifico*, in «Bollettino C.I.S.A.», IX, 1969.
F. HARTT, *History of Italian Renaissance Art*, New York 1969.
M. TAFURI, *L'Architettura dell'Umanesimo*, Bari 1969.
R. VON ALBERTINI, *Firenze dalla repubblica al principato*, Torino 1970; 1ª ed. Berna 1955.
P. SICA, *L'immagine della città da Sparta a Las Vegas*, Bari 1970.
L. BERTI, *Baccio d'Agnolo*, s.v., in *Dizionario Biografico degli italiani*, Roma 1970.
F.M. GODFREY, *Italian Architecture up to 1750*, London 1971.
A. CHASTEL, *Art e Civilisation de la Renaissance en Italie*, in «Annuaire du Collège de France», LXXII, 1972, pp. 597-606.
L. HEYDENREICH, *Ecloison de la Renaissance*, Paris 1972 (trad. it. *Il Primo Rinascimento, Arte Italiana, 1400-1460*, Milano 1974).
G. MIARELLI-MARIANI, *Il disegno per il complesso Mediceo di via Laura a Firenze*, in «Palladio», n.s. 22, 1/4, 1972.
M. WUNDRAM, *Art of the Renaissance*, London 1972.
E. GARIN, *Medioevo e Rinascimento* Roma - Bari 1973.
G. FANELLI, *Firenze Architettura e città*, Firenze 1973.
R. BENCINI e A. BUSIGNANI, *Le chiese di Firenze*, Firenze 1974.
L. HEYDENREICH e W. LOTZ, *Architecture in Italy, 1400 to 1600*, Harmondsworth-Baltimore 1974.
W. PAATZ, *The art of Italian Renaissance*, New York 1974.
G. SIMONCINI, *Città e società nel Rinascimento*, Torino 1974.
L. BENEVOLO, *Storia della città*, Bari 1975.
F. BORSI, *Leon Battista Alberti*, Milano 1975.
F. BORSI e G. MOROLLI, *La Badia Fiesolana. Architettura*, Firenze 1976.
G. SPINI, *Architettura e politica da Cosimo I a Ferdinando I*, Firenze 1976.
M.C. BUSCIONI, *Ventura Vitoni e il Rinascimento a Pistoia*, Firenze 1977.
W. LOTZ, *Studies in Italian Renaissance Architecture*, Cambridge (Mass.) - London 1977.
C. PEDRETTI, *Leonardo Architetto*, Milano 1978.
F. BORSI, G. MOROLLI e F. QUINTERIO, *Brunelleschiani*, Roma 1979.
G. FANELLI, *Le città nella storia d'Italia: Firenze*, Bari 1979.
AA. VV., *La città del Brunelleschi. Catalogo*, Firenze 1980.
E. GUIDONI, *La città dal Medioevo al Rinascimento*, Roma-Bari 1981.
V. FRANCHETTI-PARDO, *Storia dell'Urbanistica dal Trecento al Quattrocento*, Bari 1982.

GIOVANNI UGUCCIONI: MAGNIFICENZA E DURATA

Cristina Acidini Luchinat

1. Il committente e la famiglia

Di Giovanni di Buonaccorso di Benedetto, committente del palazzo sulla piazza del Granduca, troppo poco si conosce. Restano oscuri soprattutto i lati della sua personalità che, in rapporto con la solida posizione familiare nella società mercantile fiorentina, lo indussero a intraprendere la profonda trasformazione delle case che il padre e lui stesso avevano acquistato, nel corso degli anni, entro l'isolato delimitato a sud dalla piazza e a nord dalla via degli Antellesi o del Garbo (oggi Condotta)[1]. Quando, nel 1550, Giovanni diede avvio al progetto di ristrutturazione nel quale avrebbe profuso certo una buona parte delle sostanze accumulate dalla famiglia grazie ai profitti di una lunga ed abile mercatura, aveva per quanto si sa conclusa la sua carriera al servizio della comunità cittadina e del duca: dopo essere stato fra gli Otto di Balia nel 1542, e Capitano di Fivizzano – il presidio di recente fortificato da Cosimo nella Lunigiana – nel 1547, egli poteva ritirarsi a vita privata per curare i propri affari e probabilmente dedicare ogni energia alla costruzione del grandioso palazzo.
Non disponiamo di indicazioni riguardanti la sua formazione e la sua cultura, ma soltanto della brevissima nota biografica nella quale un suo lontano discendente, don Vincenzo Uguccioni, ne tratteggiò un profilo caratteriale illuminante: «visse con molto splendore, et era temuto da Nobili, Ricchi, e Savi della città. Negoziò ma non faceva banco [...], tenne cavallo sopra il quale andava con la gualdrappa, che allora si usava, et era segno di grandezza che non si usavano carrozze»[2].
L'ambizione a risplendere, dichiarata dal mercante gentiluomo Giovanni nel contegno e nelle azioni, si riconosce in pieno nell'episodio della costruzione del palazzo; e difatti l'impresa gli valse quella didascalia che sempre, quasi *epitetus ornans*, accompagna il suo nome negli alberi genealogici della casata: «Giovanni, che costruì la casa sulla piazza».
Prima di Giovanni (e, a dire il vero, anche dopo) la presenza della famiglia Uguccioni nei ranghi dei committenti di opere d'arte e d'architettura non superò i limiti di un mecenatismo assai avveduto. Insediati nelle case d'Oltrarno, gli Uguccioni del Quattrocento lasciarono testimonianza di devozione in una loro cappella nella chiesa di San Niccolò, dedicata a San Girolamo (oggi al Sacro Cuore). Di fondazione trecentesca[3], la cappella (fig. 1) occupa il braccio destro del transetto: dalla sua parete destra, attraverso un portale in pietra serena con lo stemma familiare nell'architrave, si accede alla sagrestia dei Quaratesi (fig. 2); dalla sinistra all'atrio della canonica, costruito a spese degli Uguccioni, che non trascurarono di

1 – Firenze, chiesa di San Niccolò Oltrarno. La cappella Uguccioni nel transetto destro. Architettura del XIV secolo con interventi quattro-cinquecenteschi.

apporre la loro arme su un peduccio in pietra serena e sulle crociere del lungo ambiente voltato[4].
La ristrutturazione del transetto gotico, o meglio la sua dotazione di arredi che lo adattassero a cappella familiare, risale probabilmente a Bernardo Uguccioni la cui tomba (1456) si trova al centro del pavimento. Il sepolcro in marmo bianco di Carrara, intarsiato con ornati vegetali di marmo scuro, reca un'iscrizione commemorativa e l'arme degli Uguccioni Lippi Scalandroni: una scala doppia (o palo doppio, o «rastrello» secondo l'abate Vincenzo) sormontato da tre gigli[5].
Forse ancora alla committenza di Bernardo, che l'epigrafe ricorda come «uomo previdente ed eccellente mercante», si deve il tabernacolo marmoreo con una *Pietà* circondata da angeli e, nel timpano, il radiante monogramma di Cristo diffuso da San Bernardino a partire dal 1417.
Nel muoversi dal quartiere di San Niccolò al prestigioso isolato dirimpetto al palazzo dei Signori gli Uguccioni non abbandonarono completamente, come vedremo, la cura della cappella mortuaria[6]; preferirono però impegnarsi nella più vicina chiesa di Santa Maria in Campo, rifacendone la facciata e assumendo il patronato della cappella maggiore, intitolata a San Giovanni Battista. Dopo ripetute modifiche e aggiunte, e una recente tinteggiatura dai colori spessi ed eccessivi che ne mortifica la struttura, la cappella rivela ormai ben poco dei suoi caratteri cinquecenteschi. Non si sono reperite le varie sepolture degli Uguccioni elencate nelle memorie settecentesche[7], tra le quali quella di Bernardo, padre di Giovanni (1522); né si è riconosciuta la presenza dell'«ornamento intorno all'Altare Maggiore di Pietra Serena» ricordato dalle stesse carte. Anche Giovanni volle esservi sepolto, con una lapide da «almeno cinquanta scudi» – come specificò nel testamento del 1559 – con l'arme e il nome; e lasciò alla chiesa un legato per la fattura di ventidue drappelloni con San Giovanni Battista, da esporre nelle feste solenni[8].
Il patronato degli Uguccioni si protrasse nei secoli successivi. Nel 1657 i fratelli Benedetto e Ricovero facevano rinnovare la mensa dell'altare e il ciborio, e imbiancare le pareti[9]. Ancora nel Settecento i loro discendenti si dichiaravano «solleciti per ogni maggior lustro e decoro» della cappella e della facciata della chiesa. Suscettibili alla minima alterazione o diminuzione delle loro insegne araldiche[10], restaurarono gli scalini e altri non precisati marmi nella cappella maggiore; ma volentieri lasciarono al priore Vannini la cura e la spesa di recingere il presbiterio (previa la loro approvazione) con una nuova balaustra marmorea, e al vescovo Francesco Maria Ginori quella di far affrescare la volta e gli ovati sulle pareti laterali[11]. Sembra dunque che della 'grandezza' di vita ostentata da Giovanni non resti altra traccia consistente al di fuori del palazzo sulla piazza, e soprattutto della sua facciata qualificatissima e insolita. Costruito negli anni subito successivi al 1550, mentre Cosimo I de' Medici era agli inizi della lunga opera di adattamento e miglioria della sua nuova residenza nel palazzo dei Signori (si ricordi che è del 1550 l'intervento dalla parte di via de' Leoni, come informa la data sulla porta), l'edificio esprimeva una volontà di affermazione che, se la famiglia del committente non avesse dato prova di più che certa lealtà al governo mediceo, si poteva interpretare come pericolosa tendenza ad uscire dai ranghi, quasi a provocare una sfida. Tale infatti era

2 – *Firenze, chiesa di San Niccolò Oltrarno. Porta con lo stemma Uguccioni nella cappella familiare.*

l'imponenza dimensionale e formale della nuova facciata che si sovrapponeva all'edilizia casuale e piana del lato settentrionale della piazza, come si vede nei celebri quadretti con il *Rogo del Savonarola* del 1498 (tav. VII a colori), che l'intero equilibrio della piazza ne risultava modificato: il palazzo di Giovanni trasformava una sommessa quinta urbana in un'emergenza di clamorosa 'modernità'.
L'impaginato antichizzante e colto dei tre ordini architettonici sovrapposti; il contenuto ma evidente aggetto della facciata rispetto al fronte costruito preesistente; perfino il materiale, possente macigno che nel rendere omaggio cortigiano al paramento del palazzo prospiciente entra in competizione con il suo pregio e con la sua durata, sono elementi che traducono nel linguaggio dell'architettura la definita ambizione di Giovanni a innalzarsi al di sopra della committenza dei concittadini – e per il momento anche del duca: sono tutte prove e aspetti di quella particolare virtù detta 'magnificenza' che, come avrebbe spiegato più tardi Cesare Ripa, «consiste intorno all'operar cose grandi, e d'importanza [...]. L'effetto della Magnificenza è l'edificar templi, palazzi, et altre cose di maraviglia, et che riguardano l'utile pubblico, o l'honor dello Stato, dell'imperio et molto più della Religione» [12].
Sebbene tra i frutti di tale virtù 'eroica' rientrassero soprattutto le fabbriche di destinazione pubblica e non di uso privato, la costruzione dei palazzi era considerata ugualmente prova di magnificenza, poiché «sono eglino bene intesi e tanto bene uniti insieme che fanno la città, che all'occhio è pulita graziosa e bella, apparisce magnificentissima» [13].
Forse appunto nella ferma volontà di distinguersi per attitudini grandiose risiede la causa dell'opzione di Giovanni a favore di un architetto o artista attivo in quel periodo a Roma, secondo quanto testimonia il noto documento relativo al disegno del palazzo. Nella Firenze in cui la committenza medicea non aveva ancora aggregato la 'fucina' di artisti e di artigiani che nei decenni successivi doveva formulare e codificare il raffinato linguaggio di una maniera colta ma insieme autonoma, nessun architetto o capomastro garantiva a Giovanni che il progetto del suo palazzo risultasse ornato dalla maestosa *venustas* che scaturiva dalla combinazione sapiente degli eletti vocaboli del classicismo, anzitutto degli ordini: e non declinati nei modi di un decorativismo minuzioso da lapicidi o legnaioli, ma impreziositi dai riferimenti formali ad un antico ricontrollato alle fonti e reinterpretato di persona. Solo a Roma, dove si rinnovavano i fasti del mecenatismo pontificale e privato, poteva formarsi l'artista necessario a Giovanni; e da Roma soltanto gli poteva giungere il disegno, pieno di eleganze e di erudizione, per la facciata-gioiello del palazzo.

2. La retorica delle imprese

Se il palazzo enuncia ancor oggi nel suo aspetto architettonico la tensione di Giovanni verso la magnificenza, altri messaggi muti giungono dai bassorilievi (ora ingiuriati dal tempo e dall'esposizione alle intemperie) che raffigurano le sue imprese, precisando la sua aspirazione alla durata.
Quando, a quarantasette anni [14], Giovanni iniziò la costruzione della gran-

3 – Firenze, palazzo Uguccioni. La scala (arme degli Uguccioni Lippi Scalandroni) e l'àncora con l'anello (impresa di Giovanni) scolpite nella facciata in piazza del Granduca, 1550-59.

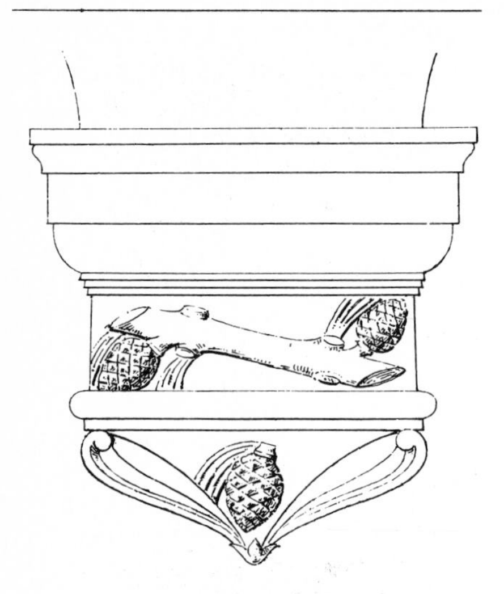

4 – Un peduccio scolpito con rami di pino nell'interno del palazzo Uguccioni, 1550-59 (da R. Mazzanti - T. Del Lungo, Raccolta delle migliori fabbriche di Firenze, *Firenze 1876).*

de dimora sulla piazza, era certo consapevole della impossibilità di avere figli, e quindi di affidare il palazzo e tutti i suoi beni a discendenti diretti. Per evitare la disgregazione del patrimonio, che inevitabilmente fa seguito all'estinzione di un ramo familiare, Giovanni dispose nel testamento l'istituzione del maiorasco: i beni, divenuti inalienabili, passavano così ai primogeniti maschi della casata e, in mancanza di questi, ai figli maschi delle femmine, purché prendessero il cognome Uguccioni e il nome Giovanni. Quasi a rafforzare le speranze di tramandare la propria creazione ai lontani discendenti, nel linguaggio cifrato degli emblemi Giovanni prescelse i simboli della stabilità e della durata.

Uno è l'àncora (fig. 3), tra i cui significati si contano «immobil fermezza, e stabilità», «tutela», «refugio» e perfino «possessione» duratura[15]. Il Ripa, che la ritenne necessaria per simboleggiare la «Fermezza d'Amore», così ne spiegava il significato: «l'anchora è istromento da mantenere la nave salda, quando impetuosamente è molestata dalle tempeste»[16]. All'estremità dell'àncora a tre bracci, la fune passa dentro un anello di ragguardevoli dimensioni adorno del diamante cuspidato: emblema mediceo accortamente citato, sia nelle imprese scolpite all'esterno sia nelle chiavi di volta dell'interno, per manifestare la fiducia e la lealtà del padrone del palazzo verso i signori di Firenze.

A questa prima impresa di Giovanni si accompagnavano motti, che confermavano i principi di stabilità e fermezza impliciti nel segno: «hancor ancora», «semper semper» e «semper all'ancora»[17].

Nel secondo emblema, che si alterna al primo sul fronte del palazzo, si staglia un ramo di pino con due pigne accompagnato dal motto «ancor verde» (fig. 4). Il motto, oltre che richiamare (grazie al duplice significato della prima parola) l'immagine dell'àncora, chiarisce opportunamente il senso simbolico di questa impresa: la fronda dell'essenza sempre verde, al di fuori delle allusioni luttuose talvolta collegate ad essa[18], suggeriva resistenza e durata, secondo una antica simbologia (espressa nei muri di numerosi edifici sacri in età preromanica e romanica) che associava l'incorruttibile pigna alla vita eterna. Molte interpretazioni, nei testi cinquesecenteschi che decifrano il vertiginoso mondo degli emblemi, annettono al pino e al suo frutto legnoso significati positivi, quali li enumera ad esempio il Piccinelli: «Pinus: detracto cortice diutius servatur. Ramis recisis altius excrescit. Ventis prosternitur. Semper fertilis. In nuce pinea meliora latent. Symbolum perseverantiae, virtutis, virtutis absconditae»[19]. Quanto alla virtù – non nascosta come il seme tra le squame della pigna, ma visibile a tutti – si ricorda l'ultimo motto che don Vincenzo leggeva sul terrazzo della dimora di Giovanni, che suonava appunto: «per virtù».

Àncore e pigne infine si stagliano, in deroga alla morfologia dell'ornamentazione e degli ordini architettonici, sui peducci delle sale interne (fig. 4); così come compaiono dipinte su volte e serraglie.

La fermezza, la durata e la virtù proclamate da Giovanni furono effettivamente esercitate dalla sua famiglia nel servizio del governo granducale. Dopo la morte del suo costruttore, nel 1559, il palazzo passò al fratello Benedetto, ad eccezione di alcune stanze e passaggi che rimasero in uso alla vedova, Nannina di Palla di Bernardo Rucellai[20]. Benché entro pochi anni cedesse in affitto il palazzo a vari inquilini, Benedetto non si sottrasse alla clausola del maiorasco e trasmise l'eredità al figlio primogenito Bernardo (dal quale passò al secondo figlio, Pierfilippo). Risale certamente al periodo della proprietà di Benedetto (1561-1590) l'aggiunta del busto di Francesco I sull'arcone centrale del basamento bugnato al piano terreno, scultura di Giovanni dell'Opera come quelli del palazzo Benci in piazza Madonna e sulla Porta delle Suppliche; più precisamente si può collocare la sua esecuzione entro il governo di Francesco, tra il 1574 e il 1587. La devozione di Benedetto al secondo Granduca fu indiscutibile. Sostenne la sua carica di provveditore dei Capitani di Parte e sovrintendente delle fabbriche granducali con un impegno che, secondo i testimoni del tempo, sconfinava in durezza verso i contadini comandati e gli operai[21]: i suoi stessi lontani discendenti avrebbero riconosciuto in lui un «ministro severo e quasi crudele, e molto gradito dal suo Sovrano ed in conseguenza molto odiato dal Pubblico»[22].

5 – Cerchia del Buontalenti, acquasantiera marmorea nella cappella Uguccioni in San Niccolò Oltrarno, tardo XVI secolo.

In deroga alle volontà testamentarie del fratello, cedette a Francesco I tre piccoli poderi con una casa ricordata come «palagio»[23] detta di Pratolino, nel luogo dove sarebbe sorta – con Benedetto medesimo come soprintendente ai lavori – la villa omonima di Francesco con le sue delizie e meraviglie. Fu infine operaio di Santa Maria del Fiore e soprastante di numerose fabbriche: Pitti, Lappeggi, La Magia, il palazzo di Pisa, il porto di Livorno nuovo, il ponte a Santa Trinita.

Sebbene nessuna prova documentaria lo consenta, si è tentati di collegare con Benedetto le due acquasantiere nella prima cappella degli Uguccioni, in San Niccolò. Se si eccettua l'altare in pietra, del tutto simile a quelli nelle altre cappelle di testata, le acquasantiere sembrano l'unica aggiunta cinquecentesca alla cappella (fig. 5)[24]. Ciascuna si compone di una vasca a conchiglia in marmo grigio cupo e di un piede in marmo bianco di Carrara, scolpito con volute e cartigli. Il vitalismo organico che anima le robuste conchiglie e i loro arrovellati sostegni, dai quali si affacciano le sembianze indistinte di mascheroni mostruosi, hanno suggerito una loro plausibile collocazione nella cerchia del Buontalenti[25] o dei Parigi[26]. Se consideriamo che per motivi professionali Bernardo Uguccioni manteneva costanti rapporti con gli artisti e con gli architetti al servizio di Francesco, non è da escludere che appunto alla sua committenza si debba l'arricchimento della cappella familiare con manufatti di qualità raffinata e di forme audacemente attuali.

Ancora nel Cinquecento inoltrato gli Uguccioni contribuirono alla decorazione pittorica del chiostro dei Morti nella Santissima Annunziata, con le *Storie dei Servi di Maria*; e precisamente finanziarono la lunetta di Bernardino Poccetti dedicata al beato Ricovero Uguccioni, uno dei sette santi fondatori dell'ordine servita, che era stato generale dell'ordine stesso in Germania nel 1262. La devozione per l'antenato beatificato unita con l'orgoglio dinastico si espresse anche più tardi, quando Pierfilippo, figlio minore di Benedetto, ordinò a Francesco Curradi un quadro raffigurante Ricovero, con la cornice di legno nero e dorato, che fu inviato al convento di Montesenario nel 1610[27].

È noto che Pierfilippo abitò le case di famiglia sul lungarno Archibusieri; in seguito il ramo principale degli Uguccioni si trasferì presso Santa Trinita, nel palazzo in via Tornabuoni n. 7 che il senatore Giovanni

Battista acquistò nel 1780 da Giovanni Corsi[28]. Benché nei memoriali della casata il palazzo sulla piazza del Granduca fosse continuamente citato con orgoglio, e la sua menzione ingemmasse i frequenti alberi genealogici, non sembra che nessuno dei discendenti di Giovanni vi abbia abitato volentieri, né tanto meno abbia disegnato ambiziosamente di abbellirlo o di ampliarlo: quasi che con Giovanni si fosse spento quel desiderio di osare, che lo aveva spinto a gareggiare in splendore con i massimi mecenati di Firenze nel luogo più eminente della scena urbana.

3. L'immagine del palazzo

Per la percezione complessiva dell'ampio e irregolare invaso della piazza della Signoria, il punto di vista ottimale si considera da secoli l'arrivo di via de' Calzaiuoli, dal quale si abbracciano due lati del Palazzo Vecchio: il luogo che Filippo Brunelleschi prescelse per il celebre esperimento della seconda tavoletta prospettica, e che il biografo Manetti segnalò con precisione: «lungo la faccia della chiesa di San Romolo, passato el canto di Calimala francesca [Calimaruzza] che riesce in su detta piazza, poche braccia verso Orto San Michele, donde si guarda 'l palagio de' Signori, in modo che due faccie si veggono intere»[29].
La storia delle vedute della piazza è profondamente condizionata da questa scelta, che mentre privilegia il palazzo con la torre e la vicina loggia esclude, o almeno sacrifica nell'abbreviazione dello scorcio prospettico, il lato settentrionale della piazza stessa. Esso però si scorge con sufficiente chiarezza nelle varie versioni del dipinto con il *Rogo del Savonarola* (1498) (tav. VII a colori), che secondo il Ragghianti si estende con la medesima ampiezza 'grandangolare' della tavoletta brunelleschiana, sebbene con un punto di vista spostato in alto e in asse con via della Dogana (oggi de' Gondi)[30]: nell'isolato degli Antellesi, tra gli alzati diseguali dei quattro edifici distinti domina la casa che sarebbe più tardi passata agli Uguccioni, con l'alta loggia sottotetto.
Il palazzo costruito da Giovanni, benché qualificasse con carattere monumentale l'intero fronte settentrionale della piazza, non poteva divenire un punto di riferimento visuale concorrenziale rispetto al Palazzo pubblico prospiciente, tanto più carico di significati storici e civici, nonché eminente per la mole massiccia e la posizione isolata. Piuttosto, la facciata del palazzo Uguccioni costituiva un eccellente 'palco' sul teatro della piazza, in cui si svolgevano i rituali della vita cittadina ora indipendenti, ora collegati con quella della corte medicea. Come testimonia la veduta a olio del XVI secolo nel Museo di «Firenze com'era» (tav. VIII a colori), per ammirare cortei e altri spettacoli i cittadini si assiepavano lungo i fabbricati del lato settentrionale: il balcone al primo piano del palazzo Uguccioni era gremito, così come le finestre e logge vicine e perfino il tetto della chiesa di San Romolo.
I diversi modi possibili di percorrere, e valorizzare visivamente la piazza dei Signori furono studiati con cura nel Cinquecento, con l'affermarsi dell'usanza dei cortei trionfali in onore di spose per la casa dei Medici o di visitatori illustri. Nel 1565 il corteo per l'ingresso di Giovanna d'Austria,

6 – Baldassarre Lanci, disegno preparatorio per la scenografia della commedia «La vedova», 1569. Firenze, GDSU, 404 P.

sposa di Francesco I, approdò alla mèta finale della piazza, detta allora del Granduca, oltrepassando il canto di «San Pulinari» (da piazza San Firenze) e costeggiando la Dogana: la piazza si rivelava così gradualmente – il maestoso fianco del Palazzo del governo a sinistra, il recente prospetto del palazzo Uguccioni a destra – mentre in fronte alla coppia la nuovissima fonte del Nettuno esprimeva allegoricamente l'augurio di una navigazione propizia. In quell'occasione don Vincenzo Borghini, 'direttore' del programma dei festeggiamenti, aveva proposto a Cosimo una variazione rispetto a questo itinerario, consolidato già da una lunga tradizione: da San Firenze il corteo avrebbe imboccato la via del Garbo (Condotta) fino a raggiungere il Canto al Diamante (fine di via Calzaiuoli) per incontrare qui, con mirabile sorpresa per la sposa austriaca e i suoi accompagnatori, la veduta migliore della piazza, quella 'brunelleschiana'. Da questo punto, l'occhio «batte nel palazzo e nella vista de' 3 Giganti della Loggia e de' Magistrati, che non può esser più bella e magnifica [...] infinitamente è più a proposito entrare in Piazza dalla parte dirimpetto al Palazzo, che lungo la Dogana»[31].

Intorno al margine della piazza, tra San Romolo e Calimaruzza, si sarebbe anche potuto costruire un «ordine di gradi da sedere, o magistrati o altri», accentuando la trasformazione effimera della piazza in platea teatrale.

Respinta nel 1565, la proposta del Borghini fu invece in parte accolta per il percorso del 1589, nelle nozze di Ferdinando I e Cristina di Lorena. Il corteo sfilò per il primo tratto della stretta via del Garbo e svoltò ad angolo retto lungo il caseggiato degli Antellesi e degli Uguccioni, nella piccola piazza delle Farine (ultimo tratto dell'attuale via de' Cerchi): da qui, con le spalle agli isolati settentrionali, si incontravano in una sequenza drammaticamente scorciata di altissimo valore scenografico la vasca del Nettuno, le imponenti statue dell'aringhiera, il palazzo degli Uffizi in fuga prospettica.

Questa innovazione alla tradizione degli itinerari nel centro cittadino è forse un primo segno dell'intento di arricchire qualitativamente la zona settentrionale della piazza, che si sarebbe poco più tardi espresso con il monumento equestre a Cosimo I, del Giambologna (1594): collocata circa a metà della congiunzione ideale tra il Nettuno e la piazza delle Farine, sulla medesima linea delle statue dinanzi al Palazzo Vecchio e del fronte porticato degli Uffizi[32], la scultura bronzea si protendeva quasi a coinvolgere il prospetto della dimora degli Uguccioni tra le emergenze monumentali annesse al Palazzo Vecchio.

Del resto, la sostanziale appartenenza del palazzo di Giovanni all'area formalmente più nobile della piazza (quale unico episodio di committenza privata in un contesto pubblico) è resa esplicita con chiarezza didascalica nel notissimo fondale di scena urbana approntato dall'ingegnere urbinate Baldassarre Lanci per la commedia di Giovan Battista Cini *La Vedova*, che fu rappresentata nel Palazzo Vecchio durante la visita dell'arciduca Carlo d'Asburgo il primo maggio 1569 (fig. 6)[33]. Nella scenografia il Lanci ha raffigurato, con un realismo che lo Zorzi ha definito «pungente ma non pedissequo»[34], un'antologia monumentale della città che partendo a destra con un braccio (ridotto) degli Uffizi allinea il Palazzo Vecchio, le statue e i caseggiati in un'ampia ipotetica direttrice viaria che conduce al Duomo. In questa eletta rassegna il Lanci ritenne indispensabile includere il palazzo Uguccioni, a costo di travisare la sua collocazione e di amplificarne l'aspetto: così anziché comparire nel suo stato reale di facciata inserita in un fronte costruito, il palazzo è trasfigurato in forma di edificio d'angolo con due prospetti identici, connotati entrambi dagli ordini architettonici di semicolonne binate, dalla rustica basamentale, dalle finestre timpanate e dal balcone.

Ora invisibile per la sua posizione di 'affaccio' sulla piazza, ora esaltato nella trasposizione teatrale, il palazzo Uguccioni sembra sottrarsi a una rappresentanzione obiettiva e calibrata: finché nel 1742 Bernardo Bellotto non dipinse un'esattissima veduta della piazza, squadernata al suo occhio preciso e privo di affetto nella luce rivelatrice di un mattino freddo (fig. 8). Il veneziano era estraneo alla tradizione rappresentativa di matrice brunelleschiana, ed egualmente ignorava, si presume, le vedute alternative che pittori e incisori locali avevano prodotto ponendosi con le spalle a settentrione[35]. Con una scelta inedita del punto di vista inquadrò frontalmente il prospetto occidentale del Palazzo Vecchio, sacrificando la Loggia dei Lanzi e gli Uffizi per dettagliare invece il fronte costruito a sinistra, fino al Tribunale di Mercatanzia: tra i caseggiati adiacenti, la facciata in pietra del palazzo Uguccioni emerge nel suo rilievo articolato e denso, mentre una fascia d'ombra scura sottolinea l'aggetto del basamento bugnato[36].

Nel secolo scorso, quando la tecnica fotografica affretta il moltiplicarsi dei punti di ripresa sollecitando la scoperta di luoghi e componenti monumentali della città, anche il palazzo Uguccioni è soggetto a una nuova interpretazione: vedute e fotografie ne raffigurano il prospetto inquadrato tra la statua equestre di Cosimo I a sinistra e la fontana del Nettuno a destra. Più numerose però sono le immagini che, con criterio selettivo, presentano il fronte del palazzo nella sua interezza, escludendo per quanto possibile il modesto intorno di case e botteghe (si vedano le fotografie Alinari n. 3025 e Brogi n. 3003, databili sul finire del XIX secolo).

L'episodio più curioso in fatto di 'censura' visiva delle adiacenze del palazzo è rappresentato senza dubbio dall'illustrazione nella *Storia dell'arte* di Adolfo Venturi[37]. Qui la fotografia Alinari che inquadra il prospetto è stata ritoccata manualmente prima della pubblicazione a stampa, in modo che gli edifici a destra e a sinistra appaiano rivestiti di paramento bugnato fino al primo ordine di finestre: un singolare falso che, paradossalmente, sembra voler proseguire l'opera di abbellimento dell'isolato Antellesi-Uguccioni a suo tempo intrapresa da Giovanni.

NOTE

[1] Per tutte le notizie che riguardano l'insediamento degli Uguccioni nell'isolato e la costruzione del palazzo si veda il contributo di Riccardo Dalla Negra.
[2] ASF, *Carte Strozziane*, Serie IV, f. 644: Memorie della famiglia Uguccioni, di don Vincenzo di Buonaccorso di Benedetto Uguccioni, c. 127 v.

[3] A testimoniare l'antico assetto architettonico, i restauri hanno riportato alla luce un tabernacolo parietale archiacuto, con l'archivolto in pietra serena. Per notizie ulteriori sulle fasi costruttive della chiesa si vedano ITALO MORETTI, *La chiesa di San Niccolò*, Firenze 1972-73 e il catalogo *San Niccolò Oltrarno*, Firenze 1982, I.

[4] GIUSEPPE RICHA, *Notizie istoriche delle chiese fiorentine*, 1754, vol. VII, p. 178, attribuisce l'iniziativa della costruzione dell'atrio a Bernardo.

[5] I colori araldici sono: rosso per il campo, oro per la scala doppia merlata, azzurro e oro per il rastrello con i tre gigli. Nel 1494 Giovanni di Francesco di Bernardo, in qualità di priore, ricevette da Carlo VIII di Francia il privilegio di aggiungere allo stemma originario degli Uguccioni Lippi Scalandroni il «capo d'Angiò». Questa versione dell'arme familiare risulta però infrequente; ad esempio non compare nel palazzo di Giovanni.

[6] Oltre a Bernardo, nella cappella furono sepolti Alessandro di Bernardo (agosto 1456); Madonna Cosa di Simone (1460); Madonna Pippa, moglie di Bernardo; Amerigo di Benedetto (ottobre 1494); Francesco di Bernardo (giugno 1495). Così le memorie raccolte in ASF, *Carte Strozziane*, Serie IV, f. 600, fasc. 8 B. Degli arredi della cappella, la memoria suddetta ricorda soltanto un ostensorio con «arme piccolina» di smalto. Il culto nella cappella non fu comunque sospeso: nel 1571 Francesco Uguccioni dispose nel testamento che vi venisse celebrata la festa di San Girolamo (documento citato).

[7] ASF, *Carte Strozziane*, Serie IV, f. 644, c. 30 r.

[8] ASF, *Carte Strozziane*, Serie IV, f. 584, fasc. 12: copia settecentesca del testamento di Giovanni, rogato da Niccolò di Tommaso da Corella o Corelli il 16 dicembre 1559.

[9] ASF, *Carte Strozziane*, Serie IV, f. 600, fasc. 12.

[10] Nel 1749 Giuseppe, Bernardo e don Antonino Uguccioni protestarono vivamente con il priore Pietro Pagani, e poi con il senatore Samminiati, per l'avvenuta «variazione del numero, qualità, e situazione delle Armi della loro casa» e per la rimozione di un'antica memoria funebre. ASF, *Carte Strozziane*, Serie IV, f. 600, fasc. 5.

[11] Informa il Richa (1754, vol. III, p. 178) che l'autore della volta e degli ovati sulle porte laterali, con San Romolo e Sant'Andrea Corsini, fu Carlo Sacconi. Sull'altar maggiore si trovava un'*Assunzione*.

[12] CESARE RIPA, *Iconologia*, Roma 1593, pp. 301-302.

[13] PAOLO MINI, *Discorso della nobiltà di Firenze*, Firenze 1593, p. 118.

[14] Uno sconosciuto memorialista lo dice nato nel 1503. ASF, *Carte Strozziane*, Serie IV, f. 600, fasc. 4.

[15] VALERIANO, *Ieroglifici*, Venezia 1625, coll. 604-605.

[16] CESARE RIPA, *op. cit.*

[17] ASF, *Carte Strozziane*, Serie IV, f. 644, cc. 2v, 4v, 5v. Don Vincenzo registra una variante del primo motto: «hancoram hancoram».

[18] VALERIANO, *op. cit.*, coll. 690-691.

[19] PHILIPPUS PICINELLUS, *Mundus Symbolicus*, 1681, *s.v.* GIOVAN BATTISTA MECATTI (*Storia genealogica della nobiltà, e cittadinanza di Firenze*, Napoli 1754, p. 51), citava quale motto della famiglia Uguccioni «semper verde». LUDOVICO DOMENICHI, nel suo *Ragionamento nel quale si parla d'imprese d'Armi, e d'Amore*, Firenze 1559, ricorda di aver inventato per il conte Collatino di Collalto (uomo di grande virtù) l'impresa di un pino che «d'ogni stagione hà i frutti maturi», col motto SEMPER FERTILIS (p. 184); è chiara qui la ripresa dell'associazione simbolica presente nel mito pagano, che riconosceva nella pigna l'immagine della natura perennemente generosa e feconda.

[20] Il testamento di Giovanni (citato alla nota 8) prescrive i confini tra le stanze in uso alla sua vedova e il resto del palazzo. La descrizione non è particolarmente illuminante per comprendere la disposizione interna degli ambienti. Vi si dice che il palazzo ha due ingressi, uno dalla piazza e uno dalla via del Garbo; che in mezzo alla corte c'è un pozzo; che vi è una «sala di piazza», etc.

[21] B. ARDITI (*Diario di Firenze e di altre parti della Cristianità*, 1574-79) lo definì «uomo senza timor di Dio».

[22] ASF, *Carte Strozziane*, Serie IV, f. 600, fasc. 14.

[23] Nel testamento di Giovanni (citato alla nota 8) si incontra la dizione «casa o vero palagio della villa di Pratolino» che fa pensare a un fabbricato di dimensioni notevoli.

[24] Resta naturalmente aperto l'interrogativo, se le acquasantiere siano state collocate nella cappella in tempi relativamente recenti, magari provenendo da un diverso edificio ecclesiastico.

[25] ITALO MORETTI, *op. cit.*, p. 60.

[26] ANNA LAGHI in *San Niccolò Oltrarno*, cit., pp. 132-133. L'autrice si sofferma su analogie tra i fusti delle acquasantiere e le opere della bottega di Giulio Parigi, quali le fontane di Boboli.

[27] ASF, *Carte Strozziane*, Serie IV, f. 600, fasc. 12. Lettera del Priore Amadio a Pier Filippo Uguccioni, nel cui interno si trovano uno schizzo a matita che indica la posizione del beato nel quadro, e la sagoma in scala delle modanature della cornice.

[28] Il palazzo divenne in seguito (primi anni del XIX secolo) proprietà del Circolo dell'Unione o Casino di Nobili. Costruito secondo un disegno vasariano, reca sul prospetto un busto di Francesco I del Giambologna; la volta dell'androne è dipinta con una decorazione a grottesche, che Carlo Lasinio pubblicò in incisione come opera del Poccetti (in *Ornati presi da graffiti e pitture antiche esistenti in Firenze disegnati e incisi in 40 rami*, Firenze 1789, tav. 28). Si veda LEONARDO GINORI LISCI, *I palazzi di Firenze nella storia e nell'arte*, Firenze 1972, vol. I, pp. 189-92.

[29] ANTONIO MANETTI, *Vita di Filippo Brunelleschi*, edizione critica con introduzione e note di Giuliano Tanturli, Milano 1975, p. 59-60.

[30] CARLO LUDOVICO RAGGHIANTI, *Filippo Brunelleschi, un uomo un universo*, Firenze 1977, p. 169.
[31] VINCENZO BORGHINI, *Lettera al Granduca*, 5 aprile 1565; pubblicata in G. BOTTARI e S. TICOZZI, *Raccolta di lettere sulla pittura, scultura ed architettura*, Milano 1822-23, pp. 137 e 175.
[32] L'allineamento in questione è espresso con chiarezza e quasi con enfasi, oltre che da diverse incisioni anonime cinquecentesche, dal notissimo medaglione in pietre dure e metalli preziosi del Museo degli Argenti, opera di Bernardino Gaffuri e Jacopo Bilivert del 1599-1600 (inventario delle gemme, 1921, n. 823).
[33] Il disegno preparatorio di mano del Lanci, a matita nera con penna e acquerello, è nel Gabinetto Disegni e Stampe degli Uffizi, n. 404 P. Si veda per un'accurata descrizione il catalogo della mostra *Il luogo teatrale a Firenze*, Firenze 1975, n. 7, 16.
[34] *Introduzione* al catalogo *Il luogo...*, *cit.*, p. 32.
[35] Si vedano, oltre alle immagini ricordate nella nota 32, le pitture murali dello Stradano con *I fuochi di San Giovanni in Piazza del Granduca* e *La festa degli omaggi* nel Palazzo Vecchio (1561 circa), la lunetta dell'Utens (XVI secolo) nel Museo di «Firenze com'era», l'incisione dello Zocchi con la *Festa degli omaggi* (1744) e numerose altre dal XVI al XIX secolo.
[36] Il dipinto si trova a Budapest, Szépmüvészeti Múzeum, insieme con il suo *pendant* che raffigura *L'Arno dal Ponte a Santa Trinita verso il Ponte alla Carraia*; entrambi i quadri erano ai primi dell'Ottocento nella collezione Esterházy (con l'attribuzione al Canaletto) e furono acquistati dallo Stato nel 1871. Due copie delle vedute sono nella collezione Kindersley a Londra. Si veda Ettore Camesasca, *L'opera completa di Bernardo Bellotto*, Milano 1974.
[37] Adolfo Venturi, *Storia dell'arte italiana*, XI, *Architettura del Cinquecento*, parte I, Milano 1938, p. 236, fig. 211.

UN EPISODIO ARCHITETTONICO NELLA FIRENZE DEL CINQUECENTO: IL PALAZZO UGUCCIONI

Riccardo Dalla Negra

«Dell'Architettura che nell'ambito della corrente classica volge al pittoricismo, quella che sente il valore sostanziale dei 'muramenti' si afferma a Firenze continuando una plurisecolare tradizione. È vero che nel Palazzo Uguccioni di Mariotto Folfi e nel Palazzo Bartolini Salimbeni di Baccio d'Agnolo si tenta di animare le facciate con gli ordini architettonici, secondo un'inflessione aggraziata cioè raffaellesca, in rapporto con i precedenti del Bramante [...] ma quei due palazzi costituiscono una eccezione»[1]. Così Mario Salmi coglieva con estrema essenzialità ed efficacia i caratteri della vicenda architettonica nella Firenze della prima metà del Cinquecento. Ad eccezione dell'autonoma esperienza michelangiolesca l'architettura fiorentina, spesso assorta nel passato, sembra infatti chiudersi in un totale isolamento, sordo ad ogni novità e incurante dei movimenti artistici che si andavano delineando agli inizi del Cinquecento nella vicina Roma[2].
Si pensi al carattere di assoluta novità di alcuni dei più importanti palazzi del primo Cinquecento romano, i quali diverranno stimolanti prototipi per altrettanti palazzi rinascimentali, ripresi e variamente interpretati fino a tutto il XX secolo: dal bramantesco palazzo Caprini (1510 c.), carico di riferimenti classici con la contrapposizione di un piano basamentale bugnato e di un piano nobile con ordine di semi-colonne binate; al palazzo Baldassini di Antonio da Sangallo il Giovane (1513), dove, sulla base di esempi del Quattrocento fiorentino, l'ordine architettonico è sostituito da un sistema di fasce orizzontali e bugne angolari, un sistema cioè di elementi semplici e ben correlati fra loro, in grado di riprodursi all'infinito; al palazzo Branconio dell'Aquila di Raffaello (c. 1515-1517) ispirato anch'esso a modelli romani e dove è inaugurato un nuovo tipo di facciata con finestre a edicola e nicchie, caratterizzato da un acceso pittoricismo e che avrà un largo seguito nelle facciate decorate da specchiature e rilievi scultorei[3].
Paradossalmente proprio i due palazzi citati dal Salmi, sebbene costruiti a trent'anni di distanza l'uno dall'altro, nei quali è riscontrabile la derivazione da modelli romani, avranno nell'ambito della cultura architettonica fiorentina una analoga sfortuna. Del palazzo Bartolini Salimbeni (1520-1523), diapason della produzione architettonica di Baccio d'Agnolo, sono ben note le critiche del Vasari a proposito delle finestre timpanate e delle nicchie, cioè proprio verso quelle 'novità' che direttamente si ricollegavano alle recenti sperimentazioni raffaellesche del palazzo Branconio[4]. Del palazzo Uguccioni (1550-1559) (fig. 4) – derivato dal palazzo Caprini e dalle successive rielaborazioni, anche raffaellesche – è sufficiente rimarcare l'enorme ritardo con il quale il tipo viene introdotto a Firenze; ritardo tanto

			MICHELANGELO	RAFFAELLO	ANT. DA SAN. IL G.	VIGNOLA	PALLADIO	FOLFI	DOSIO
VASARI	1550								
VASARI	1568								
BOCCHI	1591								
MINI	1593								
LAPINI	1596								
CINELLI	1677		●						
BALDINUCCI	1681	✱							
DEL MIGLIORE	1684								
RUGGIERI	1722	✱							
CECCHINI	1723								
DEL BRUNO	1757		◐				◐		
BOTTARI	1759			●					
CAMBIAGI	1765		◐				◐		
MILIZIA	1768			●					
PIACENZA	1770			●					
COMOLLI	1788			●					
COMOLLI	1790			●					
NELLI IL G.	1790								◐
COMOLLI	1791			◐					
DELLA VALLE	1792			●					
LAZZARI	1880			◐					
ED. CL. IT. 'VITE'	1810			●					
GRANDJEAN DE M.	1815						●		
DUPPA	1816	✱							
GARGIOLLI	1819			◐					
QUATREMÈRE DE Q.	1824			●					
PUNGILEONI	1829		◐	◐					
MASSELLI	1832			●					
FALCONIERI	1833			●					
NAGLER	1836			●					
BULGARINI	1839			●					
PASSAVANT	1839			●					
MISSIRINI	1840			●					
THOVAR-REPETTI	1841		◐	◐					
FANTOZZI	1841			●					
FANTOZZI	1842			◐					
SCHORN	1843			●					
BACCIOTTI	1844			●					
PONTANI	1845			●					
RANALLI	1848			●					
BURCKHARDT	1855			◐					
SELVATICO	1856			●					
RICCI A.	1860			●					
FÖRSTER	1868			●					
GHERARDI	1874			●					
MAZZANTI	1876		◐					○	
MILANESI	1879							●	
MUNTZ	1881	✱							
SPRINGER	1883			◐					
OJETTI	1883			●					
GEYMÜLLER	1884							●	
OSTAYA	1884			◐					
CAVALCASELLE	1885	✱							
MINGHETTI	1885	✱							
RASCHDORFF	1888							○	
BACCIOTTI	1888			●					
DEL MORO	1899			●					
GUASTI	1899							●	
ROSS	1905							○	
GEYMÜLLER	1908				◐	◐		○	
LIMBURGER	1910							●	
RICCI S.	1920			◐				◐	
VENTURI	1938							●	
APOLLONJ	1938							●	
CHIERICI	1954							●	
SALMI	1936							●	
SPAGNESI	1970							●	
BUCCI-BENCINI	1971							◐	
GINORI LISCI	1972							○	

LEGENDA
✱ L'AUTORE NOMINA SOLO IL PALAZZO
● ATTRIBUZIONE CERTA
◐ ATTRIBUZIONE INCERTA
○ ATTRIBUZIONE CERTA MA SU DISEGNO DI ALTRI

più eclatante se si pensa alla considerevole fortuna dell'archetipo bramantesco e alle tante varianti esperite, in tutto l'arco della prima metà del Cinquecento, soprattutto a Roma e nell'area veneta[5]. Né il tipo verrà poi ripreso in seguito da quel nutrito gruppo di manieristi toscani, intenti a consumare il messaggio michelangiolesco, neanche nei casi in cui, come avverrà per il Dosio, verrà perseguito il filone classicista[6].

Le notizie sulle vicende costruttive del palazzo sono assai scarse[7]. La famiglia Uguccioni[8] si insedia nell'isolato compreso tra via del Garbo, oggi via Condotta, e piazza della Signoria (fig. 2) agli inizi del XVI secolo. Buonaccorso di Benedetto di Bernardo Uguccioni acquista infatti il 24 dicembre 1500 «[...] una chasa posta in detto p.lo et nella Via del Gharbo chonfina[nte] a p.° via, 2° piaza de S.ri, 3° rede di Tommaso dell'Antella, 4° Filippo di Salomone del gharbo par nostro abitare» e inoltre «[...] 2 botteghe sotto detta chasa posta nella via del Garbo 1ª a uso di chalzolajo et 1ª ad uso di chartolajo»[9].
I figli di Buonaccorso, Giovanni e Benedetto, acquistano ulteriormente all'interno dell'isolato e riducono progressivamente a proprio uso alcune botteghe. Nel 1534 essi risultano proprietari di un'altra «[...] bottegha chor una volta di sotto e sotto la chasa detta per nostro abitare posta in sulla Piazza de S.ri [...] che di poi l'anno 1520 fu ridotta per abitare sotto di' 11 d'ottobre 1533»[10], e inoltre affermano di aver «[...] fatto sotto la chasa della nostra abitazione uno bottechino a uso d'arte di seta e una volta a detto bottechino la quale si tiene per nostre faccende e nostro abitare edifichato qs.° anno 1533»[11].
L'ultimo acquisto documentato prima dell'inizio della costruzione del palazzo è quello di un'altra casa, sempre sulla piazza e confinante con le case degli Uguccioni, di cui era proprietaria Elisabetta Tempi nei Gondi, che l'aveva ereditata da Lamberto dell'Antella; la richiesta di acquisto fu avanzata da Giovanni Uguccioni per «[...] volere fare una bella facciata per aggiungerla con la sua per ornamento della Piazza»[12]. La casa viene acquistata da Giovanni, dopo alcune controversie sul prezzo, il 4 settembre 1550[13] ed è molto probabile che tale acquisto abbia dato il via all'effettiva costruzione del palazzo[14].
Nel luglio del 1549 infatti il palazzo risulta ancora non costruito: risale a questa data una lettera indirizzata a Cosimo I da Girolamo degli Albizi, Commissario delle Bande del Duca, nella quale è scritto: «[...] gl'è stato con meco Giovanni Uguccioni molto malcontento perché havendo fatto venire di Roma un disegno d'una muraglia che è cosa bellissima, per quanto si spilla, la conferì con Ceccho Allori, scarpellino, per fare mercato di quel tanto che se gli veniva per la parte che tocchava a lavorare a lui; al quale el detto Giovanni protestò che non la mostrassi a homo del mondo. Hora el detto carpellino gl'ha dato parola, dua o tre di' di restituirglielo, et alla fine referisce haverlo perso: ché si vede è una tristitia manifesta»[15].
Il disegno, che doveva essere molto accurato o comunque dettagliato in maniera tale da permettere a uno scalpellino di fare le proprie stime e i relativi preventivi di spesa, viene con tutta probabilità restituito dall'Allori di lì a poco; nell'agosto del 1551 risulta infatti già costruito il modello ligneo della facciata ad opera di Mariotto di Zanobi Folfi[16].

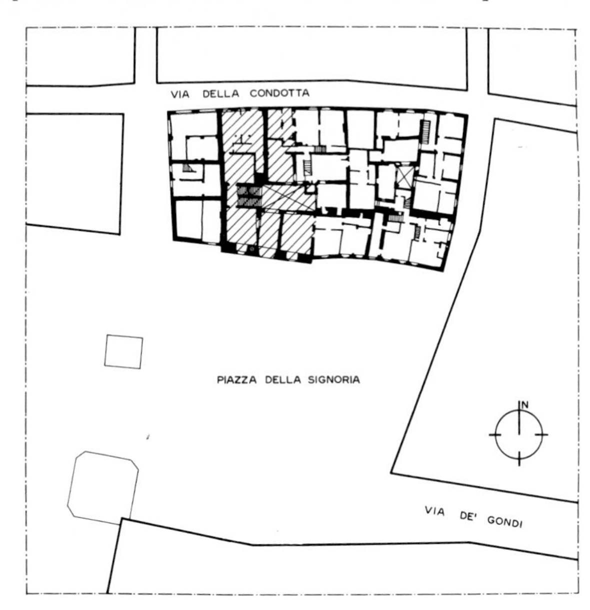

2 – Rilievo murario dell'isolato su cui insiste il palazzo Uguccioni. Il tratteggio evidenzia la consistenza delle acquisizioni immobiliari effettuate dalla famiglia Uguccioni nella prima metà del Cinquecento.

3a, b – Firenze, palazzo Uguccioni. Rapporti dimensionali della facciata su piazza della Signoria.

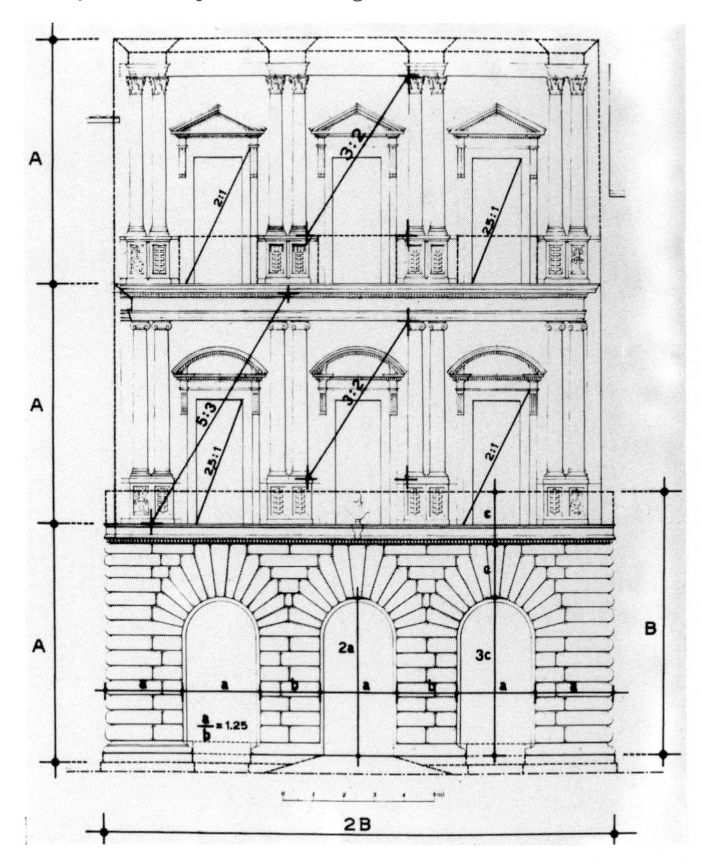

1 – La tabella riassume il quadro storiografico relativo al palazzo Uguccioni. Si può notare come l'attribuzione del palazzo a Raffaello, proposta dal Bottari, sia stata mantenuta per quasi due secoli; analogamente l'attribuzione al Folfi è stata seguita senza apprezzabili eccezioni anche dalla storiografia più recente (cfr. nota 22).

L'inizio della costruzione del palazzo è dunque da riferirsi alla fine del 1550, data per altro impressa su di un medaglione al centro della volta di una sala del piano terra[17]. Durante il corso dei lavori Giovanni incontra diversi ostacoli con i confinanti. Il particolare impaginato della facciata e l'esuberanza del bugnato dell'ordine inferiore lo costringono infatti, a meno di una sostanziale modifica del progetto, a superare abbondantemente la linea di mezzeria dei muri di confine: da qui le controversie, prima nel lato a levante, con le monache di Santa Maria degli Angeli del Borgo di San Frediano, poi a ponente con uno degli eredi di Taddeo dell'Antella, Girolamo[18]. Ma se della prima non rimase traccia, se non per le finanze di Giovanni, della seconda sono ancora visibili le conseguenze: sia il fascione orizzontale che le ultime tre bozze dovettero essere scalpellate in maniera da ridare luce alla finestra di Girolamo; venne così meno il piano d'appoggio della balaustra, presumibilmente costretta, così come l'attuale, a piegare in maniera forzata verso la colonna (fig. 5). Quanto al muro di confine, Giovanni venne costretto a tagliare buona parte delle due paraste laterali che delimitavano la facciata con un motivo analogo a quello del lato opposto. Tra il 1550 e il 1559 i lavori proseguono senza interruzioni e interessano oltre che la facciata tutti gli ambienti ad essa retrostanti compresi tra la piazza e la corte interna, e parte di quelli compresi tra la corte e via del Garbo (fig. 2). Risale al 1559 una richiesta di Giovanni indirizzata a Cosimo per la costruzione di una scalinata davanti al portone d'ingresso, che deve «uscir fuora sulla Piazza simile alla salita del palazzo de' Gondi». La scala, probabilmente realizzata nello stesso anno doveva essere concepita a mo' di rampa con larghi gradoni, così come si può osservare in diversi disegni successivi alla costruzione del palazzo; è importante comunque il fatto che nel disegno di progetto la scala fosse prevista: Giovanni infatti dice di volerla realizzare «perché fussi secondo il disegno et e più bellezza»[19].
Alla morte di Giovanni Uguccioni, avvenuta il 16 dicembre 1559, i lavori vengono con tutta probabilità interrotti e mai ripresi. Già nel 1561 il palazzo risulta interamente affittato all'auditore fiscale Alfonso Quistelli[20], ad esclusione di quegli ambienti che per volontà testamentaria di Giovanni erano stati assegnati in uso per cinque anni alla moglie Nannina[21].

Le fonti cinquecentesche tacciono del Palazzo Uguccioni[22]. Tali 'silenzi', a iniziare da quello vasariano, riconfermano, pur senza volerne esasperare il significato, il sostanziale disinteresse dell'ambiente artistico fiorentino verso il palazzo; disinteresse ancor più messo in evidenza dal fatto che, considerata la posizione di tutto rilievo sulla piazza, il palazzo non poteva certo passare inosservato, anche perché – è appena il caso di ricordarlo – pressoché contemporaneamente alla sua costruzione fervevano nella piazza i lavori di ampliamento del Palazzo Vecchio e stavano per iniziare quelli degli Uffizi.
L'interesse verso il palazzo inizia verso la metà del XVIII secolo grazie soprattutto al Cinelli, che nella celebre revisione della guida del Bocchi[23], ne parla come opera certa di Michelangelo. Tale attribuzione, basata su generiche considerazioni stilistiche e analogiche e comunque priva di motivazioni oggettive[24], dà senza dubbio il segno della mutata fortuna critica

4 – Firenze, palazzo Uguccioni. Facciata su piazza della Signoria.

del palazzo; l'accostamento al nome del grande maestro, riconoscimento implicito di un valore non certo comune, avrà infatti un'ampia eco e verrà riproposto più volte anche se con meno determinazione. Le notizie fornite dal Cinelli sono inoltre importanti per la ricostruzione delle vicende della fabbrica. Questi a proposito della facciata rileva la mancanza del «[...] cornicione di sopra per finimento di essa, il quale, deve posail sopra alcune mensole semplici si, ma belle, riconoscendosi in quella semplicità, maestà, e grandezza non ordinaria, come benissimo si vede nel modello fatto dallo stesso che in casa si conserva»[25].
Negli anni seguenti, sia il Baldinucci (1681)[26] che il Ruggieri (1722)[27], pur prendendo in esame il palazzo, non confermano l'attribuzione del Cinelli; il primo fornisce notizie sul busto di Francesco I posto sulpa facciata, dicendolo opera di Giovanni di Benedetto Bandini (Giovanni dell'Opera) su commissione di Benedetto Uguccioni, fratello di Giovanni[28]; il secondo lo inserisce con gran risalto nel suo *Studio d'architettura civile*, facendolo rientrare in un gruppo di opere d'autore incerto, ma descrivendone attraverso una serie bellissima di tavole la facciata fin nei dettagli, anche queste determinanti per la conoscenza delle vicende della fabbrica.
L'attribuzione a Michelangelo, molto spesso proposta insieme al nome di Palladio soprattutto per l'affinità con le rielaborazioni del modello bramantesco di facciata condotte dopo il 1540 dal grande architetto veneto, si ritrova in innumerevoli guide e saggi, e sarà considerata superata definitivamente solo nella seconda metà dell'Ottocento: così il Del Bruno nel 1757[29]; il Cambiagi nel 1775, che prima oscilla tra Michelangelo e Palladio e successivamente ne parla come opera di quest'ultimo[30]; e ancora il Grandjean de Montigny nel 1815[31] per il quale non sembrano esserci dubbi sulla paternità palladiana; il Pungileoni nel suo *Elogio storico di Raffaello* del 1829[32] è incerto tra Michelangelo e Raffaello, e una maggiore confusione attributiva si ritrova nella guida del Thovar-Repetti del 1841[33].
Ma l'attribuzione che più di ogni altra è stata proposta e che è rimasta pressoché costante per quasi due secoli, è quella che vede nel palazzo Uguccioni un apporto più o meno diretto di Raffaello.
Il primo ad avanzarla è Giovanni Bottari, erudito e filologo, nella sua edizione delle *Vite* vasariane pubblicata a Roma tra il 1759 e il 1760[34], la prima ad essere corredata da note informative e da un apparato critico. «Benché Raffaello non professasse l'architettura – afferma il Bottari – si raccoglie, quanto in essa fosse valente, dall'averlo Leone X fatto andare seco a Firenze per far la facciata di S. Lorenzo [...] e dalle stalle del palazzetto d'Agostino Chigi alla Lungara, e dal palazzo de' Caffarelli da S. Andrea della Valle, e dal bellissimo palazzo Uguccioni, ch'è in Firenze sulla Piazza del Granduca [...] benché alcuni lo credano di Michelangelo, il qual certo non lo avrebbe più bello, ma è d'una forma, che fu prescelta da Raffaello che negli altri edifizi qui sopra annoverati».
Come le altre, anche l'attribuzione del Bottari è basata esclusivamente su considerazioni analogiche: l'accostamento allo schema generale del palazzo Vidoni-Caffarelli, e il particolare motivo raffaellesco delle colonne binate delle stalle farnesiane, saranno delle costanti storiografiche, assunte acriticamente, che tenderanno sempre più a rafforzarsi. Significativo in tal senso il giudizio del Milizia (1768) che nelle sue celebri *Vite*[35] si avvale dell'esem-

pio del palazzo Uguccioni, del quale descrive accuratamente la facciata, per deplorare il «gran gusto [che] aveva Raffaello di accoppiar le colonne [...] le quali oltre all'inconveniente d'esser accoppiate impediscon la veduta da una finestra all'altra».
Direttamente desunti dal Milizia sono i giudizi del Piacenza (1770)[36] e del Comolli (1788)[37], sebbene questi si dimostri in seguito meno determinato sul nome di Raffaello, riportando un parere di Giovan Battista Clemente Nelli il Giovane[38] circa una probabile attribuzione del palazzo al Dosio «scolaro e imitatore del Buonarroti».
È interessante comunque notare come il palazzo Uguccioni abbia contribuito in maniera determinante, per tutto l'Ottocento e parte del Novecento, a definire sul piano critico il giudizio sull'attività architettonica di Raffaello, costituendone in alcuni casi addirittura un caposaldo (fig. 1). Così, solo per citare alcuni esempi, per il Quatremère de Quincy (1824) «[...] non v'abbisognano occhi moltissimo esercitati a discernere la maniera di ciascun maestro, per riconoscere, primieramente che il gusto, o lo stile del disegno di questo palazzo è quello stesso degli altri palazzi riconosciuti senza dubbio veruno per opera di Raffaello [...] la facciata di questo palazzo offre in un piccolissimo spazio, una riunione di grandezza e ricchezza, di semplicità e varietà [...] è ancora osservabile pel gusto di modanature, o di profili d'una correzione sorprendente, per la bella esecuzione di tutte le più minute parti per la nobiltà e la purezza delle intelaiature delle finestre»[39]. Per il Passavant (1839) «[...] questa fabbrica ha in tutte le parti il non dubbio carattere dello stile di Raffaello»[40]; il Missirini (1840) ne ammira anzitutto «[...] l'intelligenza di accordarsi alle ubicazioni [...] la nobiltà e grazia del suo stile, la correzione degli ordini, la purità delle membrature, l'unità delle ordinanze»[41]; per il Pontani (1845), che influenzerà non poco la letteratura successiva sul palazzo, «[...] l'imbasamento grave per bugne e rilievo, l'appajamento delle colonne, il ritiramento del secondo piano da quello di basamento, sono cose che [...] richiamano stessamente la pratica del Sanzio in altre sue opere mostrata, e gli artificj che v'era solito adoperare»[42]; ancora il Selvatico (1856) parlando di Raffaello afferma che «[...] una delle più gentili delle sue produzioni è il prospetto del palazzo Uguccioni [...] che in un piccolo spazio manifesta aspetto semplice e ricco ad un tempo. Come in quasi tutti gli edifizii da lui architettati, accoppiò le colonne; maniera elegante che egli aveva appresa dal Bramante, e che trasfuse nelle più gran parte degli architetti romani e fiorentini dell'epoca»[43]; addirittura il Ricci (1860) arriva a escludere l'attribuzione a Raffaello del palazzo Vidoni-Caffarelli, per il quale rileva «[...] poco buon gusto nella disposizione di quelle colonne», proprio sulla base di un confronto con palazzo Uguccioni[44].
Il contributo più importante, oltre che per la ricostruzione delle vicende del palazzo, anche per la questione della paternità è senza dubbio quello di Jodoco Del Badia, il quale, sulla scorta di documenti d'archivio dà notizia del disegno fatto venire da Roma per la facciata del palazzo e indica nel Folfi l'autore del modello ligneo della facciata.
Lungi dall'identificare in questi l'autore stesso della facciata, il Del Badia ritiene di assegnargli soltanto l'esecuzione di alcuni particolari, e dello stesso avviso è il Mazzanti, il quale, escludendo, se non altro per motivi

5 – Firenze, palazzo Uguccioni. Innesto della balaustra in corrispondenza del palazzo Dell'Antella.

cronologici, la paternità raffaellesca, mantiene con molte riserve la tradizionale attribuzione a Michelangelo[45].
Sorprendentemente gli studi successivi non faranno che assegnare definitivamente, e *in toto*, l'opera al Folfi, che diviene così di volta in volta 'imitatore', 'scolaro' o 'allievo' di Raffaello. Se infatti il nome dell'urbinate ricorrerà ancora per molti anni[46], quello di Mariotto di Zanobi Folfi verrà assunto acriticamente, o comunque senza alcun supporto documentario che lo indichi come progettista del palazzo, anche da quegli studiosi più avvertiti che non potevano non scorgere nel palazzo elementi di un lessico architettonico più tardo.
A determinare questo stato di cose è stato a mio avviso decisivo, in questo come in altri casi[47], il giudizio perentorio del Geymüller (1884): «[...] del palazzo Uguccioni venne felicemente ritrovato il nome dell'autore Mariotto di Zanobi Folvi – venne eseguito verso la metà del secolo XVI come era facile vedere nelle sagome – e così spero si cesserà di annoverarlo tra le fabbriche di Raffaello»[48].

Particolarmente ricca è la documentazione grafica del palazzo[49]. Una prima rappresentazione della facciata si ritrova in un disegno della seconda metà del Cinquecento (fig. 6) conservato a Firenze (GDSU 2731A v.); è un rapido schizzo eseguito a seppia della parte destra della facciata, con a lato uno schematico profilo degli aggetti[50]. Nonostante la rapidità dell'esecuzione il disegno coglie in maniera estremamente accurata sia l'impaginato generale che i dettagli: il gioco del bugnato e il deciso aggetto dell'ordine inferiore; la balaustra con l'alternanza di pilastrini e balaustri; il fascione con il motivo del *can corrente*. Vi si nota inoltre la scalinata d'ingresso, ormai scomparsa, il cui primo gradino sembra continuare a mo' di basamento anche in corrispondenza delle due arcate laterali.
Una rappresentazione tanto infedele quanto suggestiva è quella che ne dà Vasari il Giovane (fig. 7) inserendo il palazzo tra i suoi disegni della *Città Ideale*[51]. Lo schema della facciata risulta infatti riprodotto nelle sue linee generali, ma gli elementi architettonici che lo caratterizzano risultano variamente interpretati. Nell'ordine inferiore si contano diciotto file di bugne, contro le quattordici reali, tuttavia il gioco del bugnato in corrispondenza dei tre archi è colto sostanzialmente in maniera corretta; manca invece del tutto la fascia orizzontale su cui riposa la balaustra. Nei due ordini superiori il motivo delle semi-colonne binate viene presentato con un maggiore rilievo: la parete di fondo è infatti mossa con un deciso aggetto proprio in corrispondenza delle colonne con una soluzione analoga a quella del palazzo Vidoni-Caffarelli. La trabeazione dell'ordine ionico è rappresentata nel disegno in maniera contratta, cioè mancante del fregio, perché, come è detto nella nota a margine del foglio, «p. la scarsità del luogo no si è potuta fare altrimenti»; un dettaglio è comunque riportato in corrispondenza della prima arcata dell'ordine inferiore. La stessa trabeazione risulta girata non in corrispondenza del sommoscapo della semi-colonna, bensì all'altezza della pseudo parasta posta a delimitazione della facciata; la trabeazione dell'ordine corinzio – che allo stato attuale risulta mancante sia del fregio che della cornice – è interpretata dal Vasari con un motivo analogo a quella dell'ordine ionico. Sul bordo inferiore del disegno

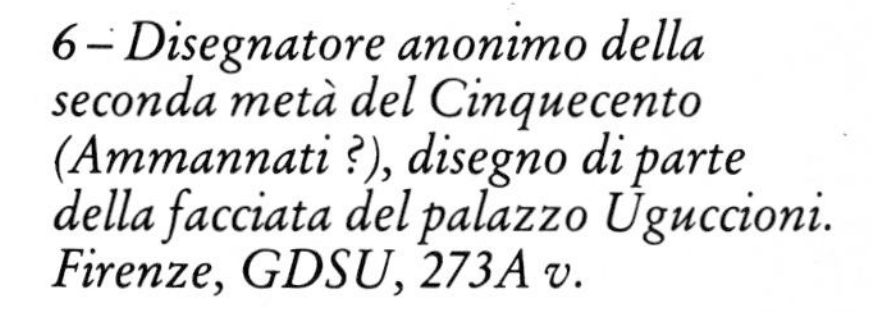

6 – Disegnatore anonimo della seconda metà del Cinquecento (Ammannati ?), disegno di parte della facciata del palazzo Uguccioni. Firenze, GDSU, 273A v.

7 – Giorgio Vasari il Giovane, disegno della facciata del palazzo Uguccioni. Firenze, GDSU, 4933A.

8 – Alessandro Galilei, disegno di parte della facciata del palazzo Uguccioni. Firenze, ASF, Carte Galilei, F.14, c. 357.

9 – Ferdinando Ruggieri, rilievo della facciata del palazzo Uguccioni, 1722.

14 – Raffronto tra i rilievi della balaustra antica: a) Ruggieri; b) Grandjean de Montigny; c) Cellesi.

10 – Grandjean de Montigny, rilievo della facciata del palazzo Uguccioni, 1815.
11 – Carlo Pontani, ricostruzione ideale della facciata del palazzo Uguccioni, 1845.
12 – Donato Cellesi, rilievo della facciata del palazzo Uguccioni, 1851.
13 – Riccardo e Enrico Mazzanti, Torquato Del Lungo, rilievo della facciata del palazzo Uguccioni, 1876.

è infine annotato un profilo orizzontale della facciata «[...] a ciò ché si vegga lo spatio che nasce, tra le mezze colonne, et il balaustro; il quale fa bellis.mo vedere, et un grand.mo comodo».

Un disegno estremamente accurato del palazzo è quello eseguito da Alessandro Galilei, riferibile ai primi anni del XVIII secolo, conservato presso l'Archivio di Stato di Firenze[52]. Seppure riferito solo a metà facciata, il disegno (fig. 8) è ricco di annotazioni e misurazioni molto attendibili, particolarmente utili per la conoscenza di quelle parti ormai scomparse come il basamento dell'ordine inferiore e la balaustra. Sul margine destro del disegno sono annotati tutta una serie di particolari: il balaustro, la fascia con il motivo a *can corrente*, la greca che ornava la cimasa della balaustra, l'aggetto delle semi-colonne rispetto alla parete di fondo, la trabeazione dell'ordine ionico, il timpano e le mensole delle finestre dell'ordine superiore, l'architrave corinzio. Si può inoltre notare, in alto a destra, un tentativo di interpretazione della cornice mancante della trabeazione corinzia, qui proposta, come del resto la descrive il Cinelli, sorretta da mensole. Di particolare interesse è la balaustra che il Galilei disegna nell'intercolumnio dell'ultimo ordine, in corrispondenza delle finestre, sulla quale è riportata anche la misura in altezza di braccia 1 e 1/2, cioè identica all'altezza della balaustra sottostante. Tale elemento, oltre a non essere presente nello stato attuale, non compare nei due disegni precedenti; tuttavia la sua mancanza, come meglio vedremo avanti, non poteva non sorprendere il Galilei[53].

Nel 1722, come già accennato, Ferdinando Ruggieri[54] pubblica del palazzo un rilievo della facciata, accompagnato da una doviziosa serie di particolari (fig. 9). È senza dubbio la documentazione che più di ogni altra ci restituisce il palazzo così come doveva presentarsi all'indomani della morte del committente, cioè non terminato nell'ordine superiore e ancora non trasformato nella balaustra e nel basamento.

Ruggieri è infatti il primo a non 'completare' idealmente il palazzo e a riprodurlo con sufficiente esattezza. L'accentuato senso di verticalismo della facciata che si avverte nel disegno, dipende sia dal fatto che la balaustra e la sottostante fascia sono disegnati rientranti rispetto al filo esterno del bugnato, che dalla mancata rappresentazione delle paraste poste a conclusione degli ordini superiori. Maggiori imprecisioni si possono osservare nelle ricche tavole dei particolari dove, soprattutto per la tecnica di incisione adottata, le membrature risultano molto più 'raggelate' di quanto in realtà non siano; in alcuni casi – si guardi ad esempio ai capitelli oppure ai modini della trabeazione ionica – le modanature sono interpretate più sulla base delle particolari predilezioni del disegnatore, che sulla base di osservazioni dirette.

Sostanzialmente corretto nelle linee generali è anche il rilievo pubblicato nel 1815 dal Grandjean de Montigny (fig. 10)[55]. Vi si può notare la situazione già modificata del basamento dopo l'innalzamento settecentesco della quota della piazza e un maldestro tentativo di ricostruzione ideale della trabeazione ionica. Il rilievo della balaustra differisce in maniera sostanziale da quello del Ruggieri (fig. 14), come anche molti dei dettagli riportati nella tavola dei particolari architettonici.

Di particolare interesse è la rappresentazione del palazzo fornita dal Pon-

CROISEE DU SECOND ORDRE

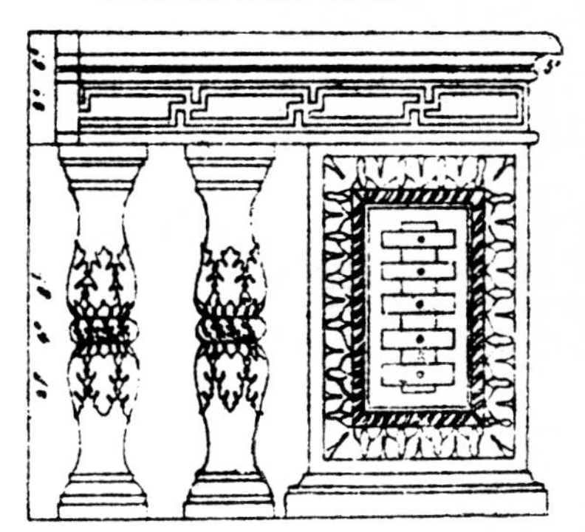

BALUSTRADE DU PREMIER ORDRE

Finestra del P.º Piano

tani nel 1845[56]. Più che di un rilievo, si tratta di un vero e proprio tentativo di interpretazione di un presunto 'stato ideale' del palazzo, tali sono le 'correzioni' apportate (fig. 11).
Nell'ordine inferiore il gioco delle bugne è variamente interpretato, così come l'inserimento delle piattabande nelle due arcate laterali, proprio in ossequio ai modelli romani. I due ordini superiori presentano una maggiore 'orizzontalità': pur non essendo presente il motivo delle paraste laterali, la parete di fondo prosegue oltre l'ultimo ordine di colonne binate, così come le due trabeazioni girate in corrispondenza degli spigoli della facciata.
Ma quello che più sorprende nel disegno è il motivo della balaustra del primo ordine. È infatti evidentissima la differenza rispetto alle rappresentazioni precedenti, non tanto per i dettagli, quanto per lo schema generale. I pilastrini sono in tutto simili a quelli della balaustra sostituita tra il 1840 e il 1845[57], ma sono intervallati da balaustri della stessa forma degli originali. Il Pontani evidentemente interpreta i rilievi del Ruggieri come una ricostruzione ideale, credendo di scorgere nella nuova balaustra ottocentesca i resti di quella antica[58]. Con un motivo analogo vengono proposti i parapetti per le finestre dell'ultimo piano, così come aveva fatto il Galilei; ma a differenza di questi, il Pontani fa coincidere la balaustra con l'altezza dei piedistalli; vi si nota inoltre il 'completamento' della trabeazione corinzia. Poco di più aggiungono alle nostre conoscenze il rilievo del Cellesi, pubblicato nel 1851 ma di qualche anno precedente (fig. 12), quello del Poggi, e quello del Raschdorff del 1888[59]; del primo è particolarmente interessante il disegno della balaustra, anche per un confronto con i rilievi del Ruggieri.
Particolarmente attendibile è il rilievo pubblicato nel 1876 (fig. 13) dagli architetti Riccardo e Enrico Mazzanti e Torquato Del Lungo, dove è possibile osservare la modestissima balaustra ottocentesca. Lo stesso rilievo viene nuovamente pubblicato nel 1908 da Stegmann e Geymüller nella grandiosa *Die Architectur der Renaissance in Toscana*[60], corredata da ulteriori tavole di particolari, in senso assoluto tra le più attendibili, anche se non prive di regolarizzazioni 'accademiche'.

15 – Firenze, palazzo Uguccioni. Veduta della corte interna con l'innesto della scala principale.

Il palazzo insiste su un tessuto edilizio assai stratificato, derivato da *domus* elementari romane poi trasformate, con un processo di intasamento del tessuto, in case mercantili[61]. Dal rilievo murario dell'isolato, pubblicato in appendice, appare evidente come l'intervento cinquecentesco abbia utilizzato, e in parte modificato, le strutture preesistenti[62].
La pianta del palazzo segue uno schema canonico: l'androne centrale, affiancato da due grandi ambienti voltati, immette direttamente nella corte, dove il porticato è sostituito da una semplice loggia a sbalzo, atta a delimitare un'area coperta in corrispondenza delle scale (fig. 15) e a fungere nel piano superiore da collegamento; una soluzione questa molto consueta a Firenze. La scala è posta trasversalmente rispetto all'asse dell'androne ed è girata di 90° nella terza rampa per consentire lo sbarco al piano nobile; qui un atrio funge da disimpegno per le varie stanze, per la scala d'accesso ai piani superiori, per il ballatoio che collega la parte prospiciente la piazza.

Sul piano formale, pur tenendo conto delle molte trasformazioni operate all'interno dell'edificio in epoche anche vicine alla sua costruzione, gli ambienti interni non presentano particolari motivi d'interesse. Ad eccezione delle due sale voltate del piano terra e del vano-scala (fig. 16) ove è dato cogliere uno spirito più 'fiorentino' che 'romano', non si va al di là, a mio avviso, di un modesto intervento di ristrutturazione, tanto più povero quanto più messo in rapporto con la ricchezza della facciata.

Già si è detto della derivazione della facciata dall'archetipo bramantesco; una derivazione che comunque tiene conto non solo delle tante varianti esperite del tipo, ma anche del repertorio formale svoltosi in tutta la prima metà del Cinquecento, così come è dato scorgere nei tanti riecheggiamenti presenti. Essa è scandita da un sistema di tre ordini sovrapposti: il primo costituito dal basamento bugnato, gli altri due da ordini di semi-colonne binate addossate. I tre ordini hanno, da un punto di vista metrico, identica gerarchia, essendo cioè perfettamente uguali tra loro le altezze che intercorrono fra i tre piani d'appoggio.

La parte basamentale (fig. 17), sensibilmente sporgente rispetto al piano della facciata, ha un rapporto larghezza-altezza di 2:1; analogo rapporto si ritrova per tutti e due gli ordini superiori, e si ha quindi un generale inquadramento della parte superiore della facciata nel rapporto di 1:1 (fig. 3a).

L'intenzionalità di realizzare l'ultimo ordine con un'altezza esattamente uguale a quello sottostante – che molti hanno tentato di spiegare come un artificio condizionato dalla situazione edilizia preesistente – appare chiara nei grafici di rilievo (vedi in appendice la sezione trasversale), ove si può notare come più di un terzo dell'altezza dell'ultimo ordine non abbia in pratica corrispondenza alcuna con l'edificio retrostante. L'accentuato verticalismo della facciata che ne deriva è quindi assolutamente voluto; l'ignoto autore del disegno avrebbe infatti potuto benissimo realizzare all'ultimo piano un semplice attico, senza con questo turbare l'organizzazione interna dell'edificio.

Passando ad osservare nel dettaglio ogni singola campata (fig. 3b) si può notare come l'altezza compresa fra il piano d'appoggio dell'ordine e la sottocornice della trabeazione, e la larghezza tra gli assi delle semi-colonne è nel rapporto di 5:3 (1,6); mentre l'altezza tra il filo superiore dell'architrave e la cimasa del piedistallo, e la larghezza dell'intercolumnio è nel rapporto di 3:2 (1,5).

Tali semplici rapporti[63] conferiscono al sistema delle colonne binate un'estrema snellezza ed eleganza, e all'intera facciata quell'aria 'raffaellesca' che ha fatto attribuire, come abbiamo già visto, per oltre due secoli il palazzo a Raffaello[64].

La parte basamentale è certo quella più interessante e meglio strutturata. Il ben calibrato gioco delle bugne, di derivazione sangallesca, è stato più volte accostato al portale del palazzo Pandolfini; un accostamento valido soltanto nello schema generale, ma non nella qualità formale. Il bugnato del palazzo Uguccioni risulta infatti molto più massiccio e chiaroscurato, e presenta bugne più aggettanti impostate su filari pressoché di uguale altezza[65], a differenza del bugnato di palazzo Pandolfini ove è presente il motivo di filari a due altezze.

16 – Firenze, palazzo Uguccioni. Veduta interna della scala principale.

17 – Firenze, palazzo Uguccioni. Veduta del portale d'ingresso.

18a, b – Firenze, palazzo Uguccioni. Particolare dei timpani delle finestre.

19 – Firenze, palazzo Uguccioni. Particolare delle paraste laterali.

Lungo tutto il piano d'imposta dell'ordine inferiore corre una massiccia base, che presenta un inconsueto motivo a toro, girato in corrispondenza degli spigoli e delle due arcate laterali e tagliato all'altezza del portale; una soluzione che non si ritrova in esempi coevi, quasi sempre conclusi da un semplice motivo a fascia, e che ricorda molto da vicino la soluzione usata dall'Ammannati nel cortile del palazzo Pitti per le basi delle colonne dell'ordine inferiore.
Il primo ordine è concluso dalla fascia con la decorazione a *can corrente*, sotto cui compare un'altrettanto inconsueta dentellatura. Fasce con dentelli su paramenti bugnati si ritrovano in quasi tutti i palazzi del primo rinascimento fiorentino[66], ma è piuttosto inconsueto l'uso di dentelli sotto i marcapiani nei palazzi della prima metà del Cinquecento, particolarmente su pareti bugnate. Tuttavia la fila dei dentelli serve ad accentuare sulla facciata la netta linea di separazione tra il bugnato e la balaustra; quest'ultima, come si può vedere dai rilievi settecenteschi, forma un sistema piuttosto compatto con la fascia sottostante, ben correlato con l'altezza di tutto il piano. Dalla cimasa della balaustra al filo inferiore dei dentelli intercorre infatti una distanza che è pari ad 1/5 dell'altezza dell'intero ordine basamentale (fig. 3b); essa è inoltre esattamente uguale alla dimensione del concio in chiave degli archi.
Ben calibrate appaiono anche le tre arcate, con un rapporto tra vuoto e pieno di 5:4 (1,25) e una successione a-a-b-a-b-a-a (fig. 3b). Le due arcate laterali cieche presentavano in origine soltanto le due finestre, ed è quindi probabile che la fascia basamentale, ad esclusione del toro, continuasse in corrispondenza delle tamponature, così come si può vedere nei disegni di Vasari il Giovane e del Galilei.
Il dato saliente della facciata è il nettissimo contrasto tra la parte inferiore e i due ordini superiori. Questi, oltre ad essere allungati nelle proporzioni, sono caratterizzati da un estremo linearismo, cui si contrappone un accentuato decorativismo dei dettagli.
Ciò è particolarmente evidente nelle finestre dei due ordini (figg. 18a, b). La loro formulazione è sicuramente michelangiolesca, ma la 'traduzione' è stereometrica. Si guardi ad esempio alla nudità dei timpani e all'accentuato senso di vuoto delle loro specchiature; alla scarna essenzialità degli stipiti; alla rigidezza del bastone dell'architrave.
Sono tutti elementi che si ritroveranno frequenti nel gruppo dei manieristi toscani, soprattutto nell'Ammannati, ma con ben diverso plasticismo, oppure nel 'raggelato' michelangiolismo del Dosio[67].
Non mancano nella parte superiore della facciata soluzioni poco brillanti: ad esempio quella delle pseudo-paraste laterali poste a delimitazione degli ordini, che non risentono dell'"arrivo' della trabeazione e si concludono in essa con enorme indeterminatezza (fig. 19); oppure l'infelice soluzione dei piedistalli delle colonne ioniche, se pure destinati ad essere nascosti dalla balaustra. Particolarmente accurate sono invece le sagome dei capitelli e delle basi delle colonne, tra cui la raffinata base doppio-attica dell'ordine corinzio.
Nell'ultimo ordine la trabeazione non è conclusa, essendo presente solo l'architrave. Il Cinelli quando osserva nel 1677 il modello ligneo che ancora si conservava all'interno del palazzo, afferma che la cornice doveva

riposare su mensole. Ciò è molto probabile data la presenza dell'ordine corinzio; essa inoltre doveva scattare in corrispondenza delle colonne binate, così come si può osservare nel motivo dell'architrave. Si può ritenere tuttavia che l'intera trabeazione, a differenza delle interpretazioni fatte dal Grandjean de Montigny e dal Pontani, doveva essere pensata con valori pressoché uguali a quella dell'ordine ionico, data la totale corrispondenza dei rapporti dimensionali fra i due ordini.
Sorprende inoltre la mancanza di un qualsiasi parapetto per le finestre dell'ultimo piano; un elemento questo che si riscontra sempre in edifici che presentano la stessa tipologia, o sotto forma di balaustra, oppure come semplice parapetto più o meno inglobato nel disegno delle finestre. La 'lacuna' era già stata osservata dal Galilei (fig. 8), che tenta di risolverla con una soluzione identica a quella della balaustra sottostante, e dal Pontani (fig. 11), che opta invece per una soluzione diversa. Questi, nel rilevare giustamente come l'altezza della balaustra inferiore fosse più bassa rispetto alla cimasa dei piedistalli delle colonne, e che ciò fosse determinato unicamente da evidenti ragioni di natura prospettica, propone, a differenza del Galilei, l'allineamento della balaustra con il filo della cimasa. Si può notare come il Pontani, per ottenere balaustri della stessa altezza di quelli inferiori, usi l'accorgimento di rialzare leggermente la balaustra rispetto al piano d'imposta dei piedistalli delle colonne.
Fermo restando che siamo nel campo di una pura ipotesi, credo che non si possa del tutto escludere una qualche soluzione analoga a quella proposta dal Pontani, e già suggerita dal Galilei.
Rimane invece poco chiara la differente terminazione della trabeazione ionica sul lato a ponente e su quello a levante (figg. 20a, b). In quest'ultimo essa gira in corrispondenza del sommoscapo della colonna, mentre nell'altro prosegue decisamente oltre, quasi che la facciata fosse dovuta continuare inglobando il palazzo dei dell'Antella[68].
È questa un'ipotesi probabile, anche se contraddetta dal fatto che il basamento bugnato si presenta completato in tutte le sue parti. Inoltre la maggiore estensione del palazzo non sarebbe certo passata inosservata al Cinelli[69]. È quindi possibile che il disegno della facciata prevedesse solo i tre assi attuali e che ci sia stato da parte di Giovanni Uguccioni, un ripensamento in corso d'opera, un'ulteriore prova di quella sua costante 'aspirazione a risplendere'[70].

20a, b – Firenze, palazzo Uguccioni. Particolari della trabeazione dell'ordine ionico: si può notare la differente terminazione della trabeazione a levante e a ponente.

Sull'ignoto autore della facciata sono possibili solo brevi e schematiche congetture.
Espunta definitivamente dalla critica odierna ogni 'illustre' paternità, il palazzo Uguccioni sembra destinato ad essere legato al nome di Mariotto di Zanobi Folfi. Abbiamo già visto però come l'unica notizia certa che lo mette in relazione con la fabbrica sia quella relativa alla realizzazione del modello ligneo della facciata. Si può ipotizzare inoltre che, data la sua futura professione di capo-mastro presso il Corpo dei Capitani di Parte, egli abbia potuto avere pratica di cantiere e quindi possa aver seguito più o meno direttamente i lavori del palazzo. Ci si può spingere oltre e attribuire a lui, come molti hanno fatto, l'esecuzione diretta dei particolari architettonici, ma non credo che possa essere assegnata a un oscuro *legnajolo* la

21 – Francesco Salviati, Bagno di Betsabea, particolare. Roma, palazzo Sacchetti.

22 – Francesco Salviati e allievi, San Giovanni decollato, particolare. Roma, Oratorio di San Giovanni decollato.

paternità di un'opera tanto 'eversiva' per la Firenze del tempo. Del resto l'unico altro dato documentario certo è quello pubblicato da Jodoco Del Badia relativo al disegno fatto venire da Roma da Giovanni Uguccioni. Il che presuppone anche un qualche legame diretto di Giovanni con Roma, forse dovuto alla sua attività mercantile. È in questa direzione che potrebbero venire in ausilio ulteriori elementi di conoscenza.
La facciata del palazzo infatti, pur non presentando un ventaglio di soluzioni particolarmente raffinato, costituisce comunque un significativo punto di collegamento con l'ambiente artistico romano; un collegamento che presuppone evidentemente un artefice altrettanto informato.
È comunque utile richiamare l'attenzione sulle tante inflessioni decorative presenti in facciata e sulla assoluta mancanza di un rapporto organico fra interno ed esterno dell'edificio. Tali elementi potrebbero non del tutto escludere che l'autore del disegno possa essere un pittore ... anche di architetture.
Si pensi come proprio il tema del palazzo bramantesco, elegantemente riplasmato, torni frequentemente ad esempio nell'opera di Francesco Salviati (figg. 21 e 22)[71], cioè di una delle personalità maggiormente significative fra i pittori che operano tra Roma e Firenze a cavallo tra la prima e la seconda metà del Cinquecento, adusi ad ambientare le loro scene con quinte architettoniche. Senza voler con questo rivendicare all'artista la paternità dell'opera, non fosse altro che per la totale assenza di ogni supporto documentario, è probabile che l'ignoto autore del disegno possa essere ricercato nello stesso ambiente culturale in cui anche il Salviati ha tratto gli spunti per le sue architetture dipinte.

NOTE

[1] M. SALMI, Voce *Rinascimento*, in «Enciclopedia Universale dell'Arte», Firenze 1958-1967, vol. XI (1963), p. 460.
[2] Cfr. G. DE ANGELIS D'OSSAT, *La vicenda architettonica del manierismo*, in «Atti del XVI Congresso di Storia dell'Architettura», Padova 1972, pp. 95-113.
[3] I palazzi sono stati oggetto di studio da parte dei maggiori studiosi di storia dell'architettura; si ritiene pertanto superfluo ogni riferimento bibliografico. Per un'attenta lettura comparata dei tre modelli si veda: S. BENEDETTI, *Architettura e Riforma Cattolica nella Roma del 500*, Roma 1973, p. 52 e segg.
[4] Cfr. L. BARTOLINI-SALIMBENI, *Una 'fabbrica' fiorentina di Baccio d'Agnolo*, in «Palladio», Terza Serie, a. XXVII, fasc. 2-1978.
[5] Ricordo a puro titolo d'esempio i più importanti palazzi direttamente derivati dal modello bramantesco: a Roma i palazzi Vidoni-Caffarelli (1515), Iacopo da Brescia (1515), Alberini già Senni-Cicciaporci (c. 1521-1522?), Maccarani (1521), Ossoli (1521); in ambiente veneto le esperienze del Sanmicheli: i palazzi Pompei (1530 c.), Canossa (1531-37 c) Bevilacqua (1530-32), Roncale a Rovigo (1550 c.). Sempre in ambiente veneto il palazzo Corner (1533) del Sansovino e del Palladio i palazzi Civena (1540-42), Thiene (1542-46), Iseppo Porto (1549 c.). Tra la vastissima bibliografia sul tema cfr. P. PORTOGHESI, *Roma del Rinascimento*, Milano 1971; A. BRUSCHI, *Bramante*, Bari 1969; R. WITTKOWER, *Principî architettonici nell'età dell'umanesimo*, Torino 1964; C.H. FROMMEL, *Der Römische Palastbau der Hochrenaissance*, Tübingen 1973; R. PANE, *Palladio*, Torino 1961; J.S. ACKERMANN, *Palladio*, ed. it. Torino 1972.
[6] Cfr. G. DE ANGELIS D'OSSAT, *op. cit.*
[7] Gli unici dati documentari finora editi sulle vicende costruttive del palazzo sono quelli pubblicati da Jodoco Del Badia (in R. e E. MAZZANTI - T. DEL LUNGO, *Raccolta delle migliori fabbriche antiche e*

moderne di Firenze, Firenze 1876, pp. 37-38). Come è ben noto i documenti sono riportati senza riferimento alle fonti, per cui è stato estremamente difficile il loro rinvenimento. Le ricerche che ho condotto assieme a Cristina Acidini Luchinat presso l'Archivio di Stato di Firenze non hanno dato comunque i risultati sperati: dai tanti fondi consultati (tra cui quello consistente della Serie IV delle Carte Strozziane) sono emerse infatti soltanto pochissime notizie relative alla fabbrica. Inoltre dei documenti pubblicati da Del Badia non è stato possibile rintracciare la famosa lettera del 1549 indirizzata a Cosimo I in cui è ricordato il disegno fatto venire da Roma (cfr. nota 15), della cui esistenza comunque non si ha ragione di dubitare. Le notizie relative agli acquisti della famiglia Uguccioni (cfr. nota 9) sono state gentilmente fornite da Isabella Bigazzi.

[8] Per quanto attiene le notizie sulla famiglia Uguccioni e in particolare sul committente del palazzo, Giovanni di Buonaccorso di Benedetto, si rimanda al contributo di Cristina Acidini Luchinat nel presente catalogo.

[9] ASF, Decime Granducali, Campione del 1534, Santa Croce, Carro, 3582, cc. 415 v. - 417 r., n. 234, «Sostantie acquistate et achoncie. Una chasa posta in detto p.lo et nella via del Gharbo chonfina a p.° via, 2° piaza de S.ri, 3° rede di Tomaso dell'Antella, 4° Filippo di Salamone del Gharbo per nostro abitare. / 2 botteghe sotto detta chasa poste nella via del Gharbo 1ª ad uso di chalzolajo et 1ª a uso di chartolajo che ll'anno 1498 furno date dette botteghe per entt.ª di f. 7 una et ll'altt.ª per f. 5.16.0 et oggi se ne ridotto 3/4 di dette botteghe o ppiù par nostre abitare et [...] di dette botteghe sono oggi ispigionate per esser ridotte pichole e quà beni chomprò Buonachorso nostre padre da Taddeo e Llamberto e G.no e Gio. dell'Antella charta per mano di Ser.G.no d'Andrea Spigliati sotto dì 24 di dic. 1500 per ent.ª tutta di f. 12.16.0».

[10] *Ibidem*, c. 416 r.

[11] *Ibidem*, c. 416 v.

[12] Cfr. MAZZANTI-DEL LUNGO, *op. cit.*

[13] ASF, *Carte Strozziane*, serie IV, F. 600, f. 6.

[14] Non posso tuttavia escludere la possibilità che la costruzione sia iniziata indipendentemente da tale acquisto, e che esso rappresentasse per Giovanni Uguccioni l'inizio di un più vasto piano d'acquisti che lo mettesse in grado di ampliare ulteriormente la nuova facciata del palazzo.

[15] Cfr. MAZZANTI-DEL LUNGO, *op. cit.*, p. 57.

[16] La notizia è riportata sinteticamente da Jodoco del Badia (in MAZZANTI-DEL LUNGO, *op. cit.*) e più estesamente da Gaetano Guasti, il quale dà notizia di un documento rintracciato in una filza di suppliche presentate dal 1549 al 1551 all'Uffizio dei Capitani di Parte, conservata presso l'Archivio di Stato di Firenze. Il documento riguarda le informazioni assunte su Mariotto a seguito di una sua richiesta di essere assunto come capo-mastro nel corpo dei Capitani di Parte, nel quale si legge: «L'Ammogliato legnajolo, fa bottega in sulla piazza di S. Giovanni. Ha facto el modello della facciata di Giovanni Uguccioni – 28 anni – Ha buon disegno». (Cfr. G. GUASTI, *Raffaello d'Urbino e il padre suo Giovanni Santi, opera di J. D. Passavant tradotta, corredata di note e di una notizia biografica sull'autore*, Firenze 1899, vol. I, p. 179, n. 3).

[17] La data è inoltre genericamente ricordata in varie memorie seicentesche e settecentesche della famiglia Uguccioni (ASF, *Carte Strozziane*, F. 600).

[18] La prima controversia è tra Giovanni Uguccioni e le monache di Santa Maria degli Angeli del Borgo di San Frediano, le quali nel novembre del 1550 si rivolsero al duca in quanto era stato occupato parte del loro muro di confine. Cosimo autorizzò Giovanni a proseguire nella costruzione e lo obbligò in seguito a risarcire i danni.
La seconda controversia è tra Giovanni e Girolamo di Taddeo dell'Antella. Qui la controversia era maggiore in quanto non solo era stato occupato parte del muro di confine, ma le ultime bozze dell'ordine inferiore e il fascione su cui s'innestava la balaustra, avevano parzialmente occupato una finestra di Girolamo. Intervennero i Capitani di Parte che, con sentenza del 14-7-1551, ordinarono a Giovanni di tagliare parte delle ultime bozze, un tratto della fascia, e la parte sporgente della parasta laterale posta al fianco dell'ultima colonna ionica (cfr. MAZZANTI-DEL LUNGO, *op. cit.*, p. 38).

[19] *Ivi ibidem.*

[20] ASF, Decime Granducali, *Ricerca delle case di Firenze ordinata da Cosimo I*, F. 3781, c. 106 (anno 1561 - Descrizione del quartiere di Santa Croce): «Rede di Giovanni Uguccioni una casa nella piazza del Duca e una riuscita nella Via del Garbo abita a pigione m. Alfonso Quistelli per fiorini 65 stimata fiorini 65 con bocche 11 – fiorini 65 soldi 6 denari 5 –».
Nel 1765 il Cambiagi (*L'Antiquario fiorentino ossia guida per osservare la città di Firenze*, Firenze 1765, I ed., pp. 180-181) afferma che il palazzo era sede dei *Ministri dell'Appalto Generale*.

[21] ASF, *Carte Strozziane*, serie IV, Filza 584, fasc. 12: testamento di Giovanni Uguccioni del 16-12-1559 (copia XVIII secolo).
Il testamento di Giovanni ci fornisce, seppur parzialmente, notizie sulla consistenza e l'articolazione interna del palazzo. Ambedue gli ingressi erano ancora in uso: quello su via del Garbo è identificabile nell'andito ormai tamponato, ma perfettamente riconoscibile in pianta, che metteva in comunicazione, seguendo lo stesso allineamento dell'androne sulla piazza, la via con la corte interna, al centro della quale era il pozzo. Nel piano scantinato era «[...] la volta sotto l'andito della porta di piazza [...] et la volta o vero stalla sotto la camera terrena a ponente», in comunicazione con la corte tramite la prima rampa della scala. Il piano nobile era tutto disimpegnato dal grande ambiente posto alla fine della scala: «[...] possa la detta m.a Nannina sua donna – è scritto ancora nel testamento – tenere serrato a suo beneplacito l'uscio e al

primo palco li lascia la cucina et suo stanzino la quale in fuora del uscio del salotto a pie della scala et va in sala di piazza che riesce sul corridore la camera in su detta scala di verso ponente et sua anticamera o vero soffitta con sua necessarij e altre stanze di sopra detta anticamera e l'uso e stanza sopra la detta camera e sala che riesce al finestrato de secondi balaustri la detta sala che riesce sul primo corridore la camera et soffitta sendo fatta se non come sala diverso levante che riesce ... sopra la loggia et il passo e transito per tutte le scale e stanze donde bisogna passare per ire e stare in dette stanze et per che dette stanze sieno più libere che la detta m.a Nannina possa tenere serrato l'uscio del salotto che riesce a canto alla cucina lasciatali et apie della scala che sale in detta sala che riesce sul corridore di piazza...».

[22] Si veda la fig. n. 1 nel testo. Sono qui di seguito riportati i riferimenti bibliografici della figura, con l'aggiunta dei testi omessi perché meno significativi: G. Vasari, *Vite*, ed. 1550 e 1568; F. Bocchi, *Bellezze della città di Fiorenza*, Firenze 1591; P. Mini, *Discorso sulla nobiltà di Firenze*, Firenze 1593; Id., *Avvertimenti e digressioni* , Firenze 1594, ristampati in: Gori, *Prodromo della Toscana illustrata*, Livorno 1755; A. Lapini, *Diario* (1596), ed. Corazzini, Firenze 1900; *Nota di pitture, sculture, fabbriche notabili della città di Firenze* (c. 1600), pubblicata da P. Galletti in «Rivista fiorentina», I (1908); F. Bocchi, M. G. Cinelli, *Le bellezze della città di Firenze*, Firenze 1677, p. 86; F. Baldinucci, *Notizie dei Professori del Disegno*, Firenze 1681, ed. a cura di F. Ranalli, vol. III, p. 529; F. L. Del Migliore, *Firenze città nobilissima illustrata*, Firenze 1684; F. Ruggieri, *Studio d'architettura civile*, Firenze 1722, tavv. 71 e segg.; A. Cecchini, *Descrizione della città di Firenze*, Firenze 1723; R. Del Bruno, *Ristretto delle cose più notabili della città di Firenze*, ed. VI, Firenze 1757, p. 112 (nelle edizioni precedenti il palazzo non è menzionato); G. Bottari, *Vite ... scritte da Giorgio Vasari*, Roma 1759, p. 16 (giunta alle note); G. Cambiagi, *op. cit.*, pp. 180-181; M. Lastri, *L'Osservatore fiorentino sugli edifizj della sua patria*, Firenze 1766; F. Milizia, *Le Vite de'* ..., Roma 1769, Libro IV, pp. 190-191; G. Piacenza, *Notizie de' Professori del Disegno opera di Filippo Baldinucci con aggiunte*, Firenze 1768-1820, vol. II (1770), p. 351; D. M. Manni, *Il Senato fiorentino*, Firenze 1771, p. 138; A. Comolli *Bibliografia storico-critica dell'Architettura civile ed arti subalterne*, Roma 1788-1792, vol. II (1788), p. 366; A. Comolli (a cura di), *Vita inedita di Raffaello da Urbino*, ed. 1, Roma 1790, ed. II Roma 1791, pp. 72-73, n. 81; G. Della Valle, *Vite ... scritte da Giorgio Vasari*, Siena 1791-1794, vol. V (1792), pp. 298-299, n. 1; A. Lazzari, *Memorie di Raffaello da Urbino*, Urbino 1800, p. 42; *Vite ... di Giorgio Vasari*, ed. Classici Italiani, Milano 1807-1811, vol. VIII (1810), p. 100, n. 1; A. Grandjean de Montigny e A. Famin, *Architecture Toscane ...*, Paris 1815, p. 18 e segg., tavv. XLVI-XLVII; R. Duppa, *The life of Raffaello Sanzio da Urbino (by the author of the life of Michelangelo)*, London 1816, pp. 58-59; L. Gargiolli, *Description de la Ville de Florence et sons environs*, Florence 1819, vol. I, p. 264, vol. II p. 124; Quatremère de Quincy, *Histoire de la vie et des ouvrages de Raphael*, Paris 1824, ed it. corretta illustrata e ampliata per cura di Francesco Longhena, Milano 1829, p. 162; *Guide de la Ville de Florence*, Florence 1824, p. 93; *Guide de Florence de ses environs et des principales villes de la Toscana*, Florence 1826, p. 240; *Guida della città di Firenze e suoi contoni con la descrizione della I. e R. Gallerie e Palazzo Pitti con pianta, veduta e statue*, Firenze 1828, p. 182; P. M. L. Pungileoni, *Elogio storico di Raffaello Santi da Urbino*, Urbino 1829, p. 186; G. Masselli (con note di), *Le opere di Giorgio Vasari*, Firenze 1832-1838, vol. un., p. 520, n. 117; C. Falconieri, *Memorie intorno il rinvenimento delle Ossa di Raffaello Sanzio con breve appendice sulla di lui vita*, Roma 1833, p. 27; G. K. Nagler, *Rafael als menfch und künfler*, München 1836, p. 181; A. Bulgarini, *Guide de Florence et de ses environs*, Florence 1839, p. 169; J. D. Passavant, *Raffael von Urbino und sein vater Giovanni Santi*, Leipzig 1839-1858, vol. I, p. 282; M. Missirini, *Dell'eccellenza di Raffaello Sanzio nell'architettura dimostrata con ragionamenti e con tipi dell'architetto Carlo Pontani*, Firenze 1840, p. 6; P. Thovar, E. Repetti (a cura di), *Notizie e guida di Firenze e de' suoi contorni*, Firenze 1841, pp. 367 e 478; T. Dandolo, *Guida estetica di Firenze*, Milano 1842; F. Fantozzi, *Nuova guida ... di Firenze*, Firenze 1842, p. 29; Id, *Pianta geometrica della città di Firenze*, Firenze 1843, p. 116; L. Schorn, *Leben der ausgezeichnetften Maler, Bildhauer und Bauneister, von Giorgio Vasari*, Stuttgart und Lubingen 1832-1849, vol. III-I (1843), p. 231, n. 118; Bacciotti, *Il fiorentino istruito ...*, calendario per l'anno 1844 (marzo), p. 28; C. Pontani, *Opere architettoniche di Raffaello Sanzio ...*, Roma 1845, par. 9; A. Ademollo, *Marietta de' Ricci ovvero Firenze al tempo dell'assedio*, ed. II con aggiunte di L. Passerini, Firenze 1845, vol. I, p. 361; F. Ranalli, *Le vite ... scritte da Giorgio Vasari*, Firenze 1845-48, vol. II, parte III (1848), p. 191, n. 1; *Nuova guida della città di Firenze ...*, Firenze 1850, p. 171; J. Burckhardt, *Der Cicerone*, Basel 1855, trad. it., Firenze 1952, p. 337; P. Selvatico, *Storia estetico-critica delle Arti del Disegno*, Venezia 1852-1856, vol. II (1856), p. 802; G. François, *Nuova guida di Firenze*, Firenze 1856; A. Ricci, *Storia dell'architettura in Italia*, Modena 1860, vol. III, p. 103; E. Forster, *Raphael*, Leipzig 1867-1868, vol. II, pp. 49 e 207; P. Gherardi, *Della vita e delle opere di Raffaello Sanzio*, Urbino 1874, p. 113; Mazzanti-Del Lungo, *op. cit.*, p. 37 e segg.; E. Muntz, *Raphaël, sa vie, son oeuvre et son temps*, Paris 1881, p. 576; G. Carocci, *L'illustratore fiorentino*, Firenze 1880-1881, 1904-1915; A. Springer, *Raffael und Michelangelo*, Leipzig 1883, p. 110; R. Ojetti, *Discorso su Raffaello Sanzio*, in «Atti del Collegio degli Ingegneri ed Architetti», Roma 1883; H. von Geymüller, *Raffaello Sanzio studiato come architetto*, Milano 1884, p. 86; G. Ostaya, *Les anciens maitres et leurs oeuvres a Florence – Guide artistique*, Florence 1884, p. 160; J. A. Crowe, G. B. Cavalcaselle, *Raphael: his life and works*, London 1882-1885, vol. II (1885), pp. 250-252; M. Minghetti, *Raffaello*, Bologna 1885, p. 166, n. 3; J. C. Raschdorff, *Palast Architektur von Oberitalien und Toscana*, Berlin 1888, p. 15, tavv. 97-98; E. Bacciotti, *Firenze illustrata ...*, Firenze 1879-1887, vol. IV (1888), p. 237; G. Milanesi, *Vite ... di Giorgio Vasari*, Firenze, 1878-1885, vol. IV (1879), p. 364, n. 3; L. del Moro (a cura di), *Atti per la conservazione dei monumenti della Toscana*, Firenze 1896, p. 23; G. Guasti, *op. cit.*; J. Ross, *Florentine*

Palaces and their stories, London 1905, p. 164; C. von Stegmann, H. von Geymüller, *Die Architektur der Renaissance in Toscana*, Munchen 1890-1908, band. VII, 9; W. Limburger, *Die Gebäude von Florenz* ..., Leipzig 1910; S. Ricci, *Raffaello Sanzio*, Bergamo 1920-1921, pp. 128-130; A. Haupt, *Palast Architektur von oben italien und Toscana*, Berlin 1922, ed. it., vol. I, Roma 1930, p. 13, tavv. XVIII-XXI; A. Venturi, *Storia dell'Arte Italiana*, Milano 1901-1940, vol. XI (1938), p. 232; B. M. Apollonj, *Il prospetto del palazzo romano del primo cinquecento, saggio sulla sua origine e sui suoi sviluppi*, in «Atti del I Congresso Nazionale di Storia dell'Architettura», Firenze 1938; E. Allodali, A. Jahn-Rusconi, *Firenze e dintorni*, Roma 1950, p. 26; G. Chierici, *Il palazzo italiano dal secolo XI al secolo XIX*, Milano 1952-1957, parte II (1954), p. 186; M. Salmi, *op. cit.*; G. Spagnesi, *I continuatori della ricerca bramantesca*, in *Bramante tra umanesimo e manierismo*,catalogo della mostra, Roma 1970, p. 192; M. Bucci, R. Bencini, *Palazzi di Firenze*, Firenze 1971, vol. II, pp. 53 e segg.; L. Ginori Lisci, *I palazzi di Firenze nella storia e nell'arte*, Firenze 1972, pp. 581 e segg.;

[23] F. Bocchi-M. G. Cinelli, *op. cit.*

[24] Cfr. J. S. Ackerman, *L'architettura di Michelangelo*, ed. it. Torino 1968, p. 288.

[25] Questo passo del Cinelli è stato variamente interpretato; molti infatti lo riferiscono all'edizione della guida del 1591, affermando che il modello era conservato presso la casa di Michelangelo a Firenze.

[26] F. Baldinucci, *op. cit.*

[27] F. Ruggieri, *op. cit.*

[28] Il busto di Francesco I venne apposto in facciata da Benedetto Uguccioni circa vent'anni dopo la morte di Giovanni. L'opera, attribuita dal Baldinucci a Giovanni dell'Opera, è da molti ritenuta del Giambologna.

[29] R. Del Bruno, *op. cit.*

[30] G. Cambiagi, *op. cit.*

[31] A. Grandjean de Montigny, A. Famin, *op. cit.*

[32] P. M. L. Pungileoni, *op. cit.*

[33] P. Thovar, E. Repetti, *op. cit.*

[34] G. Bottari, *op. cit.* Su questa edizione delle *Vite* oltre alla *Premessa* di Paola Barocchi in G. Vasari *Le vite* ..., Firenze 1967, I, Commento, pp. XV-XX, vedi anche A. Gambuti, *La quarta edizione delle Vite*, in *Il Vasari storiografo e artista*, «Atti del Congresso Internazionale nel IV Centenario della morte» (Arezzo-Firenze 2-8 Settembre 1974), Firenze 1976, pp. 83-91.

[35] F. Milizia, *op. cit.*

[36] G. Piacenza, *op. cit.*

[37] A. Comolli, *Bibliografia*, cit. Il pasticcio del Milizia tra il palazzo Pandolfini e il palazzo Uguccioni venne corretto dal Comolli nella prima edizione della *Vita inedita di Raffaello da Urbino* (*op. cit.*), mantenendo però l'attribuzione raffaellesca del palazzo. Nella seconda edizione della *Vita* (Roma 1791, pp. 72-73, n. 81) il Comolli appare meno determinato nell'assegnare il palazzo all'urbinate.
Sull'autenticità della vita di Raffaello pubblicata dal Comolli, il celebre *Anonimo Comolliano*, si veda in particolare V. Golzio, *Raffaello nei documenti, nelle testimonianze dei contemporanei e nella letteratura del suo secolo*, Città del Vaticano 1936, pp. 269-270.

[38] Il Comolli fa riferimento a una lettera a lui inviata dal Nelli in data 24 agosto 1790. Alla base di tale attribuzione, che comunque non avrà alcun seguito, sta a mio avviso un probabile parallelismo proposto dal Nelli tra gli studi condotti dal Dosio sui monumenti romani antichi e l'impaginato classicheggiante della facciata, oltre ad una sensibile affinità tra le finestre del palazzo e alcune soluzioni adottate dal Dosio nelle sue architetture, dove è facile riscontrare la stessa matrice michelangiolesca.

[39] Quatremère de Quincy, *op. cit.*

[40] J. D. Passavant, *op. cit.*

[41] M. Missirini, *op. cit.*.

[42] C. Pontani, *op. cit.*

[43] P. Selvatico, *op. cit.*

[44] A. Ricci, *op. cit.*

[45] Mazzanti-Del Lungo, *op. cit.*

[46] Vedi fig. n. 1. Alcuni autori sembrano non tenere in alcuna considerazione l'ipotesi di un probabile apporto del Folfi, continuando a parlare del palazzo come di opera certa di Raffaello (es. Springer, Ojetti, Ostaya, ecc.).

[47] Si veda ad esempio l'influenza esercitata dal Geymüller nell'attribuzione ad Antonio da Sangallo il Vecchio di molte fabbriche poliziane (cfr. G. Miarelli Mariani, *Due infondate attribuzioni ad Antonio da Sangallo il Vecchio: i palazzi Cervini e Del Pecora di Montepulciano*, in «Quaderni dell'Istituto di Storia dell'Architettura», Serie XXIV, 1977-78, p. 69 e segg.).

[48] H. von Geymüller, *Raffaello ... cit.* Lo studioso definirà meglio in seguito l'apporto del Folfi, limitandolo alla realizzazione del modello ligneo della facciata e alla probabile direzione dei lavori. Avanza anche l'ipotesi che o Antonio da Sangallo il Giovane o il Vignola possano essere gli autori del disegno (cfr. Stegmann-Geymüller, *op. cit.*).

[49] Mi limito qui a prendere in considerazione soltanto i disegni e i rilievi relativi alla facciata del palazzo; per quanto riguarda 'l'immagine' del palazzo attraverso i tempi, si rimanda al contributo di Cristina Acidini Luchinat nel presente catalogo.

[50] Il disegno è attribuito nel *Catalogo Ferri* (GDSU 4933A) al Buontalenti, mentre Bucci, che lo ha pubblicato nel 1971, lo attribuisce all'Ammannati (cfr. Bucci-Bencini, *op. cit.*).

[51] Cfr. V. Stefanelli, *La città ideale di G. Vasari il Giovane*, Roma 1970, pp. 260-261, dis. 219, p. 149. Il disegno era stato pubblicato in precedenza da Stegmann e Geymüller, *op. cit.*.
[52] ASF, *Carte Galilei*, F. 14, c. 357. Il disegno, inedito, mi è stato segnalato da Luigi Zangheri, al quale va il ringraziamento del Comitato Organizzatore della mostra e mio personale.
[53] Non si può inoltre escludere del tutto la possibilità che il Galilei abbia avuto modo di vedere il modello ligneo della facciata, ricordato dal Cinelli nel 1677, e che da questo abbia desunto il motivo delle balaustre superiori.
[54] F. Ruggieri, *op. cit.*
[55] Grandjean de Montigny-Famin, *op. cit.*
[56] C. Pontani, *op. cit.*
[57] La balaustra antica venne sostituita sicuramente prima del 1845. Giuseppe Poggi in un articolo dello stesso anno infatti già parla della nuova balaustra, criticandola aspramente (cfr. G. Poggi, *Sulla conservazione dei monumenti architettonici e interessanti l'archeologia*, in «Il Salvator Rosa», 14 sett. 1845, ripubblicato in *Ricordi della vita e documenti d'arte*, Firenze 1909, p. 178 e segg).
In un disegno della facciata di Luigi Rapi del 1840 la balaustra invece risulta già mancante. Il disegno, probabilmente presentato a un concorso presso l'Accademia di Belle Arti di Firenze, mi è stato segnalato da Mario Bencivenni, che ringrazio per la gentile collaborazione.
[58] «[...] Ci par bene altresì notare lo aggiunger che abbiamo fatto alle finestre i balaustri vi si veggono, quando dì presente hanno esse povero ripare di verghe metalliche tra i piedistalli su lo imbasamento che sembrano fatti per fermare quei balaustri soppressi, nel modo quasi simile che Ferdinando Ruggieri cotal prospetto incideva» (cfr. C. Pontani, *op. cit.*).
[59] D. Cellesi, *Sei fabbriche di Firenze*, Firenze 1851; J. C. Raschdorff, *op. cit.* Il rilievo del Cellesi, ove appare disegnata la balaustra antica anche in un dettaglio, è sicuramente precedente l'anno di pubblicazione (vedi le considerazioni espresse nella nota n. 57). Il rilievo di Giuseppe Poggi (1845?) è pubblicato in F. Borsi, *La capitale a Firenze e l'opera di G. Poggi*, Firenze 1970, t. 4
[60] Stegmann-Geymüller, *op. cit.*
[61] L'indicazione mi è stata fornita dal professor Gianfranco Caniggia, che ringrazio per gli utili suggerimenti. Per un approfondimento sul tema si rimanda agli studi condotti in questo campo da Caniggia da molti anni (vedi in particolare, *Strutture delle spazio antropico*, Firenze 1976 e *Composizione architettonica e tipologia edilizia. I Lettura dell'edilizia di base*, Venezia 1979). Sul tessuto edilizio fiorentino ricordo inoltre i recentissimi studi condotti da Caniggia e dai suoi collaboratori per conto del Comune di Firenze.
[62] Si vedano inoltre i risultati dell'indagine termografica effettuate sulle strutture murarie del palazzo, pubblicati in appendice al presente catalogo.
[63] Sul problema generale delle proporzioni si veda in particolare: G. De Angelis d'Ossat, *Enunciati euclidei e divina proporzione nell'opera dell'Alberti*, in «Atti del Convegno: Il mondo antico del Rinascimento», Firenze 1958, pp. 253-263.
[64] La snellezza delle colonne è ad esempio per il Pontani uno degli elementi su cui fonda l'attribuzione a Raffaello. Egli infatti ne rileva scrupolosamente il rapporto tra diametro e altezza (9 e 6/10 per le colonne ioniche, 11 per quelle corinzie). Cfr. C. Pontani, *op. cit.*
[65] Il bugnato segue nella parte alta l'andamento determinato dalla ghiera degli archi; le bugne crescono in altezza in corrispondenza degli stipiti e l'ultima bugna ha una maggiore altezza rispetto alle altre.
[66] Ad esempio a Firenze nei palazzi Medici-Riccardi, Strozzi, Gondi, dello Strozzino, Antinori, Quaratesi, ecc.; oppure a Siena nei palazzi Spannocchi, Piccolomini, ecc.
[67] Cfr. G. K. Koenig, *Finestre fiorentine della seconda metà del Cinquecento*, in «Quaderni dell'Istituto di Elementi di Architettura e Rilievo dei Monumenti», Firenze 1963, nn. 2-3, p. 19 e segg.
[68] Vedi le considerazioni espresse nella nota 14.
[69] Cfr. le note 23 e 25.
[70] Così come bene la descrive Cristina Acidini Luchinat nel contributo nel presente catalogo.
[71] Cfr. I. H. Cheney, *Francesco Salviati (1520-1563)*, New York University, Department of Fine Arts, 1963. Ad esso si rimanda anche per la vasta bibliografia.

* Ringrazio il professor Guglielmo De Angelis d'Ossat per i tanti consigli e suggerimenti.

VICENDE E RESTAURI 'MANCATI' NEL CORSO DELL'OTTOCENTO

Paolo Mazzoni

Come introduzione alle ricerche rese necessarie per far fronte al forte degrado del palazzo sarà opportuno ripercorrere le vicende che hanno portato a questo stato di cose.
Se riteniamo esatti i disegni di Viollet-le Duc che ritraggono la facciata di palazzo Uguccioni abbiamo già una significativa testimonianza del suo degrado. I due disegni, eseguiti durante il viaggio in Italia dal marzo 1836 al settembre 1837, sono del giugno del '37, epoca del suo secondo soggiorno a Firenze[1]. Si tratta di una veduta acquarellata di piazza della Signoria presa dall'interno della Loggia del Lanzi, dalle cui arcate è visibile la mole di Palazzo Vecchio e il fondo della piazza con il palazzo Uguccioni, sullo stesso asse del gruppo del *Ratto delle Sabine* in primo piano, e di un disegno preparatorio a matita con il solo palazzo Uguccioni e il gruppo scultoreo. Nei due disegni, specie in quello preparatorio, il fronte del palazzo ben definito nelle sue membrature architettoniche è però privo della ricca balaustra del secondo ordine che conosciamo anche nei particolari dalle tavole settecentesche del Ruggieri[2] e da quelle del Grandjean de Montigny[3] del 1815 che sono finora le più recenti che riportano la balaustra. Eppure, il disegno preparatorio è troppo attento nella descrizione della facciata e il giovane Viollet assai esperto e interessato al rilievo dei monumenti per tralasciare un elemento architettonico così importante come la balaustra del palazzo dove, quasi certamente, era stato anche all'interno dato il suo rapporto con la Banca Fenzi che allora ne occupava i locali[4]. A quell'epoca infatti la balaustra doveva essere già andata distrutta; al suo posto, più tardi, verrà costruita una «mostruosa ringhiera in ferro messa in sostituzione della consunta balaustrata dell'elegante Palazzo Uguccioni», secondo quanto riferisce Giuseppe Poggi in una memoria del 1845[5] e la cui messa in opera deve essere poco anteriore. È questo il primo significativo intervento dell'Ottocento sul fronte del palazzo che determina un cambiamento nella sua iconografia come mostrano con evidenza le tavole del Mazzanti-del Lungo[6]. La nuova balaustra è costituita da sodi, disposti come nella precedente, basi e cimasa in pietra serena con ringhierine fatte di ritti di ferro nei vòti, mentre il piano della terrazza è in lastre di marmo bardiglio. Un'opera di forme semplici e lineari con materiali diversi dai preesistenti che evidenziano l'intervento così da poter quasi sembrare aderente a concetti di restauro recenti; nel caso specifico sarà frutto di una soluzione utilitaria che si rifà a numerosi esempi dell'epoca, solitamente adottati nei prospetti sul retro o in costruzioni modeste.
In questi anni la situazione del palazzo risulta assai compromessa. Già alla fine del Settecento la lastricatura della piazza aveva portato a un ulteriore

1 – Eugène Viollet-le-Duc, Veduta di piazza della Signoria dalla Loggia dei Lanzi, sullo sfondo a sinistra la facciata di palazzo Uguccioni, 1837. Parigi, collezione privata.

2 – Eugène Viollet-le-Duc, Disegno preparatorio per la veduta di piazza della Signoria con il Ratto delle Sabine e la facciata di palazzo Uguccioni. Parigi, Fondo Viollet-le-Duc.

3 – Firenze, palazzo Uguccioni. Le parti sostituite durante i restauri di Dino Uguccioni.

rialzamento del piano stradale con il conseguente interramento di parte della zona basamentale della facciata. I problemi più gravi vengono dal fronte esterno in pietra forte «... la qual regge all'acqua, al sole et a ogni tormento ...» secondo il Vasari[7], ma che in realtà è un materiale calcareo arenareo a grana molto fine «... quasi sempre percorso da sottili fessure riempite da calcite spatica, secondo le quali avviene spesso il distacco di pezzi anche cospicui dagli edifici», come nota Francesco Rodolico[8] e confermano l'esperienza e nel caso specifico le analisi mineralogiche e petrografiche eseguite direttamente sui materiali della facciata in occasione di questo lavoro. A queste particolarità della pietra forte corrisponde un disegno del fronte che ha elementi architettonici fortemente aggettanti e degradanti verso l'alto come mostra con chiarezza il rilievo in sezione; un 'errore strutturale', quindi, esprimendosi in termini attuali per la non corrispondenza fra progetto e scelta del materiale, circostanza questa che determina un accentuato degrado della facciata e sulla quale sono rivolti tutti gli interessi e gli sforzi del restauro.
Dopo la sostituzione della balaustra, che resta quasi un fatto isolato, le vicende del restauro risultano concentrate nell'ultimo quarto del secolo. È del 7 novembre 1874 una intimazione del municipio di Firenze a Bianca Cappelli Uguccioni, vedova del marchese Giovanni, perché provveda al restauro della facciata[9]. Il palazzo, forse anche a causa della situazione economica della famiglia, già nella prima metà dell'Ottocento è in affitto alla Banca di Emanuele Fenzi e come Fenzi è citato perfino dal Burckhardt[10]; gli Uguccioni usano il secondo piano dell'edificio ma negli anni settanta Bianca Cappelli col figlio abita nel palazzo Borghese[11]. L'intimazione municipale cade nel momento dei grandi lavori in progetto o in corso di esecuzione nella città: l'abbattimento delle mura, il riordino del centro, l'allargamento di strade, la costruzione e il restauro di molti edifici secondo gli interessi e il decoro che il nuovo corso storico impone. Già nella citata memoria del 1845[12] Giuseppe Poggi aveva incluso palazzo Uguccioni con il Michelozzi, il Pandolfini, il Riccardi e lo Strozzi fra gli edifici dei quali prevedeva il restauro e nel 1870 l'architetto riceveva dal marchese Eugenio Gondi l'incarico per la sistemazione del suo palazzo realizzata fra il 1872 e l'84 a seguito dell'allargamento di via dei Gondi voluta dal municipio per dare maggior respiro al fianco settentrionale di Palazzo Vecchio e a piazza Signoria dove, sul lato ponente, abbattuta la Tettoia dei Pisani e le case Ricciabaldi, Malespini, Infangati si stava costruendo il nuovo palazzo Fenzi. Queste circostanze spiegano, almeno in parte, le pressioni del municipio, in seguito rinnovate, per il restauro della facciata del palazzo data la sua posizione urbana, e l'interesse dei cultori della disciplina per un'opera così nota oltre alle preoccupazioni per la pubblica incolumità a causa del distacco di materiali. A Firenze in questo periodo sono numerosi i cantieri di restauro aperti su edifici civili e religiosi, pubblici e privati dove architetti e ingegneri quali il Poggi, il Castellazzi, il Castellucci, il Mazzei, il de Fabris, il Lusini, il Francolini, per citarne alcuni, realizzano lavori impegnativi e onerosi. Per palazzo Uguccioni le vicende del restauro hanno svolgimento ed esiti un po' diversi dai casi contemporanei, date le limitazioni economiche e la presenza di un ingegnere in famiglia, Dino Uguccioni, nel doppio ruolo di

4 – La facciata di palazzo Uguccioni subito dopo i restauri (da Stegmann – Geymüller, Die Architektur der Renaissance in Toscana, *München 1890-1908).*

committente e restauratore. Al momento dell'intimazione Dino Uguccioni è a Parigi presso l'Ècole Centrale des Arts et Manifactures mandatovi a spese della Provincia avendo vinto nel 1872 una borsa di studio dopo aver frequentato a Firenze l'Istituto Zeri e l'Istituto Tecnico[13]. Unico figlio del marchese Luigi e di Bianca Cappelli, Dino nasce a Firenze il 4 marzo 1854 e alla morte del padre è l'erede dei titoli e delle proprietà. Dall'Ècole Centrale nel 1876 esce con il diploma di ingegnere chimico e ritornato a Firenze apre uno studio tecnico in via Condotta nel complesso avito ma ha anche altri interessi. È consigliere del municipio di Firenze dal 1891 al 1902 e Assessore ai Lavori Pubblici dal 1899 al 1900, posizioni che gli consentono di intervenire direttamente nei lavori urbani.
«Mi trovo nella necessità di esporre alla S.V. Illustrissima che per l'assenza del mio figlio attualmente a studio alla Scuola Centrale di Parigi inviatovi a spese della Provincia lo stato della mia famiglia non è tale da poter ora intraprendere il restauro desiderato. Però al ritorno di detto mio figlio dagli studi, siccome è in animo nostro di intraprendere nel detto Palazzo dei lavori radicali da farsi nell'interno, così sarà allora propizia l'occasione anche quelli dall'onorevole Municipio raccomandati e di cui potrà occuparsi personalmente il mio figlio che allora sarà in grado come ingegnere di farlo tanto più che il possesso di un palazzo di quel pregio artistico lo impegnerà ad eseguire i lavori nel modo splendido come richiede questo bellissimo monumento a cui da secoli è attaccato il nostro nome» scrive al sindaco Bianca Cappelli Uguccioni da palazzo Borghese in risposta all'intimazione[14]. Appena pochi mesi prima, nel settembre '74, Dino Uguccioni, in vacanza a Firenze, aveva chiesto di copiare i disegni del nuovo mercato centrale appena terminato dal Mengoni per esercitarsi nell'architettura[15]. Una prima perizia debitamente approvata datata 31 maggio 1876 per lavori «occasionati dal riordinamento di piano della Piazza» riguarda lo sbassamento di dieci centimetri della soglia e dell'androne del palazzo con il rifacimento del lastrico la rinzoccolatura del portone e la creazione di uno scalino nell'imbotte della porta a destra della facciata dove è un magazzino a spese del municipio[16]. In questo stesso anno il Mazzanti del Lungo scriveva: «I restauri incominciati dall'egregio proprietario del palazzo, che continuano con tanto onore le avite tradizioni, ci fanno sperare di veder presto ricondotta quest'opera stupenda alla primitiva bellezza»[17]. Non sappiamo se oltre a quanto è detto nella perizia si facessero in quel momento altri lavori. In una fotografia dell'epoca, la più antica finora ritrovata[18], il fronte del palazzo mostra tutti i segni del suo degrado soprattutto delle parti aggettanti come i cornicioni e i frontoni delle finestre allo zoccolo della parte basamentale e del bugnato; sul portale d'ingresso è il cartello: Banca Agricola Nazionale. Situazione pressoché uguale è quella registrata dalla fotografia contenuta nell'opera del Raschdorff[19], stampata nel 1888, ma la foto è senz'altro anteriore, a eccezione della sistemazione del marciapiede mentre nel portale è un nuovo cartello: R. Economato dei Benefizi vacanti. A parte il marciapiede e la nuova balaustra eseguita alcuni decenni prima le uniche tracce visibili di restauro sono tassellature al cornicione del secondo ordine ancora meglio evidenti nello stato attuale per il degrado maggiore dei pezzi più antichi di contorno, mentre il palazzo continua ad essere sede di uffici.

5 – Particolare del timpano di palazzo Uguccioni, sostituito durante i restauri (da Stegmann-Geymüller, Die Architektur der Renaissance in Toscana, *München 1890-1908).*

6 – Particolare del basamento di palazzo Uguccioni, sostituito durante i restauri (da Stegmann – Geymüller, Die Architektur der Renaissance in Toscana, *München 1890-1908).*

7 – Particolare del cornicione del secondo ordine di palazzo Uguccioni, dove è visibile una tassellatura (da Stegmann – Geymüller, Die Architektur der Renaissance in Toscana, *München 1890-1908).*

8 – Firenze, palazzo Uguccioni. Particolare del cornicione del secondo ordine. Stato attuale.

9 – Dino Uguccioni (1854-1904) all'epoca dei restauri al palazzo.

Nel 1883 vi è un'altra intimazione del municipio[20], rinnovata nell'86[21] a causa della caduta di un pezzo di cornicione sulla piazza. Nell'83 la Commissione Conservatrice aveva accettato la proposta affinché i restauri potessero farsi «graduatamente in modo da ottenere lo scopo senza grave sacrificio del proprietario»[22] e nell'84 Dino Uguccioni dichiara di aver iniziati gli studi per un progetto di restauro[23], ma sono i motivi della pubblica incolumità e le note della Prefettura a sollecitare i lavori da un lato e a fare eseguire la pericolosa pratica della periodica mazzolatura della facciata per eliminare i pezzi cadenti. Dopo l'ultima intimazione, nell'agosto 1887, viene iniziato il restauro della finestra di destra del terzo ordine realizzato con la completa sostituzione del timpano in pietra molto lesionato come appare nelle fotografie già citate con l'approvazione della Commissione Conservatrice[24]. Qualche anno dopo Dino Uguccioni esegue il restauro dello zoccolo basamentale del palazzo «... rinnovandolo quasi per intero in pietra forte, lasciandogli uno zoccolo di oltre sessanta centimetri al di sotto dell'attuale piano stradale, per giungere fino al piano primitivo della piazza, dimostrato da segni indiscutibili e che è in animo del Municipio di ripristinare quando se ne dia l'occasione»[25].
È questo l'ultimo importante intervento sul fronte del palazzo tendente, con scrupolo filologico, al recupero della parte basamentale rimasta interrata[26]. I propositi di un grande restauro restano inattuati soprattutto per ragioni di spesa (Dino Uguccioni muore nel 1904)[27] e il palazzo, a differenza di altri esempi contemporanei, primo fra tutti il vicino palazzo Gondi rifatto nello stile di Giuliano da Sangallo, segue la strada della ruderizzazione cui non sfugge nemmeno la balaustra, ormai perduta, che fu uno dei primi lavori del secolo scorso.

NOTE

[1] *Le voyage d'Italie d'Eugène Viollet-le-Duc 1836-1837*, catalogo della mostra, Firenze 1980, pp. 184-186.
[2] F. Ruggieri, *Studio d'architettura civile sopra le fabbriche insigni di Firenze*, Firenze 1722-1755, vol. I, tavv. 71-76.
[3]. A. Grandjean de Montigny - A. Famin, *Architecture Toscane ...*, Paris 1815, tavv. XLVI-XLVII.
[4] *Lettres d'Italie adressées par Eugène Viollet-le-Duc à sa famille*, 1836-1837, Paris 1970, pp. 140, 149, 300, 310, 381, 406.
[5] G. Poggi, *Ricordi della vita e documenti d'arte*, Firenze 1909, p. 178, memoria ne »Il Salvator Rosa», 14 settembre 1845.
[6] R. e E. Mazzanti - T. Del Lungo, *Raccolta delle migliori fabbriche antiche e moderne di Firenze*, Firenze 1876, tavv. CI-CVII.
[7] G. Vasari, *Vita dei più eccellenti pittori scultori ed architetti*. Firenze 1878, vol. I, p. 126.
[8] F. Rodolico, *Le pietre delle città d'Italia*, Firenze 1965, p. 240.
[9] Intimazione del 7 novembre 1874 n. 26824 come riferisce Bianca Cappelli Uguccioni nella lettera di cui nella nota 14.
[10] J. Burckhardt, *Il Cicerone. Guida al Godimento dell'arte in Italia*, Firenze 1952, p. 337.
[11] Il palazzo fu acquistato nel 1840 dal fratello Maurizio Cappelli che aveva sposato la contessa polacca Enrichetta Dzieduszycki. Queste notizie ci sono state gentilmente fornite dal dottor Leone Tognini Bonelli discendente da questo ramo della famiglia.
[12] G. Poggi, *op. cit.*, p. 180.
[13] C. Cresti, L. Zangheri, *Architetti e ingegneri nella Toscana dell'Ottocento*, Firenze 1978, p. 229.
[14] ASCF, Serie Affari Generali, fasc. n. 13710, anno 1874, Lettera di Bianca Cappelli Uguccioni al

sindaco del 18 novembre 1874.
[15] ASCF, Serie Affari Generali, fasc. n. 11094, anno 1874, Lettera di Bianca Cappelli Uguccioni al sindaco del settembre 1874.
[16] ASCF, Serie Affari Generali, fasc. n. 7425, anno 1876, Perizia di lavori del 31 maggio 1876, Rapporto dell'Ufizio d'arte al sindaco del 2 giugno 1876.
[17] R. e E. MAZZANTI-T. DEL LUNGO, *op. cit.*, p. 38.
[18] Archivio fotografico del Kunsthistorisches Institut di Firenze, n. 2569.
[19] J. C. RASCHDORFF, *Palast Architektur von oberitalien und Toscana*, Berlin 1888, tav. 97.
[20] ASCF, Serie Affari Generali, Repertorio dell'anno 1883 alla voce Uguccioni.
[21] ASCF, Serie Affari Generali, Repertorio dell'anno 1886 alla voce Uguccioni.
[22] ACS, Dir. Gen. AA.BB.AA., II vers., II parte, B. 100, f. 1133, Commissione Conservatrice di Belle Arti, Adunanza del 21 settembre 1883.
[23] ACS, *ibid.*, Lettera della Prefettura della Provincia di Firenze al Ministro della Pubblica Istruzione Dir. Gen. delle Antichità e Belle Arti, Roma del 24 marzo 1887.
[24] ACS, *ibid.*
[25] ACS, *ibid.*, Lettera della Prefettura della Provincia di Firenze al Ministro della Pubblica Istruzione Dir. Gen. delle Antichità e Belle Arti, Roma del 23 aprile 1888. (Cfr. anche L. DEL MORO, *Relazione* in «Atti per la Conservazione dei monumenti della Toscana ...», Firenze 1896).
[26] La situazione della facciata immediatamente successiva a questi restauri è documentata dalla foto contenuta in C. VON STEGMANN, H. VON GEYMÜLLER, *Die Architektur der Renaissance in Toscana*, Munchen 1890-1908.
[27] Dino Uguccioni muore il 18 febbraio 1904 a Fibbiana, la tenuta di famiglia presso Montelupo, dopo una malattia che dall'anno prima lo costringe a lasciare gli impegni. Nel 1900 aveva compiuti restauri alla Badia di Passignano dopo le soppressioni del 1866 acquistata dalla contessa Enrichetta Dzieduszycki, zia del ramo materno. (Cfr. *La Badia di Passignano*, Firenze 1903, nota 11).

ALCUNE CONSIDERAZIONI SU PALAZZO PANDOLFINI COME PRIMI RISULTATI DEL RILIEVO ARCHITETTONICO

Rolando Chiodi - Elena Morici - Gianni Vannetti

È necessaria in primo luogo una premessa che riguardi le modalità secondo le quali è stato fatto il rilievo e la storia 'peculiare' che ne ha accompagnato lo svolgimento. 'Peculiare' come il concetto di 'privacy' della proprietà che, spinto ben al di là della consuetudine, ha permeato tutta la vicenda, finendo per condizionare, e non poco, l'esecuzione stessa della rilevazione. Alla permanente difficoltà di svolgere gli adempimenti necessari alla misurazione degli ambienti interni del palazzo si è aggiunto poi, fermo e insuperabile, il divieto d'accesso a gran parte dei vani situati nei piani superiori.
Questo atteggiamento evidentemente ha prodotto conseguenze non indifferenti che hanno reso più limitate le metodologie di lavoro e quindi più relativi i risultati delle misurazioni.
Si deve considerare che:
– non è stato possibile utilizzare strumenti ottici per la rilevazione della poligonale relativa al perimetro dell'edificio;
– le fotogrammetrie dei prospetti esterni sono state realizzate a rilievo avvenuto;
– non ci è stato permesso fare fotografie degli ambienti interni.
Il rilievo, dunque, è stato svolto in modo artigianale (tramite misurazioni a mano) e in modo talora frammentario essendo mancata una successione organica dell'esame dei vari spazi, o, parimenti, la possibilità di svolgere controlli costanti durante la fase del montaggio.
Si consideri, quindi, lo squilibrio creato dall'impossibilità di completare il rilievo di un intero piano e di chiudere così anche dall'interno un perimetro già sufficientemente complesso. Le parti mancanti sono state completate allora tramite il rilievo di documentazione catastale che – in quanto non verificabile – è stato denotato graficamente senza tratteggio nello spessore dei muri. Infine l'esame delle sezioni potrà rendere meglio ponderabili i limiti di questa procedura di rilievo, evidenziandone i 'buchi' e le incompletezze.
Nonostante questi problemi, le misurazioni risultano congruenti nelle varie parti e consentono di leggere l'edificio nel suo insieme.
A questo dato va aggiunto che per la prima volta si è prodotta una documentazione completa relativa al piano delle cantine, la cui importanza informativa è fondamentale per ricercare la congruenza delle parti e, nello specifico, per individuare gli ambienti di base e le strutture del palazzo.
A questa debita premessa aggiungiamo dunque un breve elenco degli aspetti strutturali più salienti, identificabili come primi risultati del rilievo:
– Eliminando le varie superfetazioni al piano cantine si nota, tramite la osservazione dei soffitti, una rispondenza di ambienti col piano terra (vedi in particolare sotto il loggiato di accesso ai giardini); fanno eccezione, tuttavia, una serie di casi:
a) Il nodo-scale: salendo la prima rampa di scale, al piano terra, il muro sulla sinistra risulta essere 'in falso' per quanto riguarda la seconda parte della rampa e il pianerottolo al mezzanino. In corrispondenza, al piano cantine si nota che la prima parte del muro ora descritto viene a tagliare un vano che originariamente, osservando l'andamento delle volte, era più ampio;
b) la mancata corrispondenza tra piano cantine e piano terra si riscontra anche nel vano d'angolo tra via Salvestrina e la serra; questo è suddiviso in due parti al piano sottostante, ciascuna con copertura che si presume originaria, mentre diventa un singolo ambiente al piano terra;
c) l'attuale accesso al piano cantine è di recente costruzione. Si individua un accesso preesistente, ora chiuso da muratura, consistente in un unica rampa di scale, di cui si ha riscontro anche in rilievi più antichi.
– La zona denotata come «attualmente inaccessibile», al piano cantine, consiste di uno spazio chiuso da murature che, trovandosi esattamente sotto l'attuale vano di ingresso, al piano terra

(ex cappella di famiglia) risulta con grande possibilità esser stata sede di una cripta.
– Al piano terra, nel corpo principale sono da notare ancora la riduzione dell'atrio (dietro la loggia che ha accesso al giardino) per la creazione di un vano scala con ascensore, di collegamento tra cantine e soffitte; il rimaneggiamento che ha creato dall'ex cappella di famiglia l'attuale ingresso al palazzo, con relativo nuovo atrio di accesso alle scale principali.
– Per quanto riguarda il piano primo (di cui si noterà è stata rilevata solo una parte) si vede che è stato recuperato il grande vano sopra l'ex cappella e il nuovo atrio, mentre i muri, rispetto al perimetro dell'edificio, sono stati regolarizzati.
– Rispetto al corpo su un solo piano su via San Gallo va osservata, al piano cantine, la stranezza del suo collegamento, tramite un cunicolo a L, col corpo centrale; mentre si legge facilmente una rispondenza degli ambienti interrati con quelli superiori. Il piano terra, infine, è stato ulteriormente suddiviso verticalmente e orizzontalmente.

CONSIDERAZIONI SUL RILEVAMENTO DI PALAZZO UGUCCIONI

Elio E. Rodio

Il primo problema che si è presentato nell'affrontare il rilievo di palazzo Uguccioni ha riguardato la perimetrazione planimetrica che, mentre è facilmente individuabile sul lato di piazza della Signoria, diventa più complessa all'interno dell'edificio a causa della frammentarietà degli ambienti. L'aver esteso la rilevazione all'intero isolato compreso tra piazza della Signoria, via dei Magazzini, via della Condotta e via delle Farine, ha consentito di trovare una prima conferma all'ipotesi che il 'programma' edilizio degli Uguccioni, almeno all'inizio, avrebbe potuto interessare una zona ben più vasta che non l'attuale palazzo; ipotesi del resto già suggerita dal fatto che tutti gli edifici presi in considerazione (se si esclude il palazzo dell'Antella) fin dal Cinquecento erano proprietà di quella famiglia.
Grazie all'estensione del perimetro rilevato si è potuto mettere in luce l'articolarsi di questo vasto intervento di ristrutturazione, che è andato ad inserirsi sul tessuto edilizio preesistente riutilizzandolo quanto possibile e si è potuto così esaminare analiticamente gli interventi e le interconnessioni esistenti fra esso e la precedente edilizia.
Tale rilievo, che è stato effettuato seguendo il metodo di rilevazione diretta, pur non presentando grandi difficoltà per la possibilità pratica di effettuare le singole misurazioni, finiva per divenire estremamente complesso nel suo insieme a causa del frazionamento dei dati da coordinare. Complessità inoltre accentuata dalla mancanza di supporti di riferimento sicuri a causa della presenza di un gran numero di murature con continue variazioni di spessore e con configurazioni particolari, come muri a facce non parallele e strombati, muri con fuoripiombi notevoli, a scarpa o spanciati, muri con punti di piega concavi e convessi.
Per non rilevare a quote altimetriche discordanti, come prima operazione è stato necessario definire un piano orizzontale di riferimento assoluto in modo da poter rapportare ad esso sia le misurazioni orizzontali interne ed esterne, sia quelle verticali.
Tale piano è stato individuato con una livellazione che partendo da una quota arbitraria stabilita nella corte principale (e indicata in maniera stabile da un indicatore metallico), è stata poi riportata su tutti gli spigoli degli stipiti del piano terreno. La livellazione indica tra l'altro una netta pendenza del terreno verso via Condotta-via Magazzini, come indicano le seguenti quote di calpestio dei marciapiedi: angolo piazza Signoria-via Magazzini 154 cm.; portone principale 86 cm.; angolo piazza Signoria-via delle Farine 78 cm.; via delle Farine-via Condotta 102 cm.; via Condotta-via Magazzini 183 cm.
Per coordinare e assemblare fra loro i numerosi vani e comparti edilizi non intercomunicanti, è stato indispensabile ricorrere a una poligonale esterna che vincolasse con estrema precisione tutto il perimetro dell'isolato e in particolare le aperture. Infatti, solo partendo da un esatto collocamento spaziale di queste, era possibile 'rimontare' le singole parti con un corretto orientamento e un giusto rapporto reciproco, tenendo presente che anche una leggerissima deviazione di pochi centimetri comportava alcune decine di centimetri di spostamento nel posizionamento dei vani ad esso vincolati e quindi un successivo sfasamento generale della planimetria.
La poligonale è stata costruita individuando intorno all'isolato una serie di capisaldi preventivamente scelti con semplici calcoli per ottenere dei rapporti angolari e dimensionali favorevoli in fase di rilevazione e restituzione. Tali capisaldi, individuati sui muri antistanti il palazzo, erano 4 per via dei Magazzini, 8 per via della Condotta, 4 per via delle Farine; per i quattro in piazza Signoria ci si è serviti di picchetti ad altezza variabile in modo da poter avere anche per questi punti una collocazione sul piano livellato. I capisaldi sono stati collegati fra loro con novantatré punti notevoli del perimetro del palazzo e ciascun punto è stato verificato un minimo di quattro volte con scambio incrociato di misure, determinando così una maglia reticolare molte volte iperstatica, che individuava un poligono chiuso ben ancorato. Per passare da questo poligono del perimetro esterno del palazzo alla planimetria interna sono stati

usati (insieme a un articolato reticolo di rilievo formato dalle misurazioni dei parziali, dei totali di vano e dei totali di comparto con tutte le dovute triangolazioni principali e di verifica) vari tipi di accorgimenti, come quello di vincolare il vano direttamente alla poligonale attraverso l'uso di opportuni punti fittizi costruiti appositamente come ramificazione della poligonale stessa. Da essi si sono poi fatte partire raggere di diagonali verso ogni punto notevole. Talvolta passando ad assemblare due locali adiacenti, non risultava sufficiente la triangolazione del vano porta in quanto, oltre ai problemi creati dalla sfasatura delle misure dei triangoli in questi casi non troppo equilibrati, dagli infissi, ecc., i due punti determinati, che dovevano servire per poggiare il lato del nuovo ambiente che si andava a ricostruire, non garantivano la complanarità delle parti di muro adiacenti, in tal caso si è ricorsi alla creazione di un punto fittizio costruito direttamente dal reticolo del rilievo del vano precedente in modo da vincolare con esso direttamente anche gli angoli del nuovo vano. Nella ricostruzione delle planimetrie ai livelli superiori ci si è rapportati alla poligonale base attraverso il trasferimento, eseguito con il filo a piombo, di punti fittizi precisamente individuati fuori delle finestre dei piani superiori, al livello della poligonale rispetto alla quale fornivano le necessarie indicazioni sulla collocazione, reciproca. Attraverso questo sistema per ogni punto considerato era quindi individuabile precisamente la posizione assoluta rispetto alla pianta generale, la quota esatta e il fuoripiombo che, data l'irregolarità della muratura, è stato misurato fino a 50 cm. di scarpa (piazza Signoria nei pressi del n. civico 8) o a 10 cm. di spanciamento (in via della Condotta in corrispondenza di una lesione al secondo piano nobile). Questo sistema, tra l'altro, è l'unico che fornisce gli elementi per una corretta sovrapposizione delle varie piante, in quanto le irregolarità dei muri perimetrali e delle corti sono tali, che è praticamente impossibile basarsi solo su di essi.
Sono stati individuati ben nove livelli planimetrici significativi, ognuno dei quali corrispondente a piani distinti dagli altri per la maggior parte della superficie, per cui la linea di sezione viene a passare lungo la struttura adattandosi a quote differenziate (ma ben precise), per permettere una visione globale dell'intero complesso.
Le piante si sviluppano progressivamente dal primo livello, che riguarda lo scantinato, al secondo che individua il piano terreno, al quinto passante per il primo piano nobile, al settimo passante per il secondo piano nobile, al nono che corrisponde al loggiato e ai tetti. Si sono inoltre considerate due sezioni principali: una ortogonale alla facciata che passa lungo il portone principale, attraversa il cortile guardando verso lo scalone principale e si collega a via della Condotta; l'altra che partendo da via dei Magazzini attraversa longitudinalmente tutta la struttura spostandosi per intercettare tutte tre le corti fino ad arrivare in via delle Farine.
Sono stati inoltre rilevati alcuni particolari architettonici del palazzo come lo zoccolo su cui poggia il bugnato di facciata e le modanature in pietra serena dell'arco tra androne d'ingresso e corte principale e quelle dell'arco delle scale che salgono al piano nobile. Inoltre, sul prospetto, è stato rilevato il cornicione che divide il piano terra dal primo piano e le basi delle semicolonne binate sia del primo che del secondo piano nobile. Sono invece rimasti inaccessibili il fregio fra il primo e secondo piano nobile, i timpani delle finestre e i capitelli, per la pericolosità di potersi spostare lungo la facciata a causa dello stato di degrado in cui esso versa.
Va specificato, che in fase di restituzione del rilievo l'errore massimo calcolato in valore assoluto e senz'altro sotto il millimetro il che equivale a ± 2,5 cm. al reale. Il rilievo nel suo complesso, svolto fra il novembre 1982 e l'ottobre 1983, è stato restituito in scala 1:50 per l'edificio e in scala 1:5 per i particolari; la resa grafica è fatta su poliestere con penna Grafos e puntali mm. 0,8-0,7 per le linee di sezione e mm. 0,25-0,3 per le linee in vista. Per chiarezza di lettura, specie nei grafici presentati per le riduzioni a stampa, non sono stati usati retini e sono state adottate alcune semplificazioni. Il rilievo con schemi grafici, notazioni, tabulati numerici e tavole quotate è consultabile presso la Soprintendenza ai Beni Ambientali e Architettonici di Firenze, dove si trova depositato.

L'esecuzione di questi rilievi è stata effettuata in stretta collaborazione con l'arch. Corrado Minervini e con il costante e fattivo apporto di Andrea Gabrielli e dell'arch. Cosimo Marino, all'elaborazione grafica finale ha preso parte l'arch. Massimo Baldi.

IL RILIEVO FOTOGRAMMETRICO DI PALAZZO UGUCCIONI E PALAZZO PANDOLFINI

Fiorella Facchinetti - Lamberto Ippolito

L'azione conoscitiva, premessa indispensabile alla tutela di un Bene Culturale, analizza tutti gli aspetti in esso presenti: le caratteristiche intrinseche dell'oggetto, esprimibili tramite parole e numeri, ed anche gli aspetti visibili rappresentabili con immagini, cioè grafici o fotografie.
Dovendo scegliere la metodologia più idonea per la raccolta, l'organizzazione e la rappresentazione di questa seconda categoria di dati, dovendo cioè registrare l'immagine delle fabbriche raffaellesche oggetto di questo studio in tutti gli aspetti formali e cromatici, è stato necessario utilizzare, oltre alle tecniche del rilievo tradizionale, che hanno permesso la redazione di elaborati grafici relativi a planimetrie e sezioni, anche tecniche più sofisticate quali la fotogrammetria e la termografia.
La fotogrammetria è un procedimento tecnico per l'acquisizione di informazioni metriche e qualitative mediante coppie di fotogrammi dai quali, con una strumentazione otticomeccanica-elettronica, si ricavano rappresentazioni fotografiche, grafiche o numeriche alla scala più idonea. Impiegata fino a pochi anni fa quasi esclusivamente per la preparazione di carte topografiche, è ideale per rilevare le forme superficiali di un oggetto qualsiasi fotografabile da almeno due punti di vista. Il procedimento di rilievo fotogrammetrico si fonda sul fatto che è possibile ricostruire il modello virtuale in scala dell'oggetto fotografato (modello ottico) sfruttando il principio del cammino inverso dei raggi ottici. Nell'istante della presa il centro di ciascun obbiettivo fotografico costituisce il vertice di una stella di raggi luminosi, ognuno dei quali parte da un punto dell'oggetto. Montando poi i fotogrammi sullo stereorestitutore si ricostruisce la coppia di stelle di raggi omologhi, i cui punti di incontro, a due a due, costituiscono il modello dell'oggetto, simile all'originale e in scala nota: ed è questo che viene misurato, disegnato, rappresentato dall'operatore tramite lo strumento di restituzione.
Nell'ambito del rilevamento del palazzo Pandolfini e del palazzo Uguccioni, la fotogrammetria è stata applicata per il rilevamento dei fronti principali.
La ragione di questa scelta è da individuarsi negli innumerevoli vantaggi che essa comporta, alcuni di ordine tecnico ed economico, altri riguardanti il contenuto stesso dei rilievi.
Vantaggi tecnici in quanto, volendo eseguire questi rilievi con metodi tradizionali, sarebbe stato necessario, per ottenere precisioni accettabili, mettere in opera strutture accessorie tali da consentire il contatto diretto con ogni singolo elemento componente le facciate; il disagio e il costo che questo avrebbe comportato risulta evidente. Sono inoltre da considerare le difficoltà oggettive che il rilievo diretto avrebbe comportato in questo particolare caso, dovute al notevole stato di degrado in cui vertono gli elementi architettonici e decorativi delle facciate; questo stato di cose, nella situazione di disagio e alla distanza molto ravvicinata imposta da un ponteggio, rende particolarmente difficile la lettura dei singoli elementi, poiché non viene consentita una immediata comparazione resa invece possibile da una coppia stereoscopica che permette la visione simultanea di un settore più ampio.
Vantaggi economici in quanto rilievi condotti manualmente avrebbero richiesto tempi lunghissimi di esecuzione, poiché nei fronti rilevati sono presenti moltissimi elementi architettonici e decorativi che richiedono una rappresentazione particolarmente puntuale; la fotogrammetria, anche per i fronti di palazzo Pandolfini, che si affaccia su strade di nove e undici metri e dove quindi la distanza fra il punto di presa e la superficie da rilevare è molto limitata, ha consentito di coprire con una sola coppia di fotogrammi una superficie di circa cento metri quadrati; ciò significa che nel tempo utile all'esecuzione di due scatti fotografici si sono potuti rilevare tutti i dati metrici e formali di una superficie così ampia, indipendentemente dalla qualità e dalla complessità degli elementi architettonici in essa presenti.
Per ottenere questi risultati è necessario eseguire i fotogrammi rispettando una prassi operativa determinata da precise leggi geometriche e va utilizzata una camera fotogrammetrica, ovvero

una macchina fotografica con caratteristiche particolari: il piano immagine perfettamente piano, l'obbiettivo corretto da aberrazioni, con particolare riguardo alla distorsione, e fornita degli elementi atti a localizzare il centro della stella di raggi individuati dai punti-immagine.
Il vantaggio più significativo del rilievo fotogrammetrico riguarda, infine, i diversi tipi di documentazione che questo procedimento ha prodotto rispetto al rilievo tradizionale. Esso ha prodotto innanzi tutto i fotogrammi che, con l'uso di un semplice stereoscopio, permettono la lettura delle singole parti rilevate e consentono, anche quando la visione diretta a distanza ravvicinata risulta impossibile, un esame puntuale degli aspetti tecnici e formali delle strutture, analogo a un esame diretto; le prese stereoscopiche permettono infatti di studiare gli oggetti tridimensionali mediante immagini, definite 'modello ottico', a tre dimensioni, anziché attraverso le rappresentazioni fotografiche o grafiche a due dimensioni tradizionalmente utilizzate. Va inoltre sottolineato come nel modello ottico tutti gli aspetti relativi all'oggetto rilevato compaiono nella loro totalità, poiché non è avvenuto, come nel rilievo tradizionale, nessuna selezione preventiva e discrezionale. Per quanto sopra indicato possiamo definire l'insieme dei fotogrammi stereoscopici, corredati dai punti di appoggio necessari alla loro definizione metrica, una vera e propria 'banca di dati', sempre disponibile sia come immediato strumento di lavoro, sia come fonte di informazioni per successive elaborazioni grafiche e fotografiche[1].
Il secondo prodotto di questo rilievo fotogrammetrico sono stati i fotopiani rappresentanti i diversi fronti.
Per fotopiano si intende un mosaico di fotogrammi raddrizzati e riportati alla scala metrica voluta. Essi si ottengono correggendo, in fase di ingrandimento, le eventuali differenze di parallelismo fra piano immagine e piano oggetto e le differenze di scala dei fotogrammi dovute a eventuali differenze nella distanza di presa. Questo procedimento porta a risultati soddisfacenti quando il fronte oggetto del rilievo non presenta elementi architettonici sensibilmente aggettanti, ovvero quando può essere assimilabile ad una superficie piana. Nel caso, ad esempio, del fronte principale di palazzo Pandolfini, la presenza del portale in bozze di pietra fortemente aggettanti, ha reso necessario un raddrizzamento differenziato per elementi finiti di uno stesso fotogramma, con procedimento concettualmente analogo a quello seguito, per elementi infinitesimi, nella redazione delle ortofoto. Il fotopiano ci fornisce un'immagine complessiva di ogni facciata, con caratteristiche qualitativamente complete come quelle fotografiche e metricamente corrette come quelle di una rappresentazione ortogonale. In particolare, nella scala 1:50 realizzata, l'immagine ottenuta consente una lettura globale di tutti gli aspetti stilistici e qualitativi presenti e costituisce quindi un contributo di particolare importanza per la comprensione del manufatto architettonico[2].
Infine il rilievo fotogrammetrico ha consentito la rappresentazione grafica in scala 1:50 di diversi fronti, ottenuta tramite la stereorestituzione strumentale dei fotogrammi. La diversa situazione oggettiva presente nei due edifici ha richiesto soluzioni operative differenziate, conseguenti ad ogni caratteristica di presa. Per l'esecuzione del rilievo di palazzo Uguccioni, l'ampio spazio prospiciente il fronte ha consentito l'utilizzazione di una camera di grande lunghezza focale: la Veroplast Galileo Santoni f. = 15 cm. nominali, 'coprendo' il prospetto dell'intero isolato con sole tre prese. Le operazioni di rilievo di palazzo Pandolfini sono risultate assai più complesse: la limitata distanza di presa, imposta dal particolare tessuto urbano, ha richiesto l'impiego di una camera supergrandangolare Wild P 31, che abbraccia 115 gradi di campo. Nonostante questo ampissimo campo visuale, il ricoprimento del fronte prospiciente la via Salvestrina ha richiesto due diverse strisciate per la parte alta e bassa dell'edificio, di quattro fotogrammi per ognuna. Con una sola strisciata di sette fotogrammi, eseguiti ad un'altezza di circa nove metri, è invece stata possibile la documentazione stereoscopica del prospetto principale su via San Gallo. Per il rilievo della facciata sul giardino, a causa delle numerose piante e dell'arredo, è stato necessario eseguire le prese secondo tre diversi allineamenti.
La stereorestituzione grafica è stata eseguita dal laboratorio topografico-fotogrammetrico della Facoltà di Ingegneria di Firenze che, pur garantendo risultati quantitativamente parziali, a causa del limitato potenziale di strumenti disponibili, ha consentito un approfondimento scientifico della metodologia di rilievo proposta.

F. F.

[1] I fotogrammi sono stati eseguiti dalla scrivente con la collaborazione del prof. ing. Walter Ferri.
[2] L'esecuzione dei fotopiani relativi ai fronti di palazzo Uguccioni e Pandolfini è dovuta alla ditta Rossi Luigi di Firenze.

La prassi interpretativa seguita nella restituzione dei modelli ha cercato di mettere in luce aspetti adeguati alle esigenze del rilievo architettonico, escludendo i condizionamenti talvolta dovuti all'uso tradizionale nella cartografia del metodo fotogrammetrico. I criteri grafici sono stati scelti, pertanto, in modo da esprimere i contenuti dell'oggetto con il massimo grado di figuratività e minimo di convenzionalità di segno grafico. Il risultato non vuole essere soltanto un rilievo delle dimensioni dell'oggetto secondo uno schema geometrico che approssimi la reale giacitura spaziale; è anche un rilievo di documentazione dello stato di consistenza, per l'evidenziazione di fenomeni di dissesto statico, di corrosione della pietra, di alterazione dovuta al tempo e all'uso, ecc. La varietà di segno grafico utilizzata per evidenziare questa casistica di smussature, segmentazioni, inflessioni, è proporzionale alla scala di restituzione e, pertanto, va vista nel quadro di una ricerca di leggibilità generale dell'oggetto e di un equilibrio tra le parti.

Il rilievo proposto per entrambi gli edifici ha validità come risultato di un metodo specifico e acquista interesse anche per le possibilità di elaborazione che ne possono seguire; rappresenta cioè la base a cui riferire ulteriori informazioni al fine di pervenire alla redazione di carte tematiche utilizzando dati di osservazione ricavabili con ulteriori indagini e con altri metodi di rilievo.

Le operazioni di restituzione dei fotogrammi del palazzo Uguccioni e del palazzo Pandolfini sono avvenute utilizzando lo Stereosimplex Galileo-Santoni Mod. III. Questo strumento consente di ottenere un'alta precisione plano-altimetrica del rilievo in virtù della stabilità tipica degli strumenti del I ordine. È stata assunta come tolleranza l'errore di segno grafico (0,2 mm.) a una scala di restituzione 1:50, corrispondente sull'oggetto reale a un errore massimo di 1 cm. L'orientamento relativo delle camere di proiezione è avvenuta correggendo le parallassi trasversali su sei punti teorici scelti sull'oggetto e servendosi del metodo asimmetrico di movimento delle camere. Successivamente con un movimento rigido del gruppo delle camere è avvenuto l'orientamento assoluto del modello ottico rispetto a un sistema di riferimento esterno. A questo sistema di coordinate strumentali è stato assegnato lo stesso orientamento del sistema di coordinate terreno rispetto al quale sono stati precedentemente individuati i punti di appoggio sull'oggetto. Questi punti, espressi mediante valori numerici di X, Y, Z, sono essenziali per il dimensionamento del modello ottico entro la tolleranza prefissata. Per il palazzo Uguccioni la determinazione è avvenuta con procedimenti topografici tradizionali, fissando nella piazza antistante l'edificio due basi misurate, dai vertici delle quali sono stati collimati, mediante il teodolite TG 2 delle Officine Galileo, sei punti di chiara leggibilità oltre che sull'oggetto anche sui fotogrammi relativi. Con i metodi di calcolo dell'intersezione multipla in avanti sono state ricavate, pertanto, le coordinate dei punti scelti.

Per il palazzo Uguccioni è stato adottato come piano di riferimento per la proiezione dell'oggetto il piano verticale passante per i punti di vertice dei timpani delle finestre del secondo ordine dell'edificio; le coordinate, già calcolate, di questi punti sono state riportate pertanto in coordinate strumentali mediante le formule di roto-traslazione.

La necessità di avere come riferimento una rete di punti di appoggio è dovuta al fatto che l'oggetto della restituzione è stato non solo il palazzo Uguccioni ma anche gli edifici che con esso compongono il fronte del comparto edilizio. Questo fronte è contenuto in due diversi modelli stereoscopici aventi in comune un'ampia zona di ricoprimento longitudinale ma diversamente orientati per effetto delle due diverse basi di presa. Inoltre, i piani verticali dell'oggetto non sono disposti parallelamente ad un'unica superficie piana, ma presentano uno sviluppo articolato; è stato scelto pertanto un unico piano di proiezione privilegiando il palazzo Uguccioni (reso graficamente in proiezione frontale), rispetto ai prospetti degli edifici adiacenti che sono risolti anche in scorcio parziale.

La scala media dei fotogrammi del palazzo Uguccioni, ottenuti da punti di presa distanti circa 50 m. dall'oggetto è risultata mediamente 1:330; entrambi i modelli stereoscopici sono stati formati in scala 1:125, rapporto che con l'ingrandimento pantografico X 2,5 ha consentito di realizzare la restituzione in scala 1:50.
Anche la restituzione dei fotogrammi del palazzo Pandolfini è stata effettuata con lo Stereosimplex Galileo-Santononi Mod. III. I problemi sorti nel lavoro di restituzione sono in generale imputabili alle caratteristiche di orientamento interno ed esterno dei fotogrammi utilizzati e ai limiti strumentali del restitutore stesso.
Durante le operazioni di presa la limitata distanza tra i fronti dell'edificio e quelli prospicienti ha richiesto l'uso di una camera fotogrammetrica super grandangolare (c = 45,50 mm.). I fotogrammi sono stati duplicati in modo da farli rientrare nei valori di orientamento interno delle camere di restituzione (c = 85 - 220 mm.). Il raddoppio di focale dei fotogrammi ha comportato i seguenti problemi:
– necessità di un calcolo di verifica della distanza principale di ogni fotogramma.
– individuazione della zona utile di ricoprimento stereoscopico per ogni modello; più precisamente si è potuto restituire solo parzialmente la zona di ricoprimento teorico a causa della forte inclinazione che le bacchette venivano ad assumere nella collimazione dei particolari al margine e anche a causa del limite di corsa del carrello del coordinatometro.
– individuazione del rapporto di scala ottimale per il modello stereoscopico. La base di presa, talora troppo grande in relazione alla distanza dell'oggetto e alla focale utilizzata ha creato dei problemi nell'individuazione della Z strumentale relativa al piano dall'oggetto disposto mediamente in quota; ciò ha comportato la necessità di adottare per ogni coppia un'opportuna scala del modello, passando da 1:50, 1:25 a 1:20 e adottando rispettivamente i rapporti di 1:1, 2:1 e 2,5:1 per il pantografo. Pur non derivando scompensi nel riporto grafico per l'utilizzazione di rapporti pantografici 'a riduzione' (è limitato al massimo il gioco meccanico del coordinatografo), il risultato è frutto di tempi di lavoro notevolmente più lunghi.
– difficoltà di lettura stereoscopica dell'oggetto per il valore troppo spinto dell'angolo di intersezione dei raggi omologhi; ciò ha creato dei problemi di affaticamento della vista per l'operatore restitutista ma non di incertezza di valutazione nella collimazione dei punti dell'oggetto.
Per ognuno dei tre fronti rilevati sono stati collegati i modelli adiacenti utilizzando per il dimensionamento misure dirette in orizzontale e verticale, prese sull'oggetto, oltre a punti, già restituiti e visibili nel modello successivo[1].

L. I.

[1] Le operazioni di restituzione sono avvenute presso il Laboratorio di Topografia e Fotogrammetria della Facoltà di Ingegneria di Firenze, diretto dal Prof. Ing. Mario Fondelli; il rilievo del palazzo Uguccioni è stato realizzato dall'Arch. Lamberto Ippolito con la collaborazione del Dr. Ivan Chiaverini per le operazioni di determinazione topografica dei punti d'appoggio. Il rilievo del palazzo Pandolfini è stato realizzato dall'Arch. Gino Bianchi, dall'Arch. Lamberto Ippolito e dal Geom. Alfiero Gregori per l'assistenza alla restituzione.

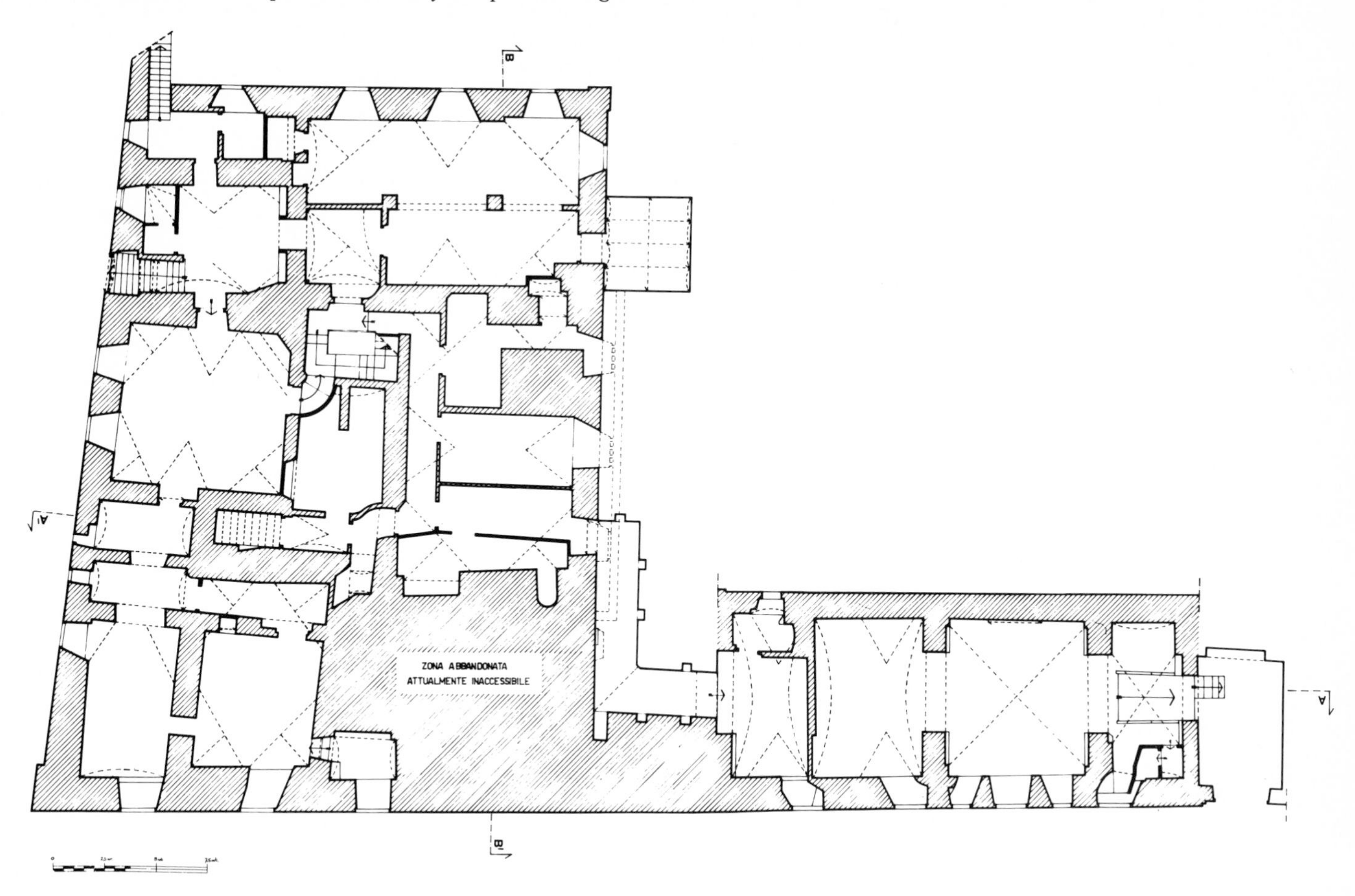

1 – Firenze, palazzo Pandolfini. Pianta del piano scantinato.

I rilievi di palazzo Pandolfini sono a cura di R. Chiodi, E. Morici, G. Vannetti.

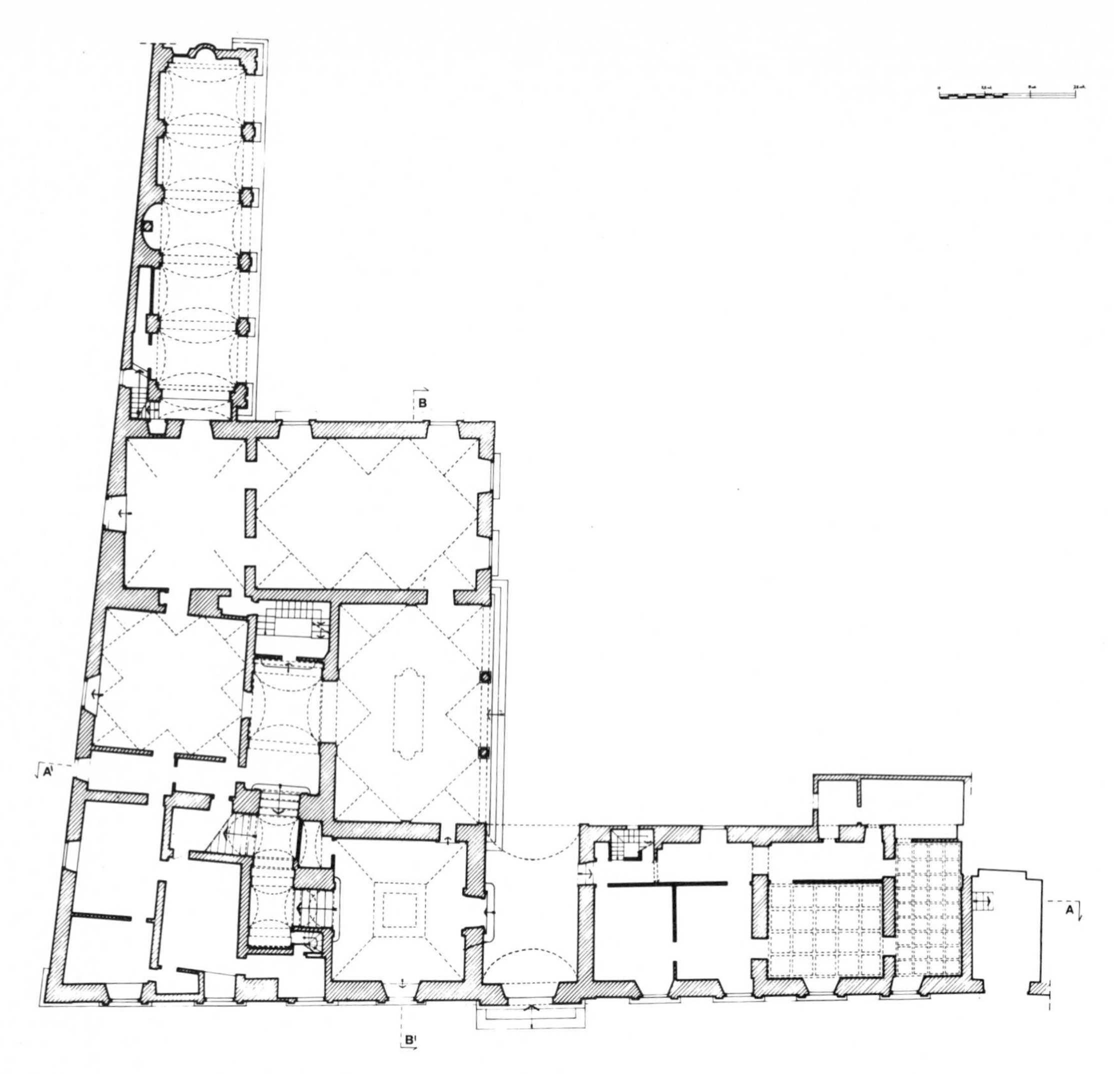

2 – *Firenze, palazzo Pandolfini. Pianta del piano terreno.*

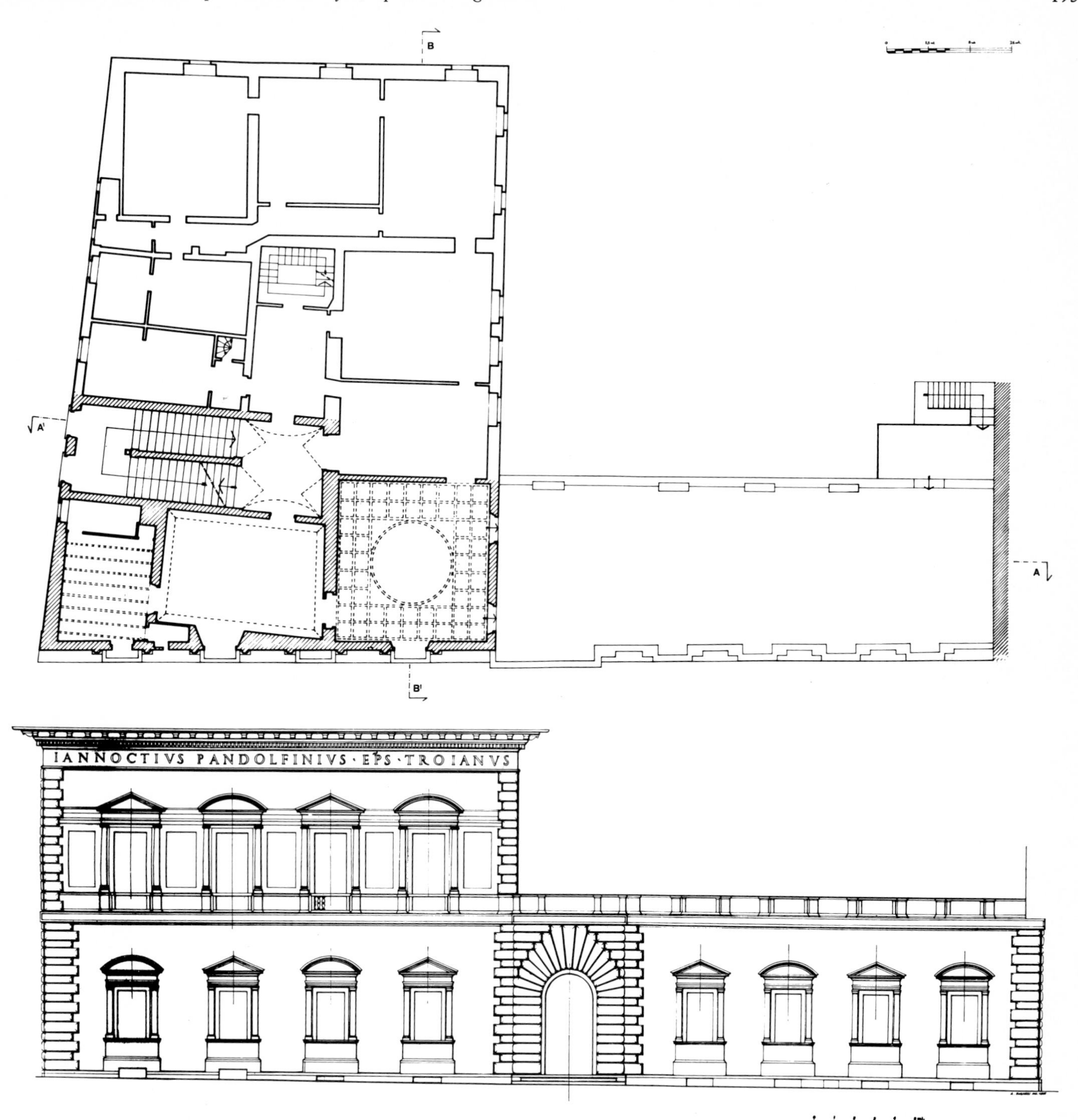

3 – Firenze, palazzo Pandolfini. Pianta del primo piano (sono indicate senza tratteggio nello spessore murario le parti del palazzo che non è stato possibile rilevare, queste sono state desunte dalle particelle catastali).

4 – Firenze, palazzo Pandolfini. Prospetto su via San Gallo.

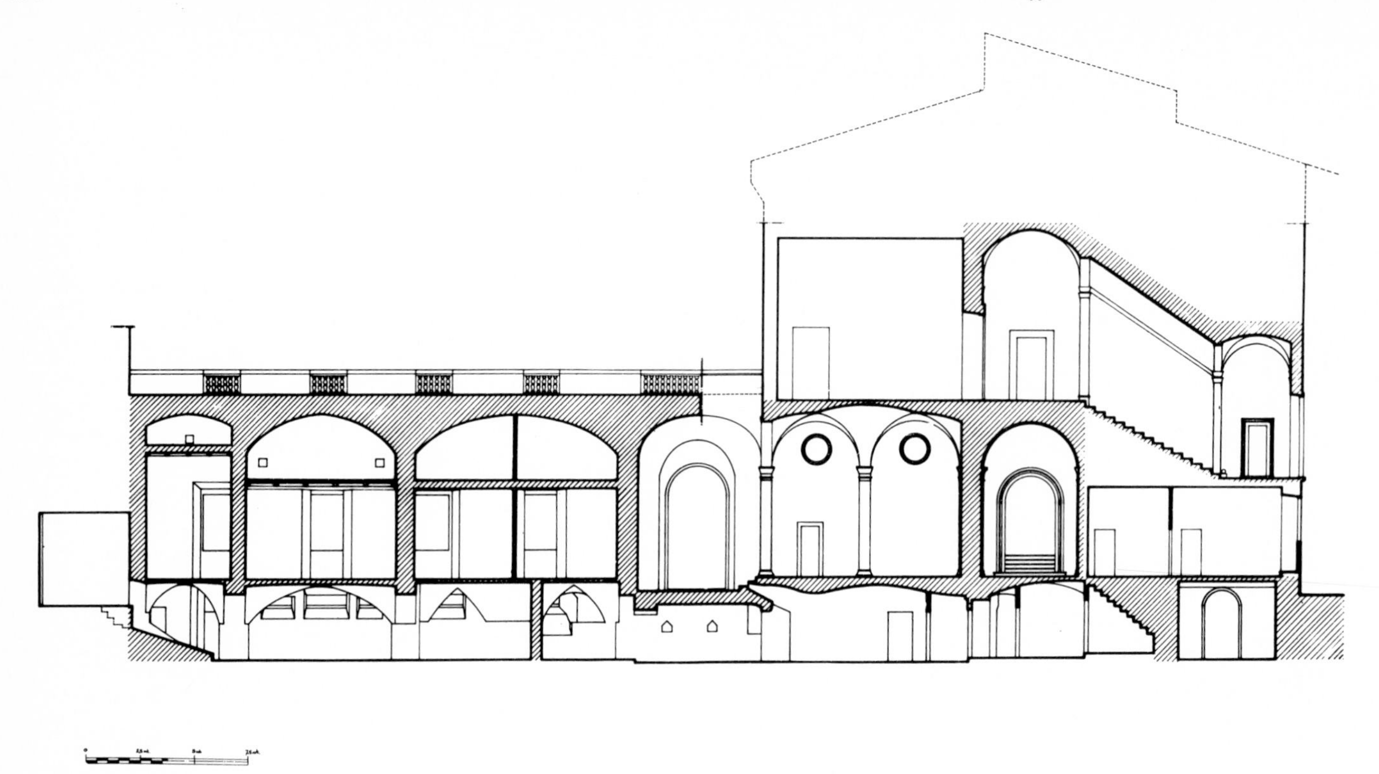

5 – Firenze, palazzo Pandolfini. Sezione longitudinale AA' (sono indicate senza tratteggio nello spessore murario e con segno più sottile le parti del palazzo che non è stato possibile rilevare).

6 – Firenze, palazzo Pandolfini. Sezione trasversale BB' (sono indicate senza tratteggio nello spessore murario e con un segno più sottile le parti del palazzo che non è stato possibile rilevare.

7 – Firenze, palazzo Uguccioni, piazza della Signoria. Livello I, pianta quota – 3,50 m. Scantinati.

I rilievi di palazzo Uguccioni sono a cura di E.E. Rodio, C. Minervini, A. Gabrielli, C. Marino.

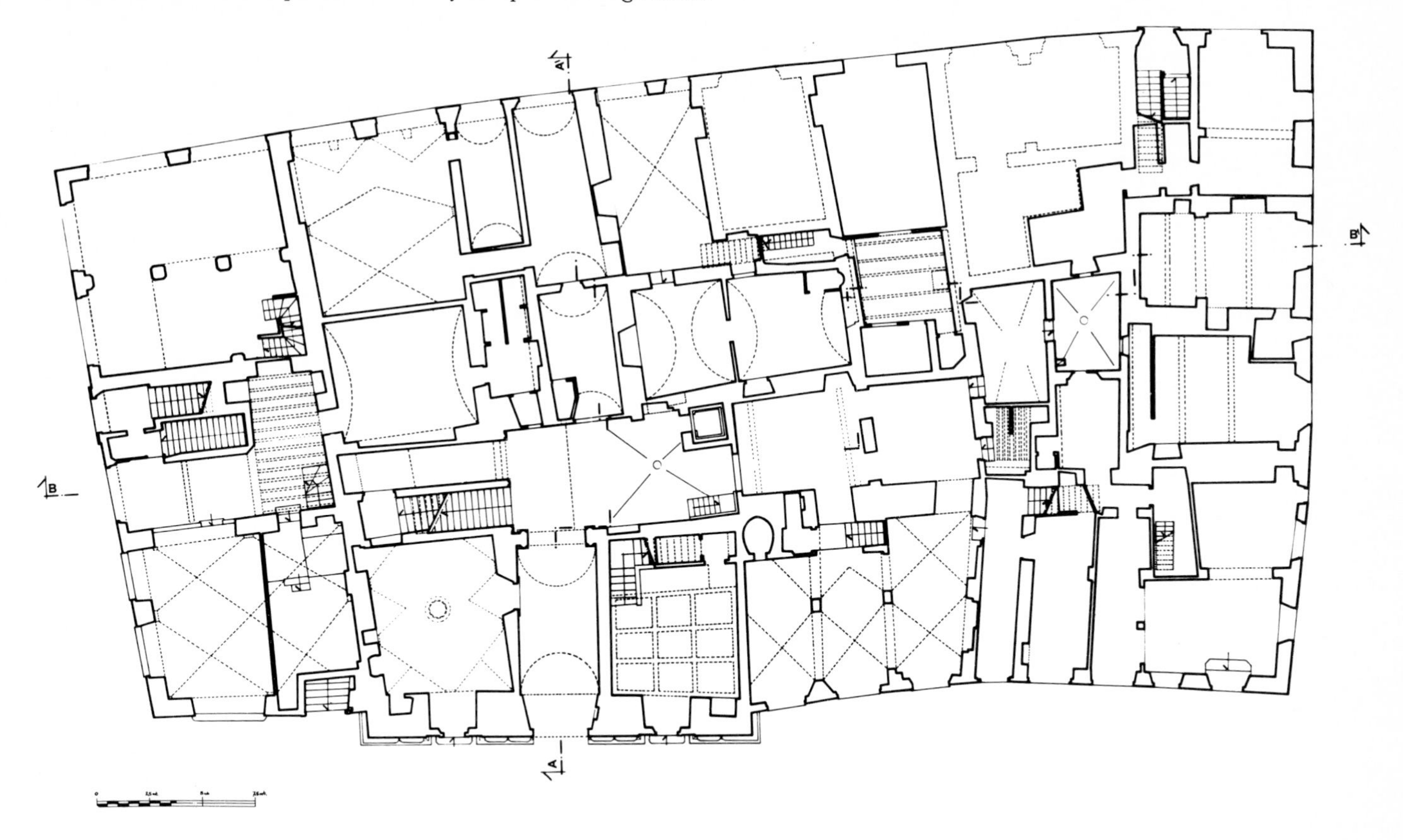

8 – Firenze, palazzo Uguccioni, piazza della Signoria. Livello II, pianta quota 0,00, tale quota è individuabile sulla soglia del portone principale ed è a – 86 cm. dal piano di livellazione generale. Piano terra.

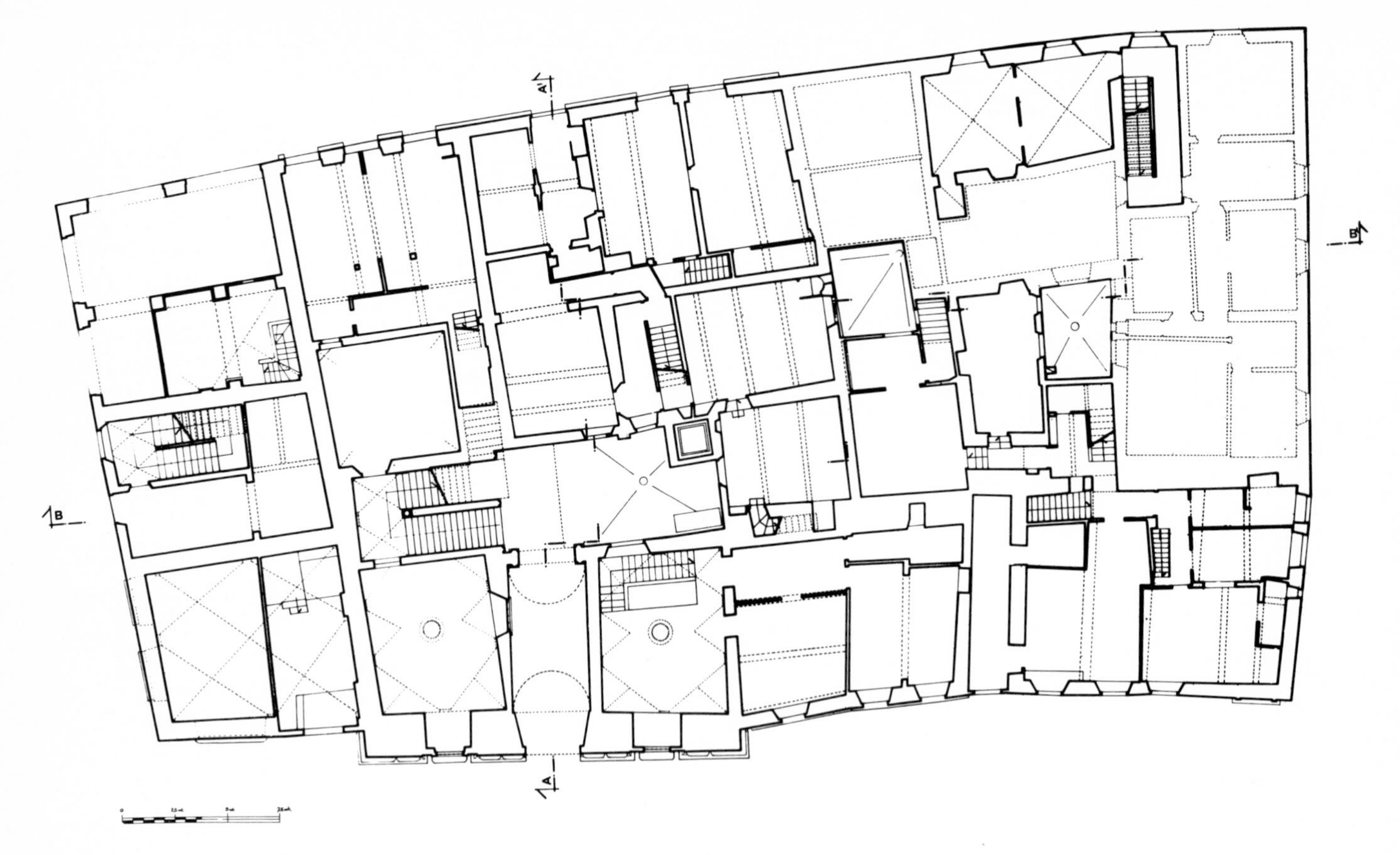

9 – Firenze, palazzo Uguccioni, piazza della Signoria. Livello III, pianta quota + 3,40 m.

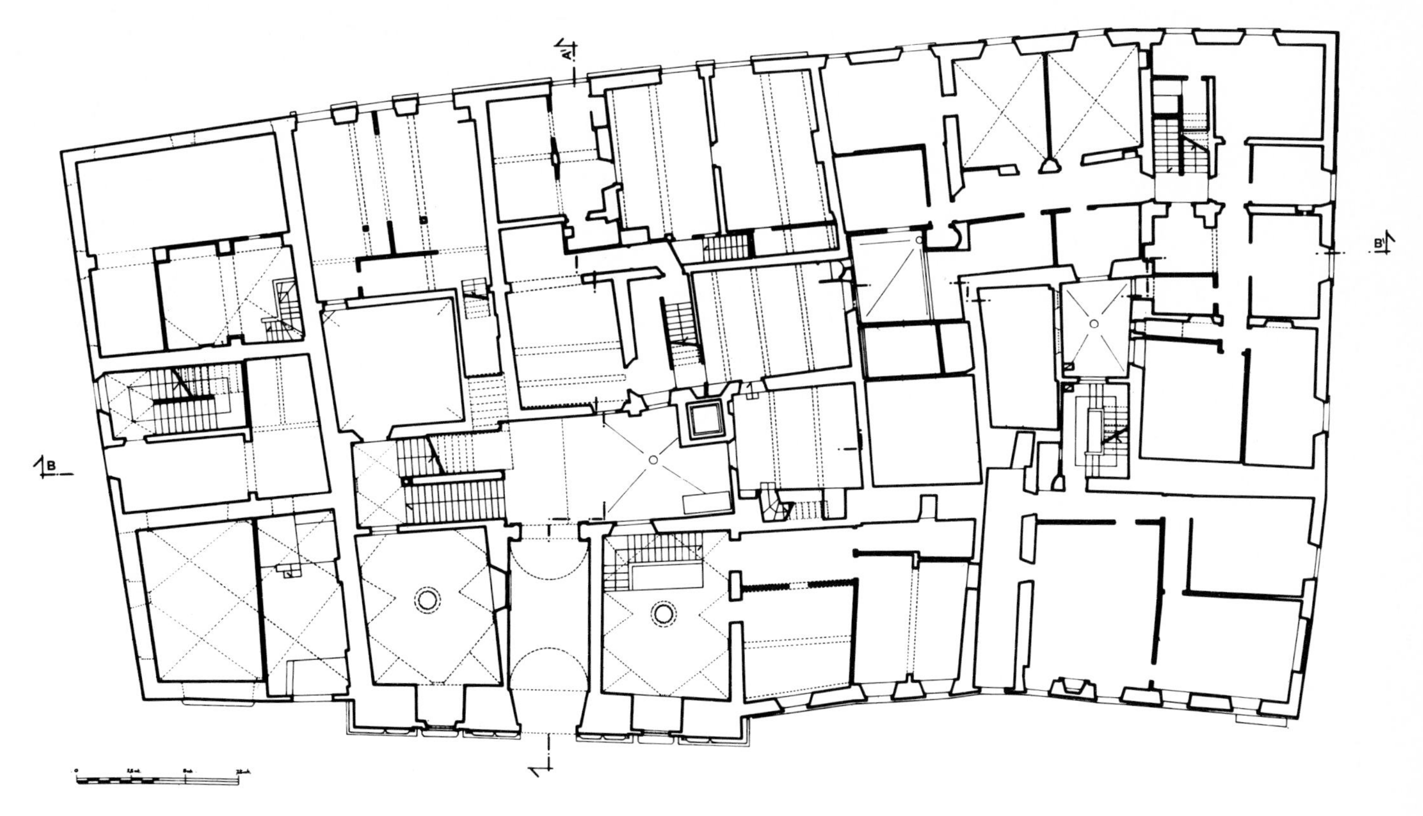

10 – Firenze, palazzo Uguccioni, piazza della Signoria. Livello IV, pianta quota + 5,15 m.

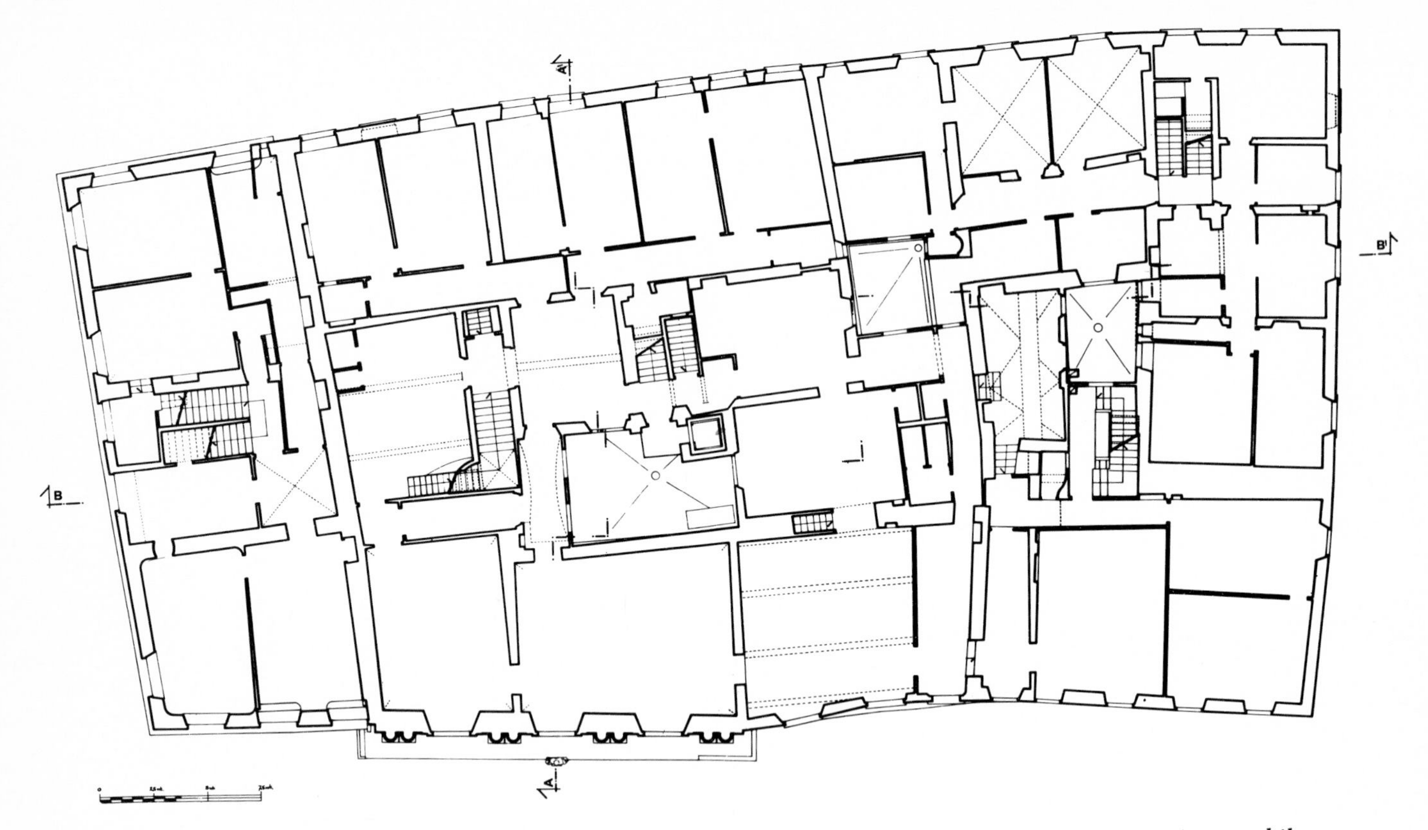

11 – Firenze, palazzo Uguccioni, piazza della Signoria. Livello V, pianta quota + 7,24 m. Primo piano nobile.

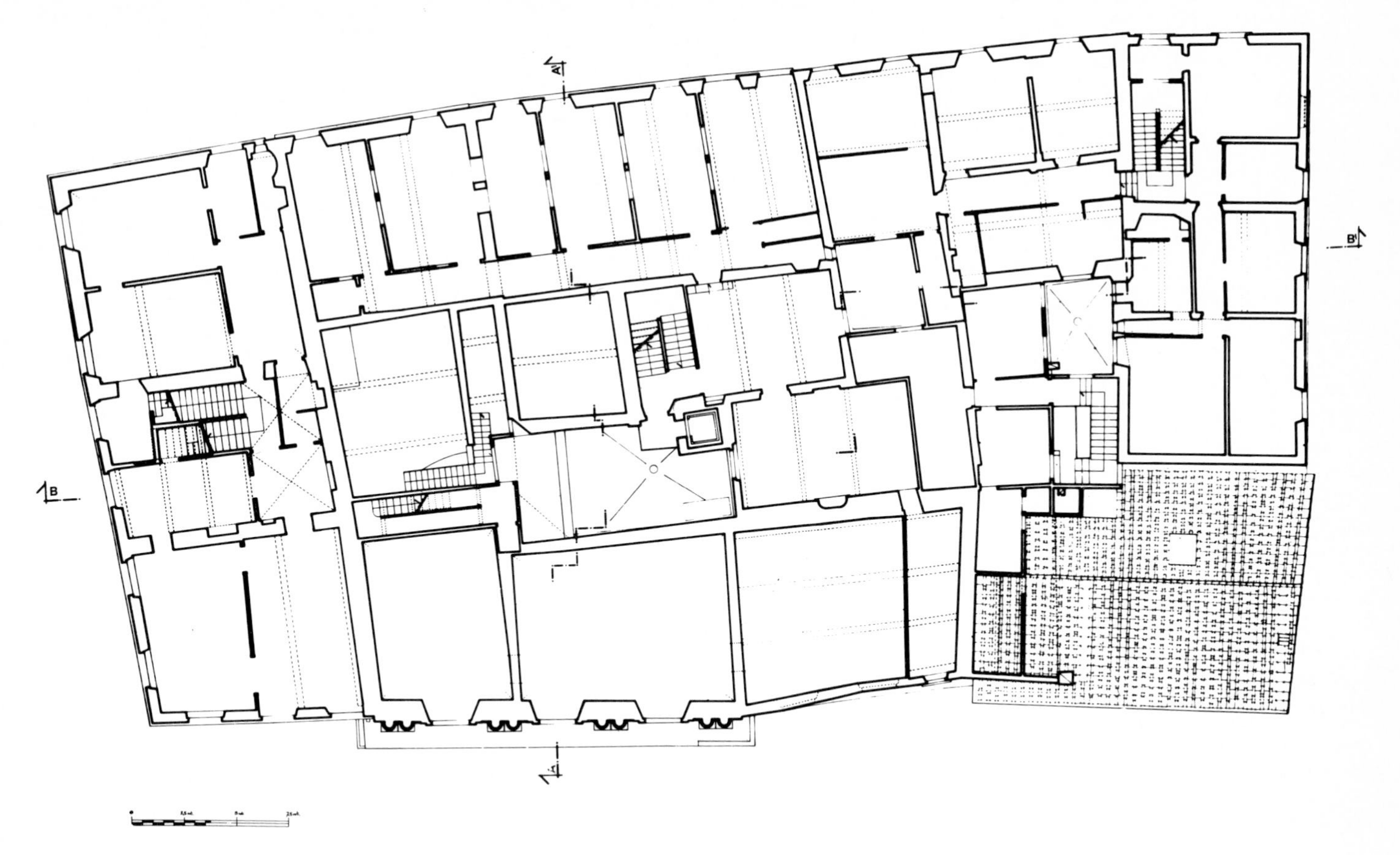

12 – Firenze, palazzo Uguccioni, piazza della Signoria. Livello VI, pianta quota + 11,10 m.

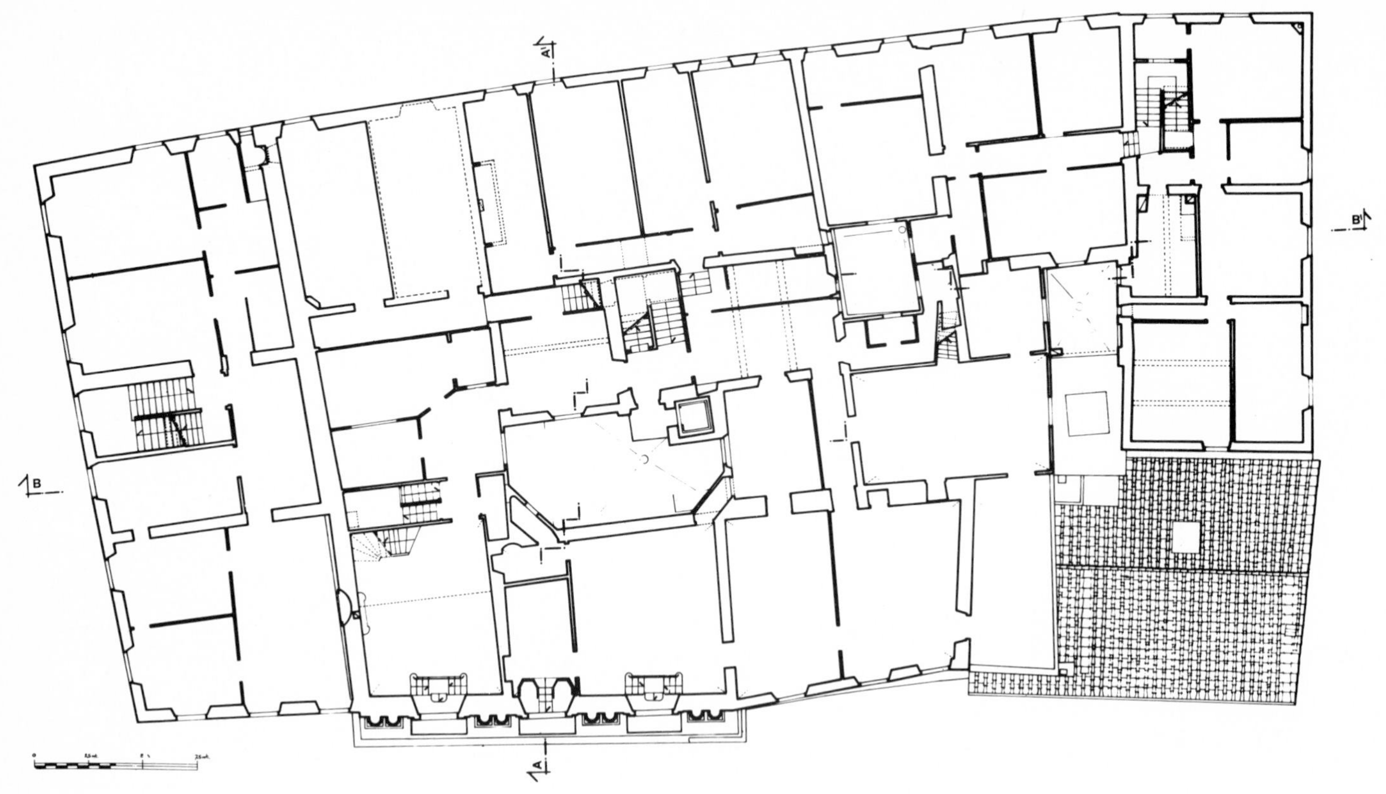

13 – Firenze, palazzo Uguccioni, piazza della Signoria. Livello VII, pianta quota + 13,75 m. Secondo piano nobile.

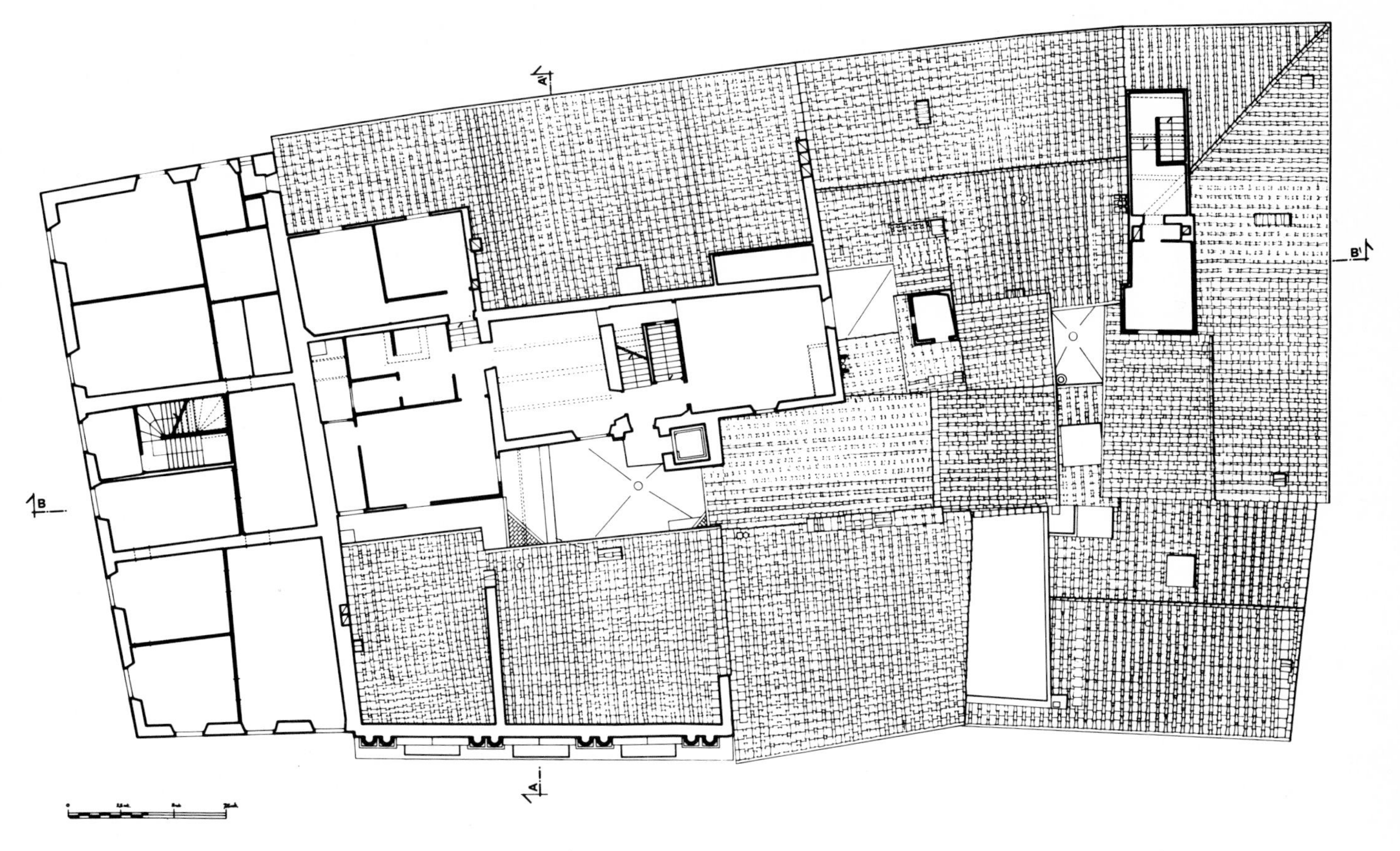

14 – Firenze, palazzo Uguccioni, piazza della Signoria. Livello VIII, pianta quota + 17,55 m.

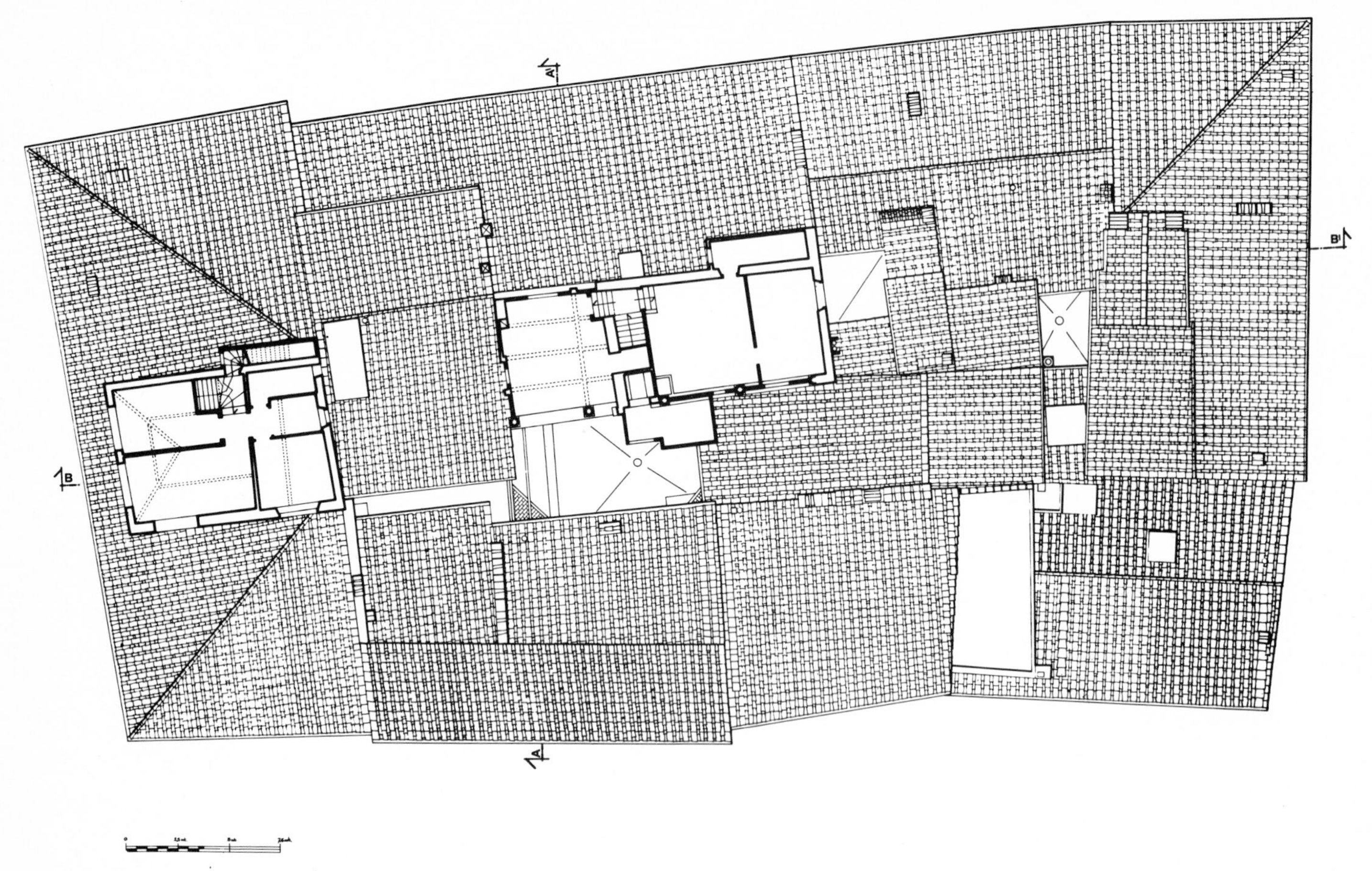

15 – Firenze, palazzo Uguccioni, piazza della Signoria. Livello IX, pianta quota + 20,90 m. Loggiato e coperture.

16 – Firenze, palazzo Uguccioni, piazza della Signoria. Prospetto principale su piazza della Signoria.

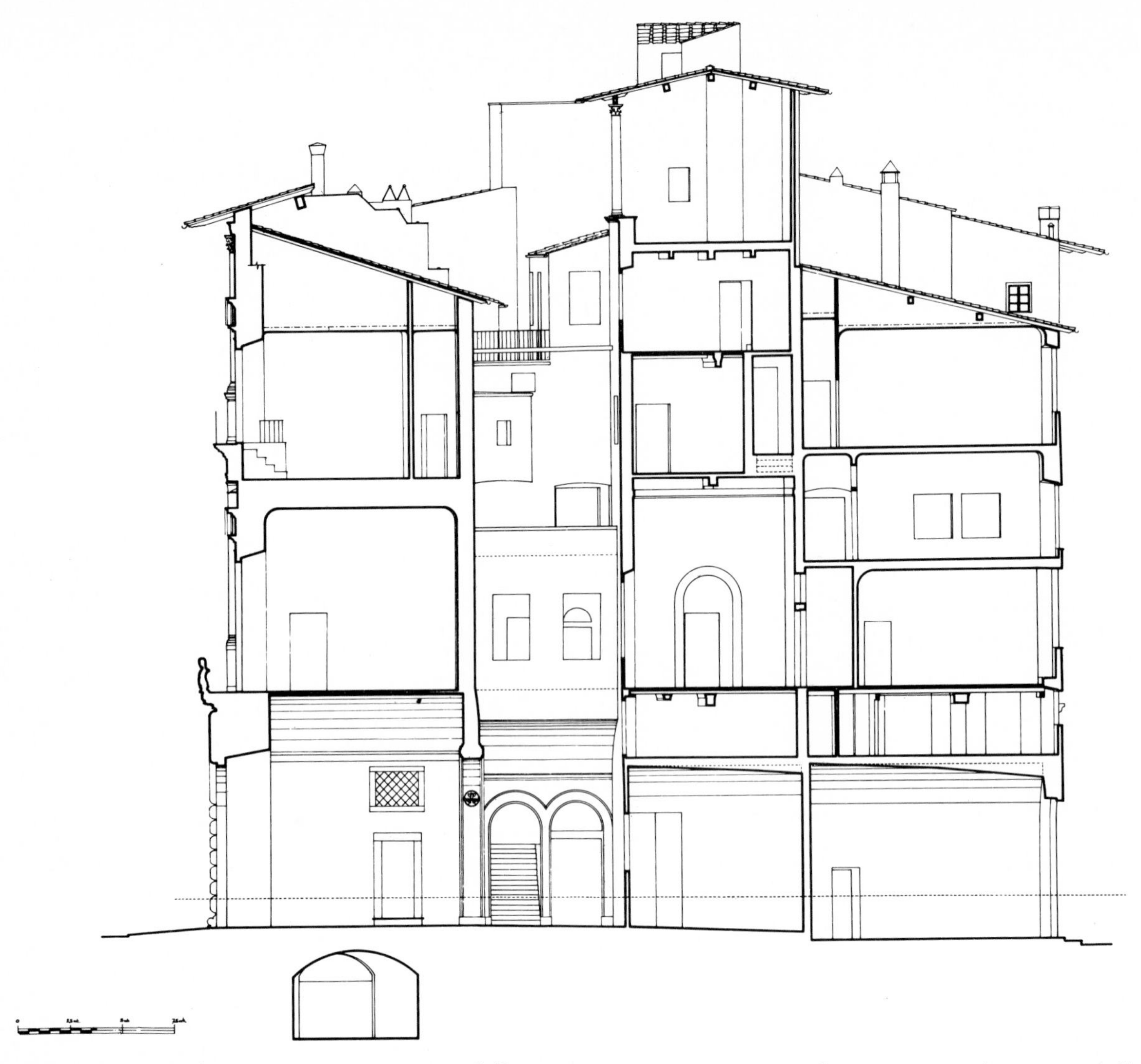

17 – Firenze, palazzo Uguccioni, piazza della Signoria. Sezione trasversale AA'. Passa da piazza della Signoria attraverso la mezzeria del portale principale fino a via della Condotta.

18 – Firenze, palazzo Uguccioni, piazza della Signoria. Sezione longitudinale BB'. Si sviluppa da via delle Farine a via dei Magazzini attraversando i tre cortili dell'isolato.

INDAGINE TERMOGRAFICA DI PALAZZO PANDOLFINI

Giuseppe Ruffa - Maurizio Seracini

L'indagine termografica applicata allo studio di strutture edilizie

L'impiego dell'apparecchiatura termografica nel campo dello studio di manufatti edili è stao perfezionato e finalizzato, dopo ricerche e applicazioni iniziate nel 1976, allo studio delle strutture murarie di edifici di interesse storico-artistico.
Il principio su cui si basa il funzionamento della termovisione è legato alla possibilità di registrare la naturale emissione nella banda dell'infrarosso di materiali da costruzione ricoperti da uno strato di intonaco, consentendo di posizionare e dimensionare i singoli componenti non visibili, sia su murature interne che esterne dei vari corpi di fabbrica esaminati. La visualizzazione dei dati ottenuti avviene tramite un monitor con immagini che, opportunamente documentate fotograficamente, e interpretate, consentono all'operatore e al tecnico ad esso associato, di trasferire i dati ottenuti in un grafico tradizionale.
L'impiego dell'indagine termografica consente di fornire così un rilievo delle strutture murarie non visibili con mezzi tradizionali, e quindi non rilevabili né documentabili altrimenti.
Data l'assoluta non invasività della metodica, nel completo rispetto delle superfici, e la possibilità di abbracciare nelle riprese termografiche aree anche notevolmente estese, come fronti stradali e prospetti, senza l'ausilio di ponteggi, l'esame termografico di strutture murarie risulta particolarmente utile per lo studio di edifici di interesse storico-architettonico, in cui le varie trasformazioni e superfetazioni succedutesi nel tempo e legate all'uso non trovano la necessaria documentazione nelle fonti bibliografiche o iconografiche.
L'applicazione di questa metodica alla studio di palazzo Pandolfini e di palazzo Uguccioni ha consentito di ottenere dati utili per una più completa documentazione dell'esistente, unitamente a precisi riferimenti riguardo ai tipi di materiali impiegati e alle preesistenze inglobate negli immobili oggetto di studio.

E.DI.TECH. S.r.l. Firenze

I. Fronte e fianco
L'indagine termografica dei due prospetti di palazzo Pandolfini è stata eseguita nel corso di una campagna di rilevamento effettuata nel mese di giugno del 1983.
Questo tipo di indagine ha avuto la finalità di contribuire alla conoscenza delle caratteristiche tecnico-costruttive degli elementi strutturali esterni, permettendo inoltre ipotesi circa l'originale impianto, soprattutto in considerazione della diversa logica distributiva di aperture tamponate rilevate termograficamente.

Prospetto su via San Gallo
L'indagine termografica (figg. 1, 2) ha posto in evidenza la tessitura muraria prevalentemente mista, ma con netta presenza di elementi lapidei proporzionalmente maggiore rispetto al laterizio, sia nella parte basamentale che al livello del piano primo. Attorno alla cornice della finestra a sinistra del portone d'ingresso si è evidenziata la presenza di un tamponamento di

notevoli dimensioni, entro il quale è stata posizionata la stessa; in particolare risultano visibili i piedritti del vano costituiti da elementi lapidei di dimensioni piuttosto regolari, e l'archivolto in mattoni a sesto ribassato, al di sotto del quale la muratura in mattoni continua fino al timpano della finestra.
Attorno alle due finestre centrali del piano terreno si sono individuate altre zone in mattoni, soprattutto in corrispondenza dell'alloggio delle cornici e dei timpani; questi interventi però, ricalcando l'andamento delle decorazioni in pietra, sembrano potersi invece ascrivere o alle operazioni di messa in opera delle cornici stesse, o ad interventi per la protezione della muratura nelle immediate vicinanze delle parti in aggetto.
Al livello del piano primo si può rilevare la presenza di muratura mista con netta prevalenza di elementi lapidei anche all'interno dei riquadri presenti tra finestra e finestra, dove si possono notare alcune zone omogenee (fig. 2) in laterizio, la cui disposizione e dimensione non consente però alcuna attribuzione a precisi interventi.
Al di sopra del cornicione che congiunge i timpani delle finestre del piano primo si nota invece una notevole irregolarità di tessitura muraria, che appare composta da aree alternate e irregolari o quasi esclusivamente in elementi lapidei, o in laterizio.
L'ala destra della facciata relativa al corpo di fabbrica a un solo piano posto a destra del portale d'ingresso, ha presentato una risposta termica dei materiali simile a quella rilevata termograficamente in precedenza. La muratura anche su questa parte del prospetto ha presentato una netta prevalenza di elementi lapidei.
Si sono evidenziati (figg. 1, 2) interventi in laterizio relativi all'alloggiamento di canali di discesa delle acque meteoriche dal livello della terrazza al livello stradale; al di sopra del timpano della prima finestra a destra del portale si è ben evidenziata la presenza di un arco di scarico in mattoni, ribassato, con asse spostato a sinistra rispetto all'apertura sottostante. Al di sotto di esso e in corrispondenza delle reni continua la tessitura muraria mista comune a tutto il fronte.
Un simile arco di scarico è stato rilevato termograficamente al di sopra della seconda finestra da sinistra; il penultimo timpano appare invece adiacente a una zona in mattoni (area scura nel montaggio relativo) voltata superiormente secondo un andamento che fa ipotizzare un arco ribassato, il cui asse verticale sembra corrispondere a quello della finestra sottostante.
Non si notano particolari interventi attorno all'ultima finestra a destra.

Prospetto su Via Salvestrina (figg. 3, 4, 5, 6)

L'indagine termografica di questo fronte ha permesso di individuare notevoli irregolarità, modificazioni, e diversità di tessiture murarie distribuite lungo tutta la superficie interessata dall'indagine. Appare quindi notevole la differenza con i dati emersi dalla risposta termica ottenuta in facciata.
Iniziando ad esaminare questo fronte dalla zona d'angolo con via San Gallo, si è potuto notare la presenza di una canalizzazione all'interno della muratura (posiz. 1) che prosegue dal piano terra fino alla linea di gronda; a livello del piano terreno si evidenzia una zona dai contorni irregolari composta in muratura mista con prevalenza di elementi lapidei (posiz. 2) rettangolari, larghi e ben squadrati confinante con una muratura totalmente in mattoni (posiz. 3) che sembra interrompersi al livello della linea di marcapiano in pietra del piano primo.
Da questa quota la muratura appare di nuovo essenzialmente in pietrame, a eccezione di una larga scucitura attorno alla finestrella dell'ammezzato sopra il piano primo (posiz. 6); si sono pure notati un piccolo arco di scarico in mattoni (posiz. 4) e il probabile tamponamento, sempre in mattoni (posiz. 5), di una finestra avente all'incirca le dimensioni delle aperture con cornici del piano primo.
All'interno di una vasta area in mattoni che interessa (posiz. 7) la parte centrale del fronte fino alla linea di sottotetto, si è notata la presenza di altre due canalizzazioni alloggiate nella muratura (posiz. 8).
Al livello del piano primo sono state inoltre individuate due probabili finestre tamponate (posiz. 9, lato sinistro) aventi le stesse dimensioni e un probabile piccolo tamponamento (posiz. 10) all'interno di una tessitura in pietra.
La muratura esterna relativa al piano terreno e ammezzato ha fornito un'immagine termica che ha ben caratterizzato i vari interventi che vi si sono succeduti.
Si è potuto infatti individuare un arco di scarico in mattoni (posiz. 11) al di sotto del quale in

posizione disassata è presente una finestra attualmente in uso; alla sua sinistra una vasta scucitura in mattoni (posiz. 12) sembra proseguire, allargandosi, anche ai piani superiori dove sono presenti tre finestrelle in asse.
Nella zona centrale, in asse con una delle tre grandi finestre del piano terreno è ben visualizzata la presenza di un grande tamponamento in mattoni terminante superiormente con un arcone avente ai lati la presenza di ammorsature tra la muratura in pietra di questa zona e il tamponamento, che dalla quota della finestra è anch'esso in elementi lapidei (posiz. 13).
Attorno alla porta di accesso ai locali sotterranei (posiz. 14) si è notato un tamponamento in mattoni, probabile indizio di una apertura di maggiori dimensioni. In prossimità dell'angolo sinistro di questo fronte la muratura appare (posiz. 15) prevalentemente in mattoni eccetto due zone (posiz. 17) aventi tessitura muraria in elementi lapidei.
Una scucitura, o forse una traccia di canalizzazione (posiz. 16) risulta appena percettibile all'interno della zona in mattoni e in angolo (posiz. 16a).
Il corpo di fabbrica adiacente presenta in aderenza con il nucleo del palazzo una struttura essenzialmente in mattoni (posiz. 18) che presenta però al suo interno sia zone in pietrame ben squadrato, ma dai contorni irregolari (posiz. 19) sia una finestrella con attorno liste in pietra, attualmente tamponata (posiz. 18a).
Da circa due metri a sinistra della porticciola presente in parete inizia invece una struttura muraria ben definita (figg. 5, 6) costituita da quattro arcate (posiz. 21) tamponate in mattoni, eccetto quella posta al centro della parete, al cui interno appaiono evidenti elementi in pietra soprattutto nella parte bassa del tamponamento. I pilastri in pietra appaiono regolari, delle stesse dimensioni, mentre gli archivolti che su di essi si impostano forniscono l'immagine termica del laterizio.
All'interno dei quattro tamponamenti sono risultate visibili due piccole finestre tamponate (posiz. 21a), la muratura posta sopra alle arcate appare termograficamente piuttosto regolare, in pietre squadrate e con scarsissima presenza di materiale laterizio, concentrato tra l'altro in aree molto ristrette.
Al di sopra dei quattro arconi individuati, e in asse con essi, sono risultati altresì visibili termograficamente i tamponamenti di tre probabili finestrelle, alla stessa quota e delle stesse dimensioni (posiz. 20).
La finestrella attualmente presente, data la scucitura in mattoni che la contorna, sembra ricavata anch'essa in uno spazio simile.

II. Estensione dell'indagine ai prospetti sul giardino
Relazione tecnica

Il proseguimento dell'indagine termografica ha preso in esame i due lati di palazzo Pandolfini affacciantesi sul giardino, che sono stati integralmente documentati ed esaminati.
Il lato sud, nel quale si aprono le tre arcate vetrate del piano terreno, presenta una risposta termica generale piuttosto disomogenea, evidenziando zone ben differenziate costituite da muratura di diversa natura.
Nel montaggio termografico (figg. 7, 8) si può notare in corrispondenza dell'angolo sinistro del prospetto (zona della terrazza), al livello dei piani primo e sottotetto, una certa uniformità di risposta termica individuante, date le condizioni ambientali esterne, una prevalente composizione litoide della tessitura muraria; nella muratura che comunque si può definire mista sono assenti zone in mattoni di una certa consistenza.
Le linee chiare che si incrociano perpendicolarmente individuano con ogni probabilità canalizzazioni situate a livello superficiale, e comunque non costituiscono dati significativi in rapporto allo studio della compagine muraria.
Da notare che le ombre termiche corrispondenti alla risposta nell'infrarosso rilevate in quest'ultima campagna di rilevazioni risultano a livello cromatico esattamente opposte a quanto documentato nel precedente esame eseguito in condizioni termico-ambientali diverse.
Sempre nel prospetto sud, in corrispondenza della seconda finestra da sinistra (piano primo) si inizia a rilevare una qualche disomogeneità dovuta alla presenza di elementi in laterizio in prossimità degli stipiti e al di sopra dell'architrave della finestra stessa.
Tra questa apertura e la successiva alla sua destra la muratura mista presente non fa rilevare dati di rilievo, salvo la brusca conclusione alla quota delle architravature delle finestre, al di sopra

delle quali la compagine muraria prosegue in mattoni fino al livello del sottotetto.
Nella zona soprastante le tre finestre centrali del piano primo la tessitura muraria appare essenzialmente in mattoni tranne un'area ad andamento verticale in muratura mista (fig. 8). La parte destra del prospetto sud appare interessata da due interventi ben differenziati; la muratura d'ambito del piano terreno fornisce termograficamente una risposta termica assimilabile ad una muratura prevalentemente in elementi lapidei, del resto ben individuabili (v. montaggi di immagini termografiche segg.).
Al livello delle finestre del piano terreno si individuano ristrette aree esclusivamente in materiale laterizio, in basso, tra le due finestre e al di sopra di esse, dove sembra di poter individuare la presenza di due archi di scarico.
Immediatamente al di sotto del livello del piano di calpestio del piano primo si nota un altro elemento piuttosto ben individuato, in elementi lapidei, posto in posizione centrale rispetto agli assi delle finestre; la funzione di esso non appare individuabile dai risultati termografici, in quanto la muratura sottostante non ha presentato tracce di scuciture, pilastri o colonne inclusi nella muratura.
L'area che in montaggio ingloba il predetto elemento risulta termicamente più fredda sia della zona soprastante in mattoni che della compagine muraria sottostante parimenti in pietrame.
Questo dato, unitamente al risultato cromatico ben avvertibile non sta ad indicare un cambiamento di materiale quanto una maggiore vicinanza degli elementi costituenti la muratura alla superficie esterna dell'intonaco, fattore questo che permette un migliore e più evidente scambio termico con l'esterno.
La muratura in pietrame sottostante inoltre presenta elementi maggiormente distanziati da commenti in malta, e in qualche misura posizionati con minore regolarità.
La parte superiore di questo lato del prospetto sud, che interessa al piano primo e sottotetto, presenta una zona in mattoni corrispondente alla superficie tra il davanzale delle finestre e il piano il calpestio del piano primo. Tra le due ultime finestre a destra del piano sopramenzionato si può notare la netta risposta termica originata da una grande canna fumaria in corrispondenza della quale la muratura appare totalmente in mattoni, con una parziale ammorsatura ottenuta con liste in pietra tra il piano primo e sottotetto.
La compagine muraria generale di questa zona appare in muratura mista, con una apprezzabile presenza di materiale laterizio, tanto da differenziarsi, a sinistra, dall'area C (fig. 8), che presenta una più massiccia percentuale di componenti litoidi.
In prossimità dell'angolo, risolto con pietre sfalsate, si può notare l'ammorsatura con la tessitura generale della parete delle pietre d'angolo stesse, che se pur visibili termograficamente anche nel prospetto est, risultano qui maggiormente evidenziate. Come ultimo dato significativo rilevato termograficamente in questa zona è da notare la presenza di un arco di scarico in mattoni posto al di sopra dell'ultima finestra a destra (piano primo).

Il prospetto est di palazzo Pandolfini (fig. 9) ha permesso di rilevare termograficamente interventi nella muratura chiaramente identificabili. Il montaggio di immagini termografiche permette di posizionare e dimensionare disomogeneità e materiali presenti.
La muratura d'angolo a destra presenta una tessitura in pietra con elementi angolari già evidenziati durante l'esame del prospetto sud; la compagine muraria generale appare in muratura mista senza notevoli differenziazioni tra i vari piani.
Il vano della porta-finestra del piano terreno (posto a sinistra della facciata) appare termograficamente circondato da una fascia in muratura a mattoni, probabilmente da collegare con l'inserimento degli stipiti e architrave in pietra; al di sopra di esso una scucitura in mattoni va a collegarsi con tre linee di discontinuità tra i componenti elementari (in pietra) che proseguono in verticale fino a interrompersi al livello del marcapiano del piano primo. A destra dell'area esaminata sono visibili termograficamente anche altre linee di discontinuità (lesioni) ricucite o tamponate in mattoni che proseguono sia verticalmente che obliquamente verso l'architravatura della porta-finestra posta al piano terreno a destra.
A metà dell'interasse tra le due grandi finestrature di accesso al giardino si è potuto individuare chiaramente la presenza di un vano di notevoli dimensioni equidistante dalle cornici delle due aperture poste ai suoi lati, tamponato in mattoni, e archivoltato con arco a sesto ribassato impostato a un livello superiore a quello a cui si trovano le architravature adiacenti.
Al centro del vano tamponato e alla stessa quota delle trabeazioni delle finestre si notano tre elementi dai contorni regolari, probabilmente costituiti da mattoni tagliati.
A destra del tamponamento descritto una vasta scucitura in mattoni circonda la cornice della porta finestra proseguendo in alto fino alla linea di gronda della serra.

Al livello del piano primo l'indagine termografica ha consentito di individuare zone in mattoni di limitate dimensioni poste in corrispondenza delle finestre e dell'angolo destro del prospetto, e di una probabile canna fumaria con sottostante tamponamento architravato.
Nella fascia superiore del prospetto non si notano tracce di lesioni dimensionalmente rilevanti; le tre finestre poste nella parte di prospetto non interessato dalla serra presentano le zone sotto il davanzale (probabilmente corrispondenti a sganci interni) totalmente in mattoni. La finestra più prossima all'angolo sinistro di questo lato del palazzo risulta, a differenza delle altre, totalmente circondata da una tessitura in mattoni piuttosto regolare.
Al di sopra della finestra adiacente, fin quasi alla quota del piano di calpestio dei locali sottotetto si nota un'altra area in mattoni dai contorni però meno definiti e avente una tessitura meno serrata, probabilmente dovuta a commenti di malta di maggiore spessore, fattore questo che permette di individuare i singoli elementi in laterizio. La grande scucitura posta a destra di quest'ultima finestra prosegue quasi in verticale fino al cornicione; pur essendo individuata da una muratura anomala in grossi elementi lapidei e scarsa percentuale di mattoni, le dimensioni e l'andamento della stessa la caratterizzano con ogni probabilità come una canna fumaria.
Quasi alla quota dell'architravatura della finestra ad essa adiacente il materiale litoide impiegato assume forme più regolari, nettamente rettangolari, con giacitura orizzontale e interposizione di laterizi ben individuabili (aree chiare rettangolari). Alla quota dell'architravatura della finestra si nota inoltre un elemento orizzontale ben identificabile nel montaggio di immagini termografiche.
La diversità di tessitura muraria, la costanza e regolarità di dimensioni dei componenti elementari impiegati e la presenza dell'elemento orizzontale soprastante sembrano caratterizzare questa parte basamentale della scucitura individuata come un probabile tamponamento.
La parte destra del prospetto non presenta interventi di un qualche rilievo o comunque particolarmente caratterizzati; la compagine muraria in muratura mista si interrompe in corrispondenza dell'ultima finestra a destra, dove compare un probabile arco di scarico in mattoni al di sopra di essa, e nella zona d'angolo dove la tessitura muraria in laterizio risulta particolarmente compatta tra il piano primo e il cornicione conclusivo del prospetto.

INDAGINE TERMOGRAFICA DI PALAZZO UGUCCIONI

Giuseppe Ruffa - Maurizio Seracini

Relazione tecnica

Nell'ambito dello studio effettuato su palazzo Uguccioni l'indagine termografica ha avuto la finalità di documentare in modo non invasivo una serie di dati relativi alle strutture murarie e alla tecnica impiegata per erigerle, unitamente alla visualizzazione di interventi ora non più leggibili in quanto inglobati in una serie di accorpamenti e stratificazioni edilizie che hanno portato l'intero complesso allo stato attuale.
Durante le diverse campagne di rilevazione che si sono succedute tra i mesi di giugno e settembre sono stati esaminati:
– Il prospetto esterno dell'isolato in cui è inserito palazzo Uguccioni, tra via delle Farine e via dei Magazzini;
– I lati esterni dell'immobile sul cortile principale;
– Prospetto laterale parziale (sulla terrazza);
– Strutture verticali ai vari piani.

Prospetto principale sulla piazza (figg. 10, 11)

I dati ottenuti, riuniti nel montaggio di immagini termografiche relativo, ha permesso di poter elaborare un grafico in cui si sono riuniti le informazioni ottenute dalle risposte termiche dei materili da costruzione presenti, siano essi a vista o ricoperti da intonaco.
Il fronte risulta costituito da più corpi di fabbrica adiacenti non perfettamente allineati in facciata; si è potuto visualizzare chiaramente la natura dei componenti la muratura nelle varie zone e quote, unitamente a particolarità inerenti allo stato di conservazione dello strato corticale dei conci in macigno che costituiscono il paramento decorativo della facciata di palazzo Uguccioni.
Come evidenziato nel grafico che riassume i risultati conseguiti, sulla base del rilievo fotogrammetrico gentilmente fornito dalla Soprintendenza ai Beni Ambientali ed Architettonici delle Province di Firenze e Pistoia, la compagine muraria generale dei due corpi di fabbrica addossati ai lati di palazzo Uguccioni risulta quanto mai irregolare e oggetto di interventi e stratificazioni successive.
La tessitura muraria appare costituita da muratura mista con prevalenza di elementi litoidi in zone ben definite aventi andamento prevalentemente verticale (nella parte destra del prospetto) e da aree esclusivamente in mattoni (zone scure nel montaggio di immagini termografiche). Si è potuto, data la qualità dell'immagine, anche identificare tessiture diversificate in pietra e mattoni che corrispondono a tre corpi di fabbrica ben distinti, oltre la facciata in pietra, i cui risultati termografici sono stati di diversa natura.
Il corpo di fabbrica a sinistra presenta la parte basamentale in conci di pietra a bugnato e piani faccia-vista; al di sopra del piano primo i dati termografici relativi alla parte di muratura sottostante l'intonaco hanno permesso di evidenziare la presenza di una muratura esclusivamente in pietra, ad elementi ben squadrati e messi in opera secondo piani di posa orizzontali.
Nella parte superiore, al di sotto della cornice in pietra posta a marcapiano del secondo livello di finestre, si nota una netta cesura orizzontale di questo tipo di muratura particolarmente omogenea.
In prossimità dell'angolo sinistro una zona di modeste dimensioni, ma dall'andamento rettangolare molto preciso, appare tamponata esclusivamente in mattoni; pure in mattoni le zone al di sotto dei davanzali delle finestre, unite a questo livello da materiale laterizio posto a

formare il piano di posa su cui è stato successivamente impostata la sopraelevazione del fabbricato.
Alle quote superiori infatti il prospetto dell'immobile presenta una notevole disomogeneità nella tessitura muraria, fino ad apparire costituito completamente da muratura in mattoni nella zona del sottotetto.
La facciata in pietra di palazzo Uguccioni ha permesso di ottenere una serie di dati relativi allo stato di conservazione dello strato corticale del rivestimento; nel montaggio di immagini termografiche si notano una serie di piccole aree scure variamente distribuite sulla facciata, soprattutto in corrispondenza delle colonne e delle parti piane della stessa. Il risultato cromatico in questo caso indica zone ben individuabili che presentano superficialmente una temperatura inferiore a quella degli elementi e superfici adiacenti. Poiché la facciata risulta rivestita da elementi appartenenti alla stessa famiglia litologica, i dati ottenuti stanno ad indicare non tanto la presenza di sostituzioni o diversità di materiale, quanto l'alterazione superficiale di conci o parte di essi nei confronti di elementi in pietra adiacenti trattati e rifiniti superficialmente nello stesso modo.
Le aree irregolari, tratteggiate nel grafico, distribuite sulla facciata in pietra, posizionano il tipo particolare di risposta termica precedentemente esaminato.
Nel montaggio di immagini termografiche si può notare come gli elementi decorativi dei due ordini in cui è suddivisa la facciata, particolarmente aggettanti, come trabeazioni, timpani, capitelli e marcapiani forniscano una risposta termica praticamente uniforme, indicante una temperatura superficiale dei vari blocchi di pietra particolarmente bassa, cromaticamente contraddistinta, nella scala dei grigi dell'apparecchiatura termografica, dal nero.
Pur essendo, nelle zone menzionate, visibile anche ad un esame diretto il pessimo stato di conservazione del materiale, in questo caso i risultati termografici ottenuti a notevole distanza dall'oggetto esaminato non ne indicano il degrado, ma solamente la temperatura, notevolmente inferiore a quella delle parti piane o meno aggettanti della facciata, conseguente alla maggiore dispersione di calore dei singoli elementi avendo gli stessi una superficie maggiormente esposta all'influenza termico-ambientale esterna.
L'indagine termografica estesa ai corpi di fabbrica presenti a destra della facciata monumentale di palazzo Uguccioni ha permesso di individuare due diverse tessiture murarie corrispondenti a due fabbricati, in origine separati da un vicolo concluso in alto da un arco e successivamente tamponato in mattoni a livello di facciata, per poterne sfruttare la superficie inglobata, all'interno di uno dei due immobili. Il corpo di fabbrica immediatamente adiacente al fianco destro di palazzo Uguccioni presenta vaste scuciture e zone in mattoni dimensionalmente consistenti a tutti i livelli.
Specialmente alla quota dell'ultimo piano la muratura è totalmente in laterizio, facendo presupporre una sopraelevazione piuttosto tarda. Tra i due fabbricati, in corrispondenza del marcapiano in pietra del piano primo, posto a quota maggiore, è stata individuata l'ombra termica del tamponamento in mattoni, ad andamento verticale comprendente tre piani fuori terra e concluso in alto da un piccolo arco costituito da muratura in pietrame; ai lati del tamponamento le murature d'angolo, in pietra, risultano continue e ben delineate.
Il prospetto dell'ultimo edificio a destra fornisce un'immagine termica caratterizzante strutture verticali in muratura prevalentemente in pietra tra finestra e finestra; pur evidenziandosi scuciture irregolari in mattoni al livello del piano ammezzato e in verticale tra le varie aperture, nel complesso appare costruttivamente più unitario, non presentando tra l'altro tracce di sopraelevazioni.
Le ultime due finestre a destra (piano terzo) appaiono risolte in modo diverso, la penultima presenta un architrave in pietra, mentre la finestra più prossima all'angolo appare sormontata da un arco di scarico a tutto sesto, mostrandosi quanto mai simile all'apertura situata in posizione centrale, all'ultimo piano sottotetto, sul fianco del corpo di fabbrica retrostante.

Cortile (figg. 12, 13, 14)

I quattro lati del cortile e le pareti dell'atrio principale e delle scale sono state esaminati integralmente.
Al livello del piano terreno si sono evidenziate murature diverse sia per tessitura che per il tipo di materiale impiegato.
Le pareti contraddistinte dal n. 1 (cfr. planim. piano terreno) presentano una tessitura in

pietrame di dimensioni consistenti, e mattoni; una porta tamponata di cm. 90 × 210 circa è stata evidenziata in prossimità dell'arcone di accesso al cortile.
Quest'apertura appare delimitata da sottili liste in pietra costituenti piedritti e architrave, e circondata da muratura prevalentemente in mattoni che prosegue in alto fino al piano d'imposta della volta a botte.
La parete dell'atrio, a sinistra entrando, nella parte più prossima all'innesto con la facciata ha fornito una risposta termica caratterizzante una muratura mista con alta percentuale di elementi lapidei, disposti nella parte alta della parete con una certa continuità secondo piani di posa orizzontali (zona 2).
La parte più prossima al cortile (zona 3) permette di individuare una maggiore presenza di laterizio, specialmente al di sopra dell'apertura attualmente esistente.
Le muratura individuate come 4a, 4b, 4c, 4d, appaiono poste a tamponamento di altrettante aperture architravate o archivoltate.
Il tamponamento 4a, in mattoni come gli altri, prosegue fino a circa m. 2,50 da terra, al di sotto della mensola in pietra attualmente a vista; in alto si arresta contro un archetto a tutto sesto al di sopra del quale una modesta area di muratura in pietrame prosegue fino alla quota di massimo aggetto della mensola.
Il tamponamento 4b risulta termograficamente posto a chiusura di un grande vano voltato a tutto sesto, di circa m. 2,50 di larghezza che raggiunge come altezza massima, in chiave, quasi la quota dell'intradosso del soffitto del piano terreno.
Nella parte sinistra dell'arcone è possibile anche individuare conci in pietra dell'archivolto, come pure, al di sotto della grande finestra attualmente presente, un vano di comunicazione di modeste dimensioni (circa cm. 80 di larghezza) avente stipiti in pietra. Il tamponamento 4c, in mattoni, della porta con architrave e piedritti in pietra serena, attualmente a vista, non si differenzia particolarmente dal resto della muratura soprastante, prevalentemente in mattoni, con rari elementi in pietra (soprattutto in prossimità dell'angolo destro) rilevabile in corrispondenza di tutti i piani. In posizione 4 d, nonostante la notevole percentuale di umidità presente anche a livello superficiale nella muratura, è stato possibile documentare la presenza di una zona in mattoni di m. 2,40 circa di larghezza, che prosegue in verticale, inglobando alcune pietre, fino al livello del solaio del piano secondo di facciata. All'interno di questa vasta scucitura dall'andamento continuo, risultano presenti due piccoli tamponamenti di altrettante finestrelle (fig. 14), di cui uno fornito di cornice in pietra, posti al livello del piano primo e ammezzato tra il piano primo e secondo di facciata.

Vano scale

Le due pareti della prima rampa del vano scale (n. 5 e 6 in fig. 15) hanno fatto rilevare due diverse tessiture murarie; essenzialmente in pietrame di grosse dimensioni e mattoni fino al livello del primo pianerottolo (posiz. 5), dove inizia una zona prevalentemente in mattoni, e quasi esclusivamente in mattoni (zona 6).
La parete di fondo del primo pianerottolo ha consentito di posizionare pietre squadrate di medie dimensioni distribuite irregolarmente. La parete d'ambito (a sinistra salendo) della seconda rampa in posiz. 8-9, appare chiaramente divisa in due zone: nella prima, corrispondente all'incirca alla dimensione del pianerottolo, la muratura è interamente in mattoni, anche al di sotto del capitello all'inizio della seconda rampa, costituente il peduccio d'imposta della volticciola a crociera.
La zona 9 invece è in muratura mista con prevalenza di componenti litoidi di grosse dimensioni. La parete 10 (a sinistra salendo) della terza rampa adducente al vestibolo del piano primo, consente di evidenziare una muratura simile, oltre alla presenza di una finestrella tamponata di circa cm. 90 × 70 avente l'angolo destro in basso, corrispondente alla quota del quinto scalino.

Piano primo (fig. 15)

Le pareti del vestibolo contraddistinte dal n. 11 hanno fornito una risposta termica omogenea, tale da far pensare alla presenza di un rimpello in mattoni del locale esteso a tre pareti.

La zona 12 appare invece in muratura mista; nella posizione n. 13 si è visualizzata termograficamente la presenza di una porta di modeste dimensioni (cm. 90 × 200) con architrave e stipiti in pietra non vista, corrispondente all'incavo presente nella parte posteriore della parete. Le murature nn. 14 e 15 hanno confermato i risultati termografici ottenuti con l'esame della muratura dall'esterno.
La parete interna n. 16 ha fatto rilevare un tamponamento di notevoli dimensioni (m. 2,40 × 3,60) in mattoni, nettamente archivoltato a tutto sesto. Le pareti 17 e 20 costituenti la parte interna della muratura di facciata rivestita in pietra da taglio, hanno fornito una risposta termica caratterizzante una tessitura in pietre e mattoni, con andamento delle prime meno serrato rispetto a quanto rilevato al piano terreno.
La superficie muraria n. 18, a questo livello, presenta oltre la zona in mattoni a destra (già individuata con l'esame dall'esterno) la presenza di due probabili canne fumarie che si dipartono verso l'alto con andamento rettilineo l'una e obliquo l'altra, visualizzato in tav. III, nel grafico riassuntivo del prospetto esterno di questo lato. Al di sopra della porta di comunicazione con il corridoio e il vestibolo è individuale un piccolo tamponamento corrispondente alle dimensioni della porta stessa.
La parte destra della parte n. 19 risulta quasi interamente in mattoni, senza particolari caratterizzazioni o presenza di aperture tamponate.

Piano secondo (fig. 6)

La parete esterna tergale (n. 21) a questo livello appare costituita essenzialmente in mattoni, con rari e irregolari componenti in pietra posti nella parte bassa della parete e in corrispondenza di ammorsature con le pareti divisorie in mattoni.
Nella muratura n. 22, in mattoni, è stato visualizzato e posizionato il tamponamento di un vano di comunicazione di dimensioni correnti (cm. 80-90 × 200 c.) con stipiti e architrave in pietra non a vista.
La parete 23, interrotta da un sottile setto divisorio, presenta una tessitura essenzialmente in mattoni con la presenza di componenti litoidi di piccole dimensioni.
In posizione n. 24 e 25 la muratura mista, con pietre distanziate di medie dimensioni, non ha fatto rilevare ristrutturazioni o tamponamenti. Le murature nn. 22, 26, 27, 28, pur risultando termograficamente di diversa composizione delimitano un unico vano, come dimostrato dalla struttura della centinatura della volta a padiglione, individuata termograficamente, che comprende anche il corridoio laterale.
La parete n. 29 ha evidenziato la presenza di una apertura tamponata in mattoni di dimensioni piuttosto considerevoli, cm. 150 × 250 c., mentre la muratura n. 30 presenta due scuciture verticali (fig. 14) in mattoni, particolarmente evidenziali dall'esterno. Le murature esterne nn. 31 e 32 sono interamente in mattoni, mentre la n. 33 in tessitura mista, con canna fumaria quasi centrale non individuata al livello inferiore, e quindi con ogni probabilità avente la partenza da questo piano.
Nella posizione n. 34 le pareti hanno permesso di rilevare termograficamente l'ombra termica di una muratura mista con pietre di dimensioni medie distanziate e inserite in una prevalente percentuale di muratura in laterizio.
La parete n. 35, esterna sul cortile, ha confermato anche all'interno i dati termografici evidenziati con rilevazione esterna; nella muratura in pietre di dimensioni abbastanza costanti si evidenziano le due canne fumarie provenienti dal piano inferiore, e in prossimità dell'angolo destro della parete compare chiaramente un tamponamento in mattoni, ammorsato con liste di pietra, di circa m. 2,00 × 3,00, archivoltato a tutto sesto.
La muratura n. 36 ha permesso di verificare la continuità della struttura individuata al livello del piano terreno e piano primo, potendosi anche a questa quota differenziare chiaramente le due parti della muratura, a destra totalmente in mattoni, e in aderenza alla facciata, in muratura mista con prevalenza di pietrame di dimensioni quasi costanti e posto in opera secondo una tessitura serrata e regolare.

1 – Montaggio di immagini termografiche. Firenze, palazzo Pandolfini, Prospetto su via San Gallo, parte destra.

2 – *Firenze, palazzo Pandolfini. Prospetto su via San Gallo. Restituzione sulla base del rilievo fotogrammetrico dei risultati emersi dall'indagine termografica.*

3 – Montaggio di immagini termografiche. Firenze, palazzo Pandolfini. Prospetto su via Salvestrina, zona destra.

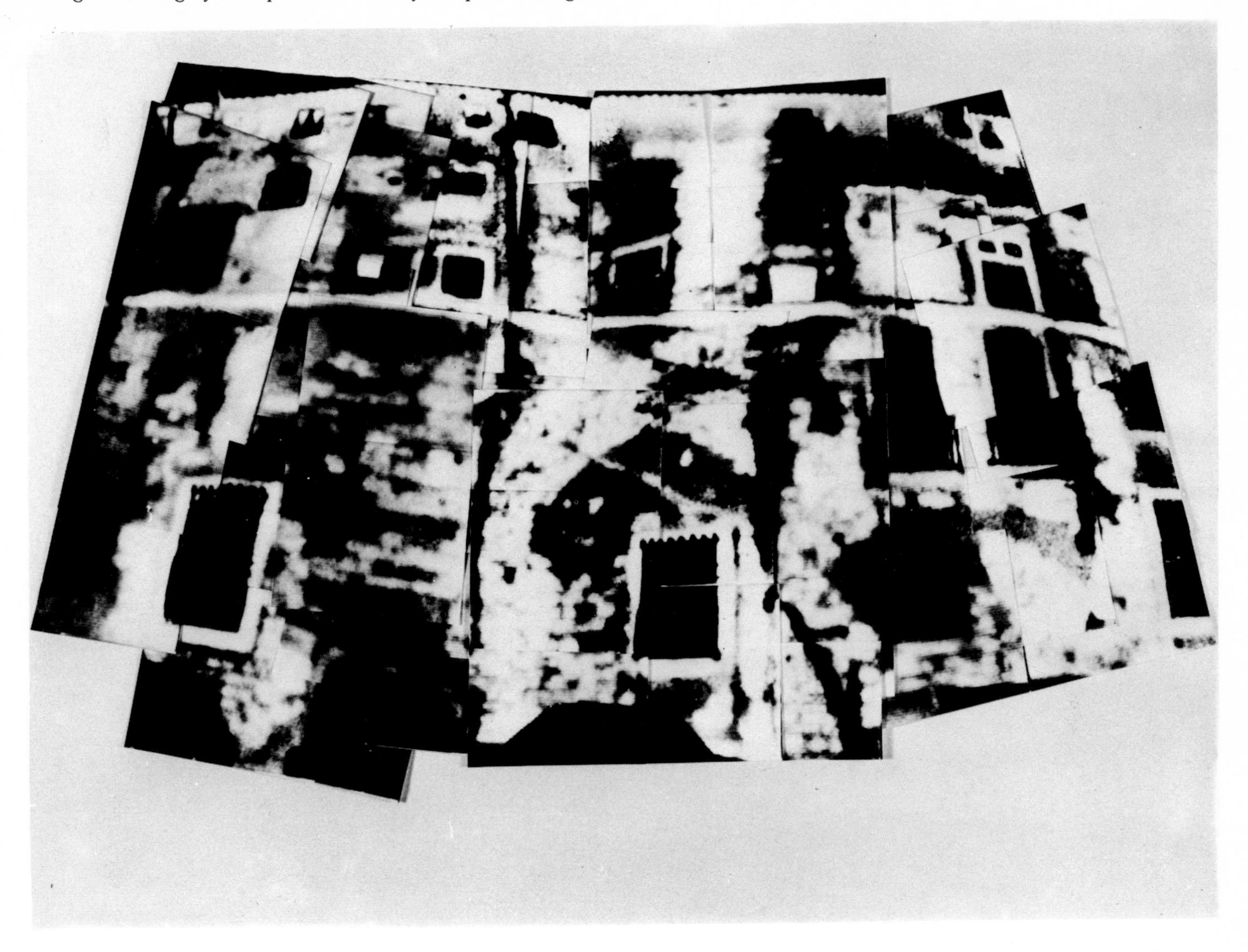

4 – Montaggio di immagini termografiche. Firenze, palazzo Pandolfini. Prospetto su via Salvestrina, zona centrale.

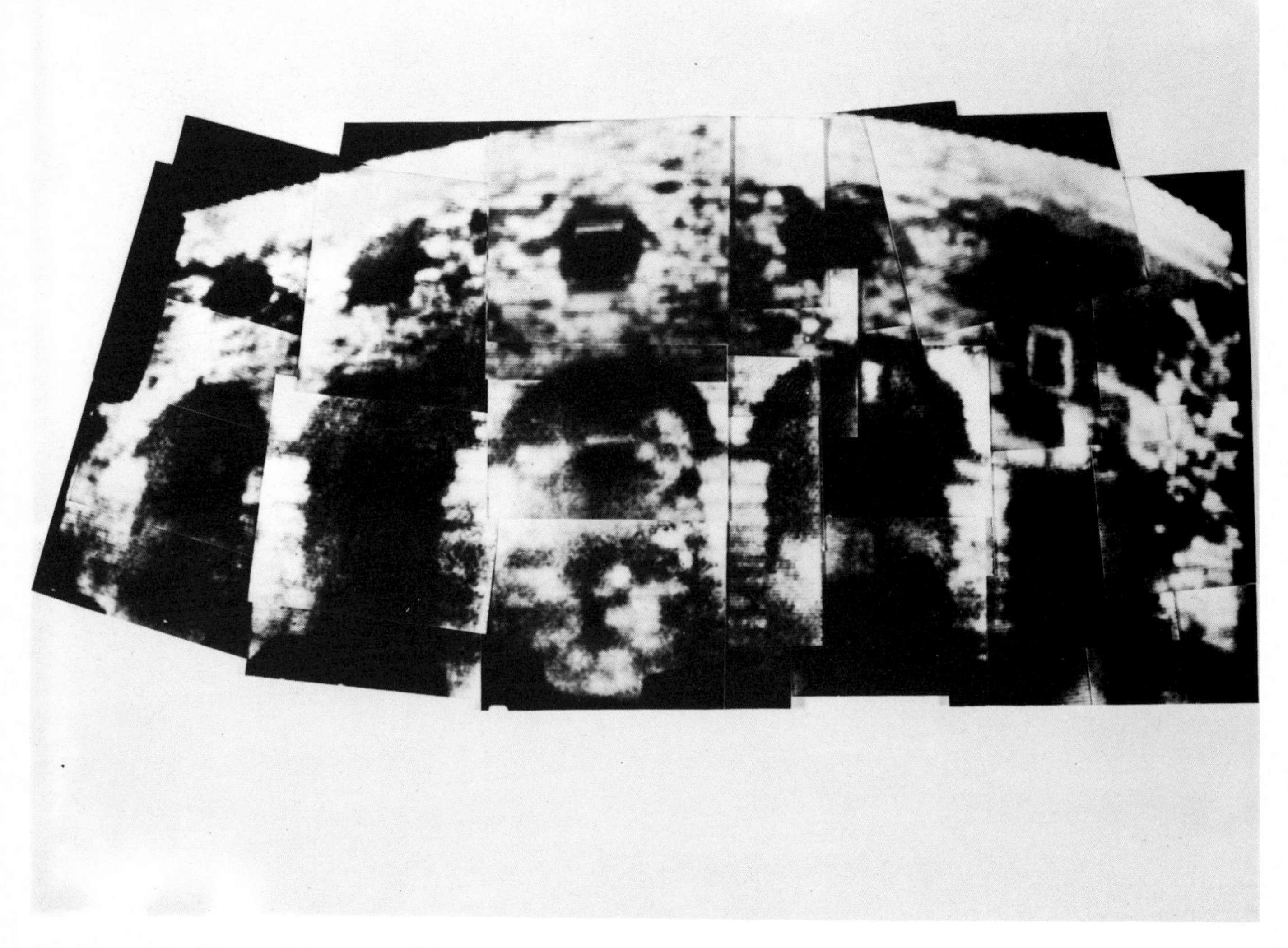

5 – Montaggio di immagini termografiche. Firenze, palazzo Pandolfini. Prospetto su via Salvestrina; parete esterna della serra. L'andamento curvilineo della parte in alto del montaggio è dovuta alla distorsione dell'angolo di ripresa.

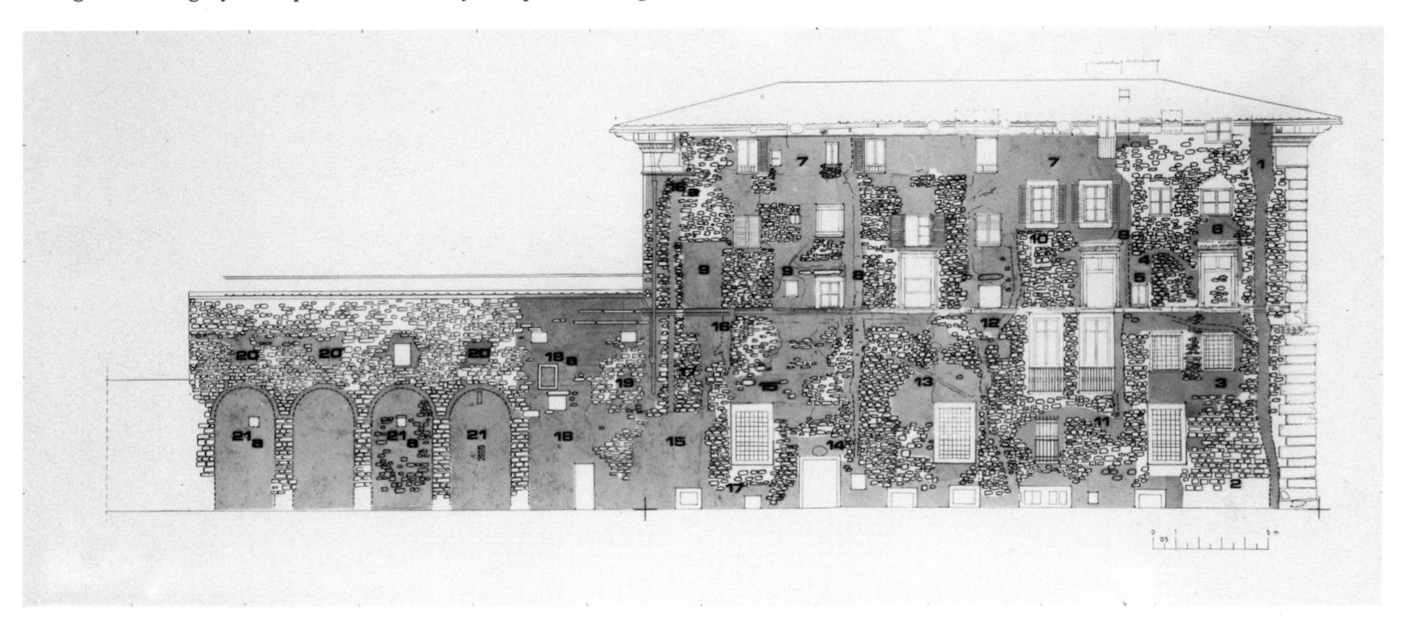

6 – Firenze, palazzo Pandolfini. Prospetto su via Salvestrina. Restituzione sulla base del rilievo fotogrammetrico dei risultati emersi dall'indagine termografica: 1) scucitura in mattoni; 2) muratura in pietra; 3) muratura in mattoni; 4) arco di scarico; 5) tamponamento; 6-7-8) muratura in mattoni; 9) finestre tamponate; 10) finestra tamponata; 11) arcone di scarico in mattoni; 12) muratura in mattoni; 13) tamponamento in mattoni; 14-15-16) muratura in mattoni; 17) muratura in pietrame; 18, 21) murature in mattoni; 18a) finestra tamponata in mattoni; 19) muratura in pietra; 20, 21a) finestre tamponate.

7 – Montaggio di immagini termografiche. Firenze, palazzo Pandolfini. Prospetto sul giardino, lato sud. Si può notare la risposta termica abbastanza unitaria data dalla zona a destra corrispondente alla muratura esterna del piano terreno. I risultati termografici del lato sud e est appaiono con tonalità di grigio chiaro in corrispondenza di zone in mattoni e scure in corrispondenza di zone costituite da murature in pietrame.

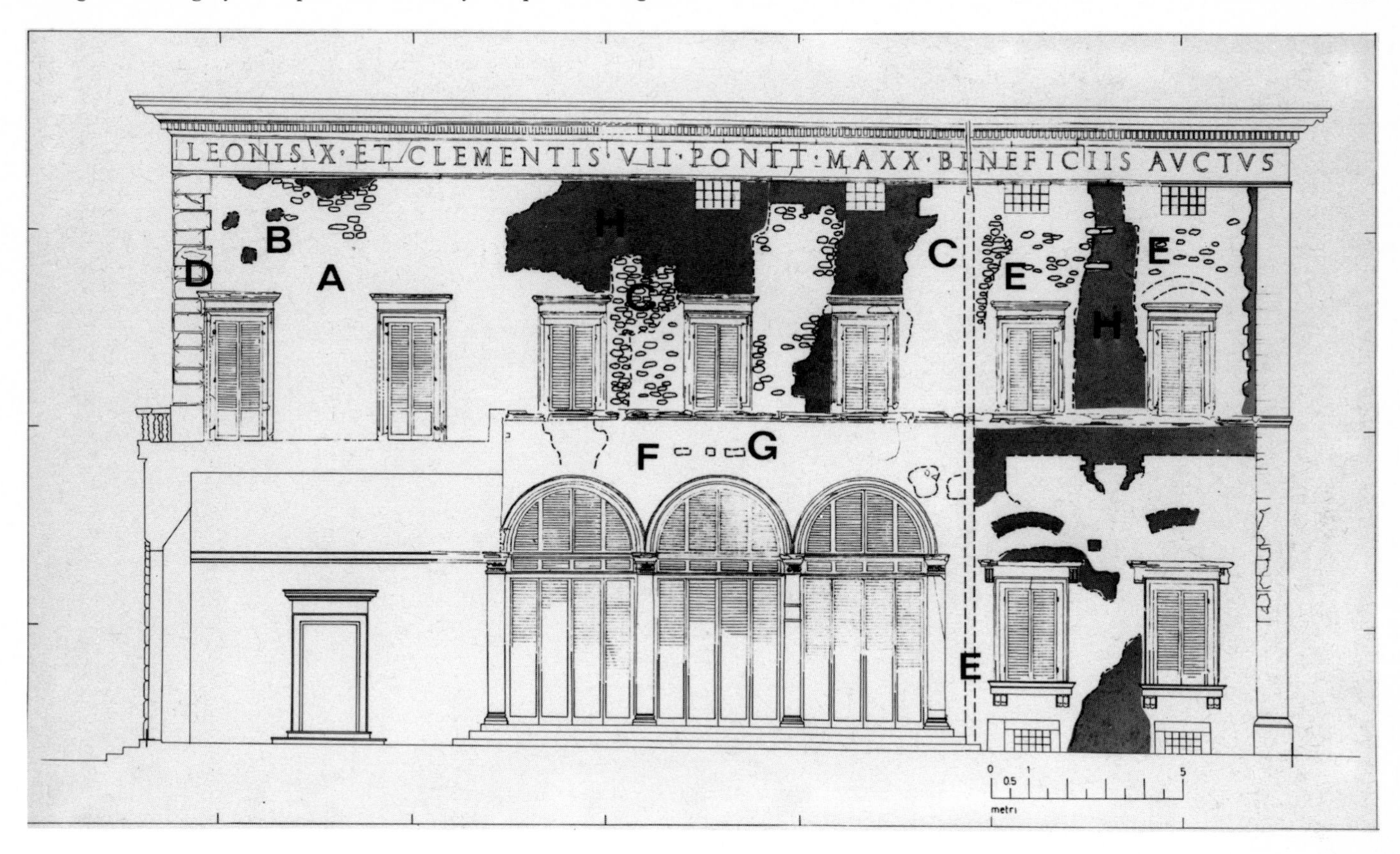

8 – Firenze, palazzo Pandolfini. Prospetto sud sul giardino. Restituzione sulla base del rilievo fotogrammetrico dei risultati emersi dall'indagine termografica: A) muratura mista; B) zone di limitate dimensioni in mattoni; C) muratura mista con prevalenza di pietra; D) elementi in pietra attualmente visibili; E) muratura mista con notevole presenza di laterizio, F) muratura mista avente risposta termica non ben caratterizzata; G) elementi in pietra; H) muratura in mattoni.

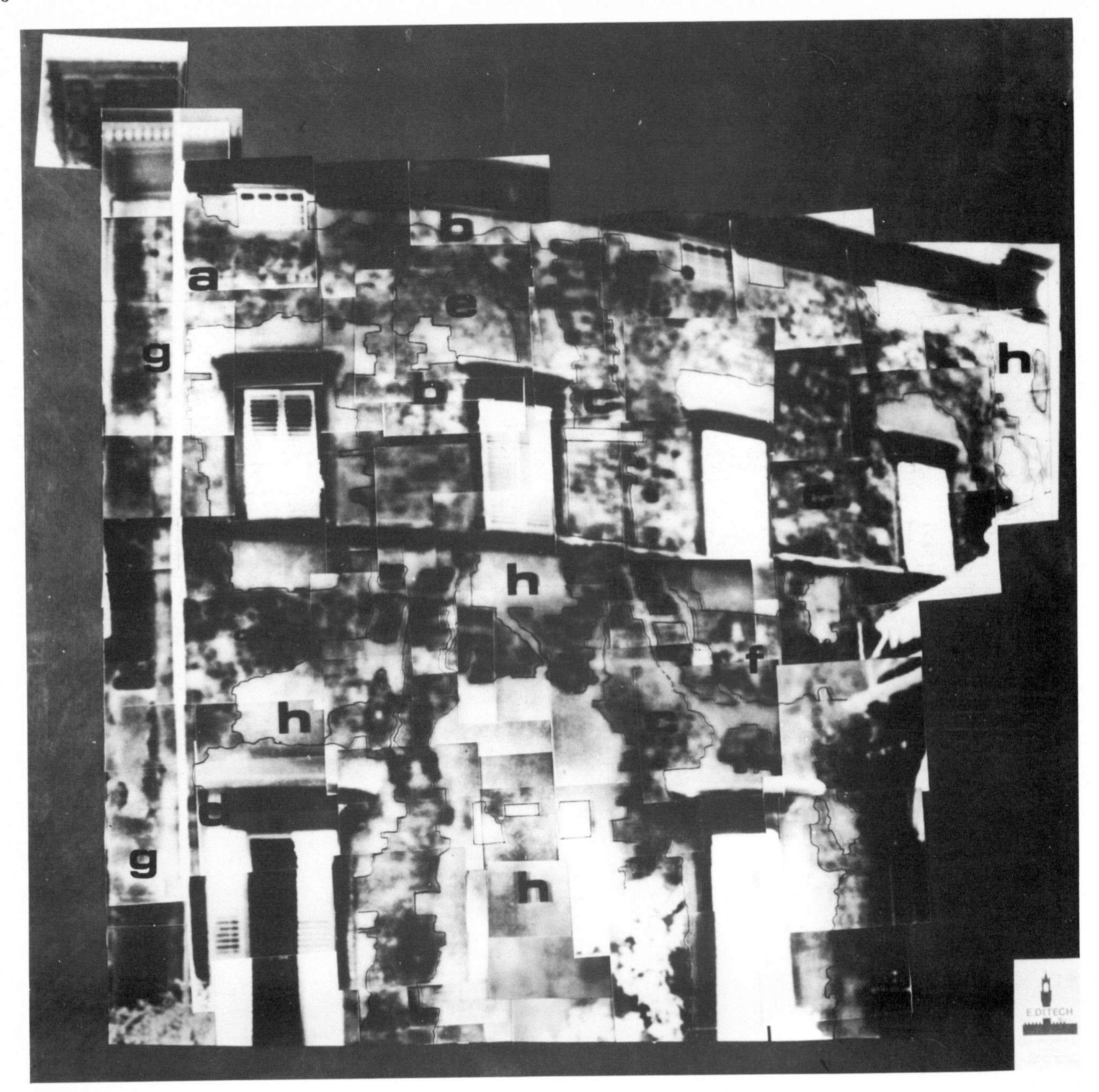

9 – Montaggio di immagini termografiche. Firenze, palazzo Pandolfini. Prospetto sul giardino; lato est: A) muratura mista; B) zone di limitata estensione in mattoni; C) muratura mista con prevalenza di componenti litoidi; D) elementi di pietra visibili (cornici e marcapiani); E) muratura mista con prevalenza di componenti in laterizio; F) muratura mista con ristrette aree ben definite in pietra o mattoni; G) elementi angolari in pietra; H) muratura in mattoni.

10 – Montaggio di immagini termografiche. Firenze, palazzo Uguccioni. Prospetto su piazza della Signoria dell'isolato in cui è inserita la facciata del palazzo. L'indagine termografica ha consentito di individuare murature di diversa natura sottostanti l'intonaco, visualizzate nelle fotografie con toni di grigio diversificati.

11 – Firenze, palazzo Uguccioni. Prospetto su piazza della Signoria tra via delle Farine e via dei Magazzini. Restituzione sulla base del rilievo fotogrammetrico dei risultati emersi dall'indagine termografica: A) muratura a elementi di pietra squadrati; B) mattoni; C) muratura mista con prevalenza di materiale litoide; D) muratura mista con maggiore presenza di laterizio rispetto alle zone adiacenti; E) muratura mista avente andamento verticale, con prevalenza di materiale litoide; F) scuciture verticali tamponate in mattoni; G) murature prevalentemente in pietra che hanno fornito una risposta termica simile; H) muratura mista con distribuzione molto irregolare del laterizio e dei componenti litoidi; I) ristrette aree del paramento in pietra di facciata che hanno fornito una risposta termica anomala rispetto alle superfici adiacenti.

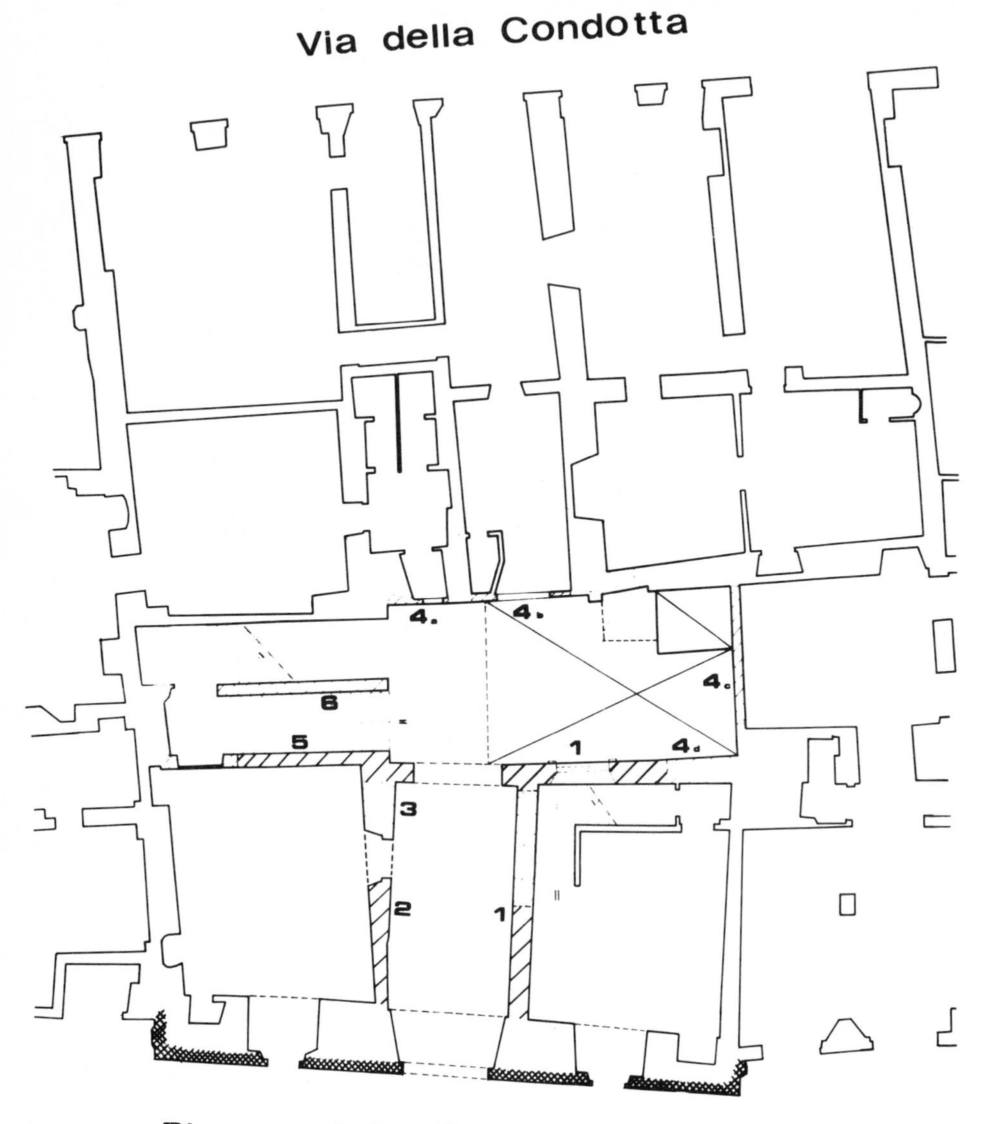

12 – Firenze, palazzo Uguccioni. Planimetria del piano terreno. Suddivisione di tipi di muratura. Indagine termografica: 1) muratura in pietra; 2) muratura mista con prevalenza di componenti litoidi ben individuabili; 3) muratura mista con prevalenza di laterizio; 4) muratura in mattoni.

13 – Montaggio di immagini termografiche. Firenze, palazzo Uguccioni. Lato nord sul cortile, parte destra. Le immagini termografiche riunite in montaggio evidenziano la presenza di una piccola finestra tamponata (in alto a destra) di una canna fumaria e di scuciture in mattoni distribuite in senso verticale.

14 – Montaggio di immagini termografiche. Firenze, palazzo Uguccioni. Lato nord sul cortile, parte sinistra. La risposta termica della muratura fa rilevare una zona con andamento verticale, in mattoni (area scura a sinistra) con due piccoli tamponamenti di finestra, e due canne fumarie, evidenziate come scuciture verticali (in mattoni).

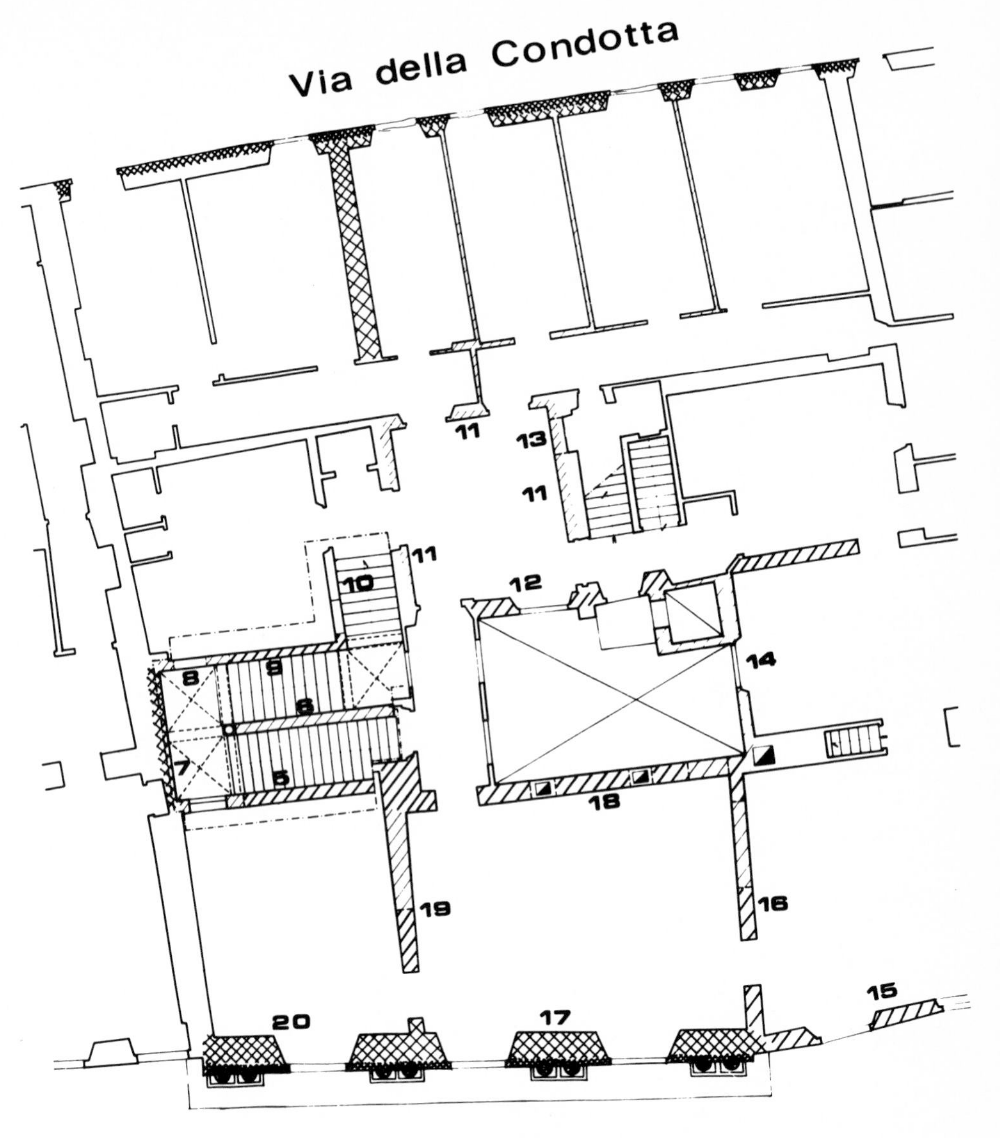

15 – Firenze, palazzo Uguccioni. Planimetria del primo piano. Indagine termografica. Individuazione di tipi di muratura: 1) muratura in pietra; 2) muratura mista con prevalenza di componenti litoidi bene individuabili; 3) muratura mista con prevalenza di laterizio; 4) muratura in mattoni.

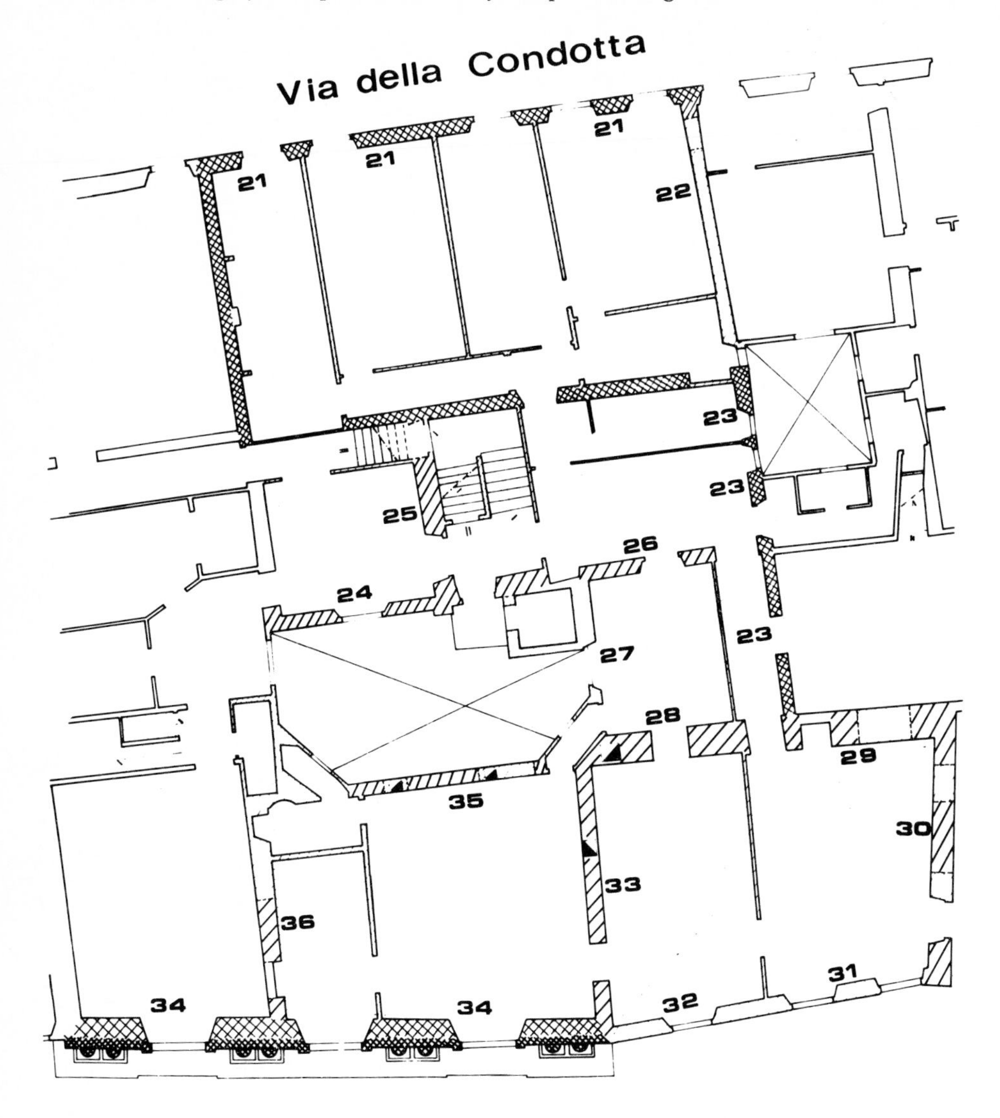

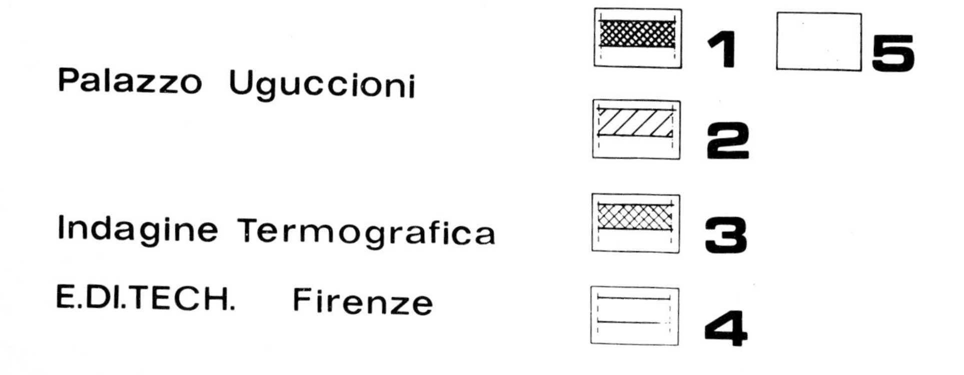

16 – Firenze, palazzo Uguccioni. Planimetria del secondo piano. Indagine termografica. Individuazione di tipi di muratura: 1) muratura in pietra, 2) muratura mista con prevalenza di componenti lapidei ben individuabili; 3) muratura mista con prevalenza di laterizio; 4) muratura in mattoni; 5) centinatura dei soffitti lignei intonacati.

BIBLIOGRAFIA

AA. VV., *La città del Brunelleschi. Catalogo*, Firenze 1980.

AA. VV., *Florence au temps de Laurent le Magnifique* Paris 1965.

AA. VV., *Il patrimonio artistico di Pistoia e del suo territorio, catalogo storico descrittivo*, Pistoia 1967.

AA. VV., *La Badia Fiorentina*, Firenze 1982.

AA. VV., *Per la Cronica di Firenze nel Cinquecento*, in «Rivista delle Biblioteche», n. 17, 1906, pp. 70-96.

C. Acidini Luchinat, *La grottesca*, nella «Storia dell'Arte Italiana», Einaudi, vol. XII: *Forme e modelli*, Torino 1982.

J.S. Ackermann, *The Architecture of Michelangelo*, London 1961.

J.S. Ackermann, *L'architettura di Michelangelo*, ed. it., Torino 1968.

J.S. Ackermann, *Palladio*, London 1966, ed. it., Torino 1972.

R. Adamy, *Architektonik der Frührenaissance*, Hannover 1896.

R. von Albertini, *Firenze dalla repubblica al principato*, Torino 1970. Prima ediz., Berna 1955.

E. Allodali, A. Jahn-Rusconi, *Firenze e dintorni*, Roma 1950.

B. Allsopp, *A History of Renaissance Architecture*, London 1959.

W.J. Anderson, *The Architecture of the Renaissance in Italy...*, London 1901 (III ed.).

W.J. Anderson, *The Architecture of the Renaissance in Italy, 5th edition, revised and enlarged by*, Athur Stratton, London 1927.

E.W. Anthony, *Early Florentine Architecture and decoration*, Cambridge Mass. 1927.

P. Apiano, *Inscriptiones sacrosanctae vetustatis*, Ingolstadt 1534.

B.M. Apollonj, *Il prospetto del palazzo romano del primo Cinquecento, saggio sulla sua origine e sui suoi sviluppi*, in «Atti del I Congresso Nazionale di Storia dell'Architettura», Firenze 1938.

B. Arditi, *Diario di Firenze e di altre parti della Cristianità*, 1574-1579.

P. Aretino, *Le lettere*, (a cura di F. Flora), Milano 1960.

G.C. Argan, *Il Primo Rinascimento*, Roma 1966.

E. Bacciotti, *Firenze illustrata...*, Firenze 1879-1887.

P. Baldinucci, *Notizie dei professori del disegno...*, Firenze 1681-1728.

P. Barocchi, *Premessa*, in G. Vasari, *Le vite...*, Firenze 1967, I, commento.

P. Barocchi, R. Ristori (a cura di), *Il carteggio di Michelangelo, edizione postuma di G. Poggi*, Firenze 1965, vol. III.

C. Bartoli, *Ragionamenti accademici*, Venezia 1567.

L. Bartolini Salimbeni, *Una 'fabbrica' fiorentina di Baccio d'Agnolo*, in «Palladio», Terza Serie, a. XXVII, fasc. 2-1978.

E. Battisti, *L'antirinascimento*, Milano 1962.

J. Baum, *Baukunst und decorative Plastik der Frührenaissance in Italien*, Stuttgart 1920. Trad. ital. Stoccarda 1926.

L. Becherucci, *L'architettura italiana del Cinquecento*, Firenze 1937.

R. Bencini, A. Busignani, *Le chiese di Firenze*, Firenze 1974.

S. Benedetti, *Architettura e Riforma Cattolica nella Roma del 500*, Roma 1973.

L. Benevolo, *Storia dell'Architettura del Rinascimento*, Bari 1968.

L. Benevolo, *Storia della città*, Bari 1975.

L. Berti, *Baccio d'Agnolo*, s.v., in Dizionario Biografico degli Italiani, Roma 1970.

L. Biadi, *Notizie sulle antiche fabbriche di Firenze*, Firenze 1824.

H. Bierman, *Lo sviluppo della villa toscana sotto l'influenza della corte umanistica di Lorenzo il Magnifico*, in «Bollettino C.I.S.A.»

A. Blunt, *Artistic Theory in Italy, 1450-1600*, London 1940. Trad. ital.: *Le teorie artistiche in Italia dal Rinascimento al Manierismo*, Torino 1966.

F. Bocchi, *Le bellezze della città di Firenze*, Firenze 1591.

F. Bocchi, M.G. Cinelli, *Le bellezze della città di Firenze*, Firenze 1677.

W. Bode, *Die Kunst der Frührenaissance in Italien*, Berlin 1923.

Bollettino di Firenze antica, Catalogo del Museo storico topografico fiorentino, Firenze 1909.

R. Bonelli, *Da Bramante a Michelangelo*, Venezia 1960.

V. Borghini, *Lettera al Granduca*, 5 aprile 1565, in G. Bottari e S. Ticozzi, *Raccolta di lettere sulla pittura, scultura e architettura*, Milano 1822-23.

F. Borsi, *La capitale a Firenze e l'opera di G. Poggi*, Firenze 1970.

F. Borsi, *Leon Battista Alberti*, Milano 1975.

F. Borsi, G. Morolli, G., F. Quinterio, *Brunelleschiani*, Roma 1979.

F. Borsi, G. Morolli, *La Badia Fiesolana. Architettura*, Firenze 1976.

G. Bottari, *Vite... scritte da Giorgio Vasari*, Roma 1759.

C. Brandi, *L'Architettura fiorentina del Rinascimento*, in *Il Quattrocento*, Firenze 1954, pp. 177-204.

K. Brandi, *Die Renaissance in Florenz und Rom*, Leipzig 1899.

A. Bruschi, *Bramante*, Bari 1964.

M. Bucci, R. Bencini, *Palazzi di Firenze*, Firenze 1971.

A. Bulgarini, *Guide de Florence et de ses environs*, Florence 1839.

J. Burckhardt, *Der Cicerone*, Basel 1855, ed. it. Firenze 1952.

J. Burckhardt, *Die Kultur der Renaissance in Italien*, Basel 1860. Trad. ital.: *La civiltà del rinascimento in Italia*, Firenze 1959.

M.C. Buscioni, *Ventura Vitoni e il Rinascimento a Pistoia*, Firenze 1977.

J. Byam Shaw, *Drawings by Old Masters at Christ Church - Oxford, Catalogue*, I, Oxford 1976.

G. Cambiagi, *L'antiquario fiorentino ossia guida per osservare la città di Firenze*, Firenze 1765.

Ettore Camesasca, *L'opera completa di Bernardo Bellotto*, Milano 1974.

G. Caniggia, *Strutture dello spazio antropico*, Firenze 1976.

G. Caniggia, *Composizione architettonica e tipologia edilizia, I Lettura dell'edilizia di base*, Venezia 1979.

G. Carocci, *L'Illustratore Fiorentino*, Firenze 1880-1881, 1904-1915.

A. Cecchini, *Descrizione della città di Firenze*, Firenze 1723.
D. Cellesi, *Sei fabbriche di Firenze*, Firenze 1851.
G. Cesareo, *Una satira inedita di Pietro Aretino*, in «Raccolta di Studi a P. d'Ancona», Firenze 1902.
A. Chastel, *Marsile Ficin et l'Art*, Lyon 1954.
A. Chastel, *Marsile Ficin et l'Art*, Genève 1975.
A. Chastel, *Art et Humanisme à Florence au temps de Laurent le Magnifique*, Paris 1959. Trad. ital.: Torino 1964.
A. Chastel, *Renaissance Meridionale. Italie 1460-1500*, Paris 1965. Trad. ital.: *I centri del Rinascimento, Arte italiana 1460-1500*, Milano 1965.
A. Chastel, *Le Grand Atelier d'Italie*, 1460-1500, Paris 1965. Trad. Ital.: *La grande officina. Arte italiana 1460-1500*, Milano 1966.
A. Chastel, *Art e Civilisation de la Renaissance en Italie*, in «Annuaire du Collège de France», LXXII 1972, pp. 597-606.
A. Chastel, R. Klein, *L'Europa de la Renaissance. L'Age de l'Humanisme*, Paris 1963.
I.H. Cheney, *Francesco Salviati (1520-1563)*, New York University, Department of Fine Arts 1963.
G. Chierici, *Il palazzo italiano dal secolo XI al secolo XIX*, Milano 1952-1957.
A. Choisy, *Histoire de l'Architecture*, Paris 1899.
G. Clausse, *Les San Gallo architectes, peintres, sculpteurs, medailleurs du XV et XVI siecle*, Paris 1900-1902.
E. Cochrane, *The End of Renaissance in Florence*, in «Bibliothèque d'Humanisme et Renaissance», XXVII, 1965.
A. Comolli, *Bibliografia storico-critica dell'Architettura civile ed arti subalterne*, Roma 1788-1792.
A. Comolli (a cura di), *Vita inedita di Raffaello da Urbino*, ed. I Roma 1790, ed. II Roma 1791.
G. Coor Achenbach, *The Iconography of Tobias and the Angel in Florentine Paintings of the Renaissance*, «Marsyas», II 1943-45, p. 715.
C. Cresti, L. Zangheri, *Architetti e ingegneri nella Toscana dell'Ottocento*, Firenze 1978.
J.A. Crowe, G.B. Cavalcaselle, *Raffaello, la sua vita, le sue opere*, Firenze 1884-91.
Nicole Dacos, *La découverte de la Domus Aurea et la formation des grotesques à la Renaissance*, London - Leiden 1969.
T. Dandolo, *Guida estetica di Firenze*, Milano 1842.
D. Joseph, *Geschichte der Architektur Italiens von der Ältesten bis zur Gegenwart*, Leipzig 1907.
C. Davis, in *Giorgio Vasari. Principi, letterati e artisti nelle carte di Giorgio Vasari*, Firenze 1982.
G. De Angelis d'Ossat, *Enunciati euclidei e divina proporzione nell'opera dell'Alberti*, in «Atti del Convegno - Il mondo antico del Rinascimento», Firenze 1958, pp. 253-263.
G. De Angelis d'Ossat, *Un carattere dell'arte brunelleschiana*, Roma 1942.
G. De Angelis d'Ossat, *La vicenda architettonica nel manierismo*, in «Atti del XVI Congresso di Storia dell'Architettura», Padova 1972, pp. 95-113.
R. De Fusco, *Il codice dell'Architettura. Antologia di Trattatisti*, Napoli 1968.
J. Del Badia, *Miscellanea fiorentina di erudizione e storia pubblica*, Firenze 1886-1902.
R. Del Bruno, *Ristretto delle cose più notabili della città di Firenze*, Firenze 1689.
G. Della Valle, *Vite... scritte da Giorgio Vasari*, Siena 1791-1794.
F.L. Del Migliore, *Firenze città nobilissima illustrata*, Firenze 1684.
L. Del Moro (a cura di), *Atti per la conservazione dei monumenti della Toscana*, Firenze 1896.
L. Domenichi, *Ragionamento sul quale si parla d'imprese d'Armi e d'Amore*, Firenze 1559.
R. Duppa, *The life of Raffaello Sanzio da Urbino (by the author of the life of Michelangelo)*, London 1816.
L. Durm, *Die Baukunst der Renaissance in Italien*, Leipzig 1914.
C. von Fabriczy, *Giuliano da Maiano*, in «Iahrbuch der K. Preussischen Kunstsammlungen», XXIV, 1903, pp. 137 sgg.
I. Falconieri, *Memorie intorno il rinvenimento delle ossa di Raffaello Sanzio, con breve appendice sulla di lui vita*, Roma 1833.
G. Fanelli, *Firenze Architettura e città*, Firenze 1973.
G. Fanelli, *Le città nella storia d'Italia: Firenze*, Bari 1979.
F. Fantozzi, *Nuova guida... di Firenze*, Firenze 1842.
F. Fantozzi, *Pianta geometrica della città di Firenze*, Firenze 1843.
Fiorentino (Il) Istruito nelle cose della sua patria, a. I-IX, Firenze 1844-1857.
L. Firpo, *Leonardo architetto e urbanista*, Torino 1963.
O. Fischel, *Raphael*, London 1948.
Follini-Rastelli, *Firenze antica e moderna illustrata*, voll. I-VIII, 1791-1802.
D.G. Fornaciai, *La Badia di Passignano*, Firenze 1903.
E. Forster, *Raphael*, Leipzig 1867-1868.
P. Francastel, *Imagination et réolité dans l'Architecture civile du Quattrocento*, in *Hommahe a L. Febvre*, Paris 1953.
V. Franchetti-Pardo, *Storia dell'Urbanistica dal Trecento al Quattrocento*, Bari 1982.
G. François, *Nuova guida di Firenze*, Firenze 1856.
P. Frankl, *Die Renaissance architektur in Italien*, Leipzig 1912.
D. Frey, *Architettura della Rinascenza da Brunelleschi a Michelangelo*, Roma 1924.
C.L. Frommel, *Der Römische Palastbau der Hochrenaissance*, Tubingen 1973.
L. Gai, *La «dimostrazione dell'andata del Santo Sepolcro» di Marco di Bartolommeo Rustici fiorentino* (1441-42) in «Italia, Oriente, Mediterraneo», Toscana e Terrasanta nel Medioevo, Firenze s.d.
A. Gambuti, *La quarta edizione delle vite*, in *Il Vasari Storiografo e Artista*, «Atti del Congresso Internazionale nel IV centenario della morte», (Arezzo-Firenze 2-8 Settembre 1974), Firenze 1976, pp. 83-91.
E. Gamurrini, *Storia genealogica delle famiglie nobili toscane et umbre*, Firenze 1685 (ristampa anastatica Bologna 1972), vol. V.
L. Gargiolli, *Description de la Ville de Florence et ses environs*, Florence 1819.
E. Garin, *Scienza e vita civile nel Rinascimento italiano*, Bari 1965.
E. Garin, *Medioevo e Rinascimento*, Roma-Bari 1973.
H.F. von Geymüller, *Raffaello Sanzio studiato come architetto*, Milano 1884.
H.F. von Geymüller, *Der Palazzo Pandolfini in Florenz und Raffaels Stellung zur Hochrenaissance in Toscana*, Munchen 1908.
P. Gherardi, *Della vita e delle opere di Raffaello Sanzio*, Urbino 1874.
L. Ginori Lisci, *I palazzi di Firenze nella storia e nell'arte*, Firenze 1972.
L. Gori-Montanelli, *La tradizione architettonica toscana*, Firenze 1974.
G. Giovannoni, *Saggi sull'architettura del Rinascimento*, Milano 1935 (II edit).

G. GIOVANNONI, *L'urbanistica del Rinascimento*, in AA. VV., *L'urbanistica dall'antichità ad oggi*, Firenze 1943.
G. GIOVANNONI, *Antonio da Sangallo il Giovane*, Roma 1959.
F.M. GODFREY, *Italian Architecture up to 1750*, London 1971.
R. GOLDTHWAITE, *The Florentine Palace as domestic architecture*, in «The American historical Rewiew» 1972.
V. GOLZIO, *Raffaello nei documenti, nelle testimonianze dei contemporanei e nella letteratura del suo secolo*, Città del Vaticano 1936.
E.H. GOMBRICH, *Norm and Form. Studies in the Art of the Renaissance*, London 1966. Trad. ital.: Torino 1966.
E.H. GOMBRICH, *The Early Medici as Patrons of Art*, in *Italian Renaissance Studies*, London 1960.
E.H. GOMBRICH, *Tobias and the Angel, Symbolic Images*, in «Studies in the Art of the Renaissance», 1972, p. 26.
L. GORI-MONTANELLI, *La tradizione architettonica toscana*, Firenze 1971.
A. GRANDJEAN DE MONTIGNY, A. FAMIN., *Architetture toscane*, Paris 1815.
L. GRASSI, *Medioevo, Rinascimento, Manierismo, Barocco. Principi ed espierenze architettoniche*, Milano 1965.
L. GRASSI, *L'arte del Quattrocento a Firenze e a Siena*, Roma 1957.
L. GRASSI, *Disegni inediti di Simone del Pollaiolo detto il Cronaca*, in «Palladio», 1943, n. 1, pp. 44 sgg.
G. GROMORT, *Histoire abrégée de l'Architecture de la Renaissance en Italie*, Paris 1922.
G. GUASTI, *Raffaello d'Urbino e il padre suo Giovanni Santi, opera di J.D. Passavant, tradotta, corredata di note e di una notizia biografica sull'autore*, Firenze 1899.
Guida della città di Firenze e suoi contorni con la descrizione della I. e R. Galleria e Palazzo Pitti con piante, vedute e statue, Firenze 1328.
Guide de le ville de Florence, Florence 1824.
Guide de Florence de ses environs et des principales villes de la Toscana, Florence 1826.
E. GUIDONI, *La città dal Medioevo al Rinascimento*, Roma-Bari 1981.
A. HAUPT, *Palaast Architektur von ober Italien und Toscana von XIII bis XVIII Jahrhundert*, Berlin 1922.
A. HAUSER, *Sozialgeschichte der Kunst und Literatur*, 1950. Trad. ital.: *Storia sociale dell'arte*, Torino 1956.
A. HAUSER, *Il Manierismo, la crisi del rinascimento e l'origine dell'arte moderna*, Torino 1964.
L. HAUTCOEUR, *Histoire de l'Architecture Classique en France*, Paris 1955, voll. III e IV.
L.H. HEYDENREICH, W. LOTZ, *Architecture in Italy 1400-1600*, s.l. 1974.
L.H. HEYDENREICH, H. LUDWIG, *Ecloison de la Renaissance*, Paris 1972. Trad. ital.: *Il Primo Rinascimento, Arte Italiana, 1400-1460*, Milano 1974.
T. HOFMANN, *Raphael in seiner Bedeuntung als Architekt*, Zittau-Leipzig 1908-11.
G.J. HOOGEWERF, *De outwikkeling der italiaansche Renaissance*, Zutphen 1923.
J.Q. HUGHES, N. LYNTON, *Renaissance Architecture*, London 1962.
G. KAUFFMANN, *Florenz*, Stuttgart 1962.
M. KIRCHMAYR, *L'architettura italiana dalle origini ai giorni nostri*, Torino 1950.
G.C. KOENIG, *Finestre fiorentine nella seconda metà del '500*, in «Quaderni dell'Istituto di Elementi di Architettura e Rilievo dei Monumenti», Firenze 1963, n. 2-3.
A. LAPINI, *Diario (1596)*, ed. Corazzini, Firenze 1900.
E. LASTRI, *L'Osservatore fiorentino sugli edifizj della sua patria*, Firenze 1766.
P. LAVEDAN, *Histoire de l'urbanisme. Renaissance et temps modernes*, Paris 1959.
A. LAZZARI, *Memorie di Raffaello da Urbino*, Urbino 1800.
G. LENSI ORLANDI CARDINI, *Le ville di Firenze di là d'Arno*, Firenze 1965.
Lettres d'Italie adressées par Eugène Viollet-le-Duc à sa Famille, 1836-1837, Parigi 1970.
M. LEVEY, *Early Renaissance*, Harmondsworth 1967.
W. LIEBENWEIN, *Studiolum*, Berlin 1977.
W. LIMBURGER, *Die Gebäude von Florenz*, Leipzig 1910.
W. LOTZ, *Studies in Italian Renaissance Architecture*, Cambridge (Mass.) - London 1977.
B. LOWRY, *Renaissance Architecture*, New York 1962.
P.M. LUGLI, *Storia e cultura della città italiana*, Bari 1967.
Luogo (Il) teatrale a Firenze, catalogo della mostra, Firenze 1975.
E. LUPORINI, *Benedetto da Rovezzano*, Milano 1964.
T. MAGNUNSON, *Studies in Roman Quattrocento Architecture*, Stockolms 1958.
C. MALTESE, *Il pensiero architettonico e urbanistico di Leonardo*, in *Leonardo. Saggi e Ricerche*, Roma 1954.
A. MANETTI, *Vita di Filippo Brunelleschi*, edizione a cura di G. Tanturli, Milano 1975.
G. MANCINI, *Cosimo Bartoli (1503-1572)*, in «Giornale storico della letteratura italiana», LXXVI, 2, 1918, pp. 84-135.
D.M. MANNI, *Il Senato fiorentino*, Firenze 1771.
G. MARCHINI, *Aggiunte a G. da Sangallo*, in «Commentari», I, 1950, pp. 34-38.
G. MARCHINI, *Aggiunte a Michelozzo*, in «La Rinascita», VII, 1944.
G. MARCHINI, *Giuliano da Sangallo*, Firenze 1942.
G. MARCHINI, *Il Cronaca*, in «Rivista d'Arte», Firenze, XXIII, 1941.
P. MARCONI, *La cittadella come microcosmo*, in «Quaderni dell'Istituto di Storia dell'Architettura», Roma 1968.
A. MARKHAM SCHULZ, *The Sculpture of Bernardo Rossellino and his Workshop*, Princeton (N.J.) 1977.
G. MASSELLI (con note di), *Le opere di Giorgio Vasari*, Firenze 1832-1838.
R. E E. MAZZANTI, T. DEL LUNGO, *Raccolta delle migliori fabbriche antiche e moderne di Firenze*, Firenze 1876.
G.B. MECATTI, *Storia genealogica della nobiltà, e cittadinanza di Firenze*, Napoli 1754.
A. MELANI, *Architettura Italiana*, Milano 1887 (II ed.).
G. MIARELLI MARIANI, *Due infondate attribuzioni ad Antonio da Sangallo il Vecchio: i palazzi Cervini e Del Pecora a Montepulciano*, in «Quaderni dell'Istituto di Storia dell'Architettura», XXIV, 1977-78, pp. 69-88.
G. MIARELLI MARIANI, *Il disegno per il complesso Mediceo di via Laura a Firenze*, in «Palladio», n. s.22, 1/4, 1972, pp. 127-162.
G. MILANESI, *Vite... di Giorgi Vasari*, Firenze 1878-1885.
F. MILIZIA, *Le vite de' più celebri architetti d'ogni nazione e d'ogni tempo*, Roma 1768.
F. MILIZIA, *Roma delle belle arti del disegno, I, dell'Architettura Civile*, Bassano 1787.
M. MINGHETTI, *Raffaello*, Bologna 1885.

P. MINI, *Discorso sulla nobiltà di Firenze*, Firenze 1594.
P. MINI, *Avvertimenti e digressioni*, Firenze 1594, ristampati in GORI, *Prodromo della Toscana illustrata*, Livorno 1755.
M. MISSIRINI, *Dell'eccellenza di Raffaello Sanzio nell'architettura dimostrata con ragionamenti e con tipi dell'architetto Carlo Pontani*, Firenze 1840.
I. MORETTI, *La Chiesa di San Niccolò*, Firenze 1972-73.
A. MORI, G. BOFFITO, *Firenze nelle vedute e nelle piante*, Firenze 1926.
L. MUMFORD, *The City in History*, New York 1961. Trad. ital.: *La città nella storia*, Milano 1963.
E. MUNOZ, M. LAZZARONI, *Filarete*, Roma 1908.
G. MUNTER, *Idealstadte, Ihre Geschichte von 15-17 Jahrunderts*, Berlin 1957.
E. MÜNTZ, *Raphaël, sa vie, son oevre et son temps*, Paris 1881.
E. MÜNTZ, *L'Arte italiana nel Quattrocento*, Milano 1894.
E. MÜNTZ, *Les précurseurs de la Renaissance*, Paris 1882.
P. E L. MURRAY, *The Art of Renaissance*, London 1963.
P. MURRAY, *The Architecture of Italian Renaissance*, London - New York 1963. Nuova ediz.: New York 1969. Trad. ital.: Bari 1977.
G.K. NAGLER, *Rafael als mensch und Rünfler*, München 1836.
J. NARDI, *Le historie della città di Fiorenza*, Firenze 1582.
Note di pitture, sculture fabbriche notabili della città di Firenze (c. 1600), pubblicate da P. GALLETTI in «Riviste fiorentine», I (1908).
Nuova guida della città di Firenze..., Firenze 1850.
R. OJETTI, *Discorso su Raffaello Sanzio*, in «Atti del Collegio degli Ingegneri e Architetti di Roma», 1883.
G. OSTOYA, *Les anciens maîtres et leurs ouvres à Florence*, Firenze 1884.
W. E E. PAATZ, *Die Kirchen von Florenz*, Frankfurt a M. 1940-1954.
W. PAATZ, *Die Kunst der Renaissance in Italien*, Stuttgart 1953.
W. PAATZ, *The art of Italian Renaissance*, New York 1974.
R. PANE, *Palladio*, Torino 1961.
A. PANELLA, *Storia di Firenze*, Firenze 1949.
E. PANOFSKY, *Prospektive als «Symbolische form»*, Leipzig - Berlin 1927. Trad. ital.: *La prospettiva come forma simbolica*, Milano 1961.
R. PAPINI, *Francesco di Giorgio architetto*, Firenze 1946.
A. PARRONCHI, *Opere giovanili di Michelangelo*, Firenze, 1981.
J.D. PASSAVANT, *Rafael von Urbino und sein Vater Giovanni Santi*, Leipzig 1839-58, ed. ital. 1899.
L. PASTOR, *Storia dei Papi*, Roma 1921.
C. PEDRETTI, *Leonardo Architetto*, Milano 1978.
C. PEROGALLI, *Storia dell'Architettura*, Milano 1964.
N. PEVSNER, *An outline of European Architecture*, Harmondsworth 1943. Trad. ital.: Bari 1957.
A. PHILIPPI, *Die Kunst der Renaissance in Italien*, Leipzig 1897.
PHILIPPUS PICINELLUS, *Mundus Symbolicus*, 1681.
G. PIACENZA, *Notizie de' professori del disegno opera di Filippo Baldinucci con aggiunte*, Firenze 1768-1820.
Pistoia: una città nello stato mediceo, catalogo della mostra, Pistoia 1980.
G. POGGI, *Sulle conservazione dei monumenti architettonici e interessanti l'archeologia*, in «Salvator Rosa»», 14 Sett. 1845, ripubblicato in *Ricordi della vita e documenti d'arte*, Firenze 1909, p. 178 e sgg.
G. POGGI, *Ricordi della vita e documenti d'arte*, Firenze 1909.
P. PORTOGHESI, *Roma del Rinascimento*, Milano 1971.
C. PONTANI, *Opere architettoniche di Raffaello Santi*, Roma 1845.
P. PUCCINELLI, *Cronica dell'Abbadia di Firenze*, Milano 1664.
P.M.L. PUNGILEONI, *Elogio Storico di Raffaello Sanzio da Urbino*, Urbino 1829.
L. VAN PUYVELDE, *The Flemish Drawings at Windsor Castle*, London 1942.
QUATREMÈRE DE QUINCY, *Histoire de la vie et des ouvrages de Raphael*, Paris 1824, ed. it. corretta e ampliata per cure di Francesco Longhena, Milano 1829.
A. QUONDAM, *Petrarchismo mediato*, Roma 1974.
RÀFOLS FONTANALS, F. JOSÉ, *Arquitectura do Renacimiento italiano*, Barcelona 1922.
C.L. RAGGHIANTI, *Filippo Brunelleschi, un uomo un universo*, Firenze 1977.
S. RAY, *Raffaello Architetto*, Bari 1974.
O. RASCHDORFF, *Palast Architektur von Oberitalien und Toscana*, Berlin 1888.
R. REDTENBACHER, *Die Architektur der Italienisches Renaissance*, Frankfurt 1886.
Y. RENOUARD, *Histoire de Florence*, Paris 1964, trad. ital., Firenze 1970.
A. RICCI, *Storia dell'architettura in Italia*, Modena 1860.
E. RICCI, *Il Cicerone Fiorentino*, nuova guida di Firenze, Firenze 1875.
S. RICCI, *Raffaello Sanzio*, Bergamo 1920-1921.
G. RICHA, *Notizie istoriche delle chiese fiorentine*, Firenze, 17 54-62.
J.P. RICHTER, *The Literary Works of Leonardo da Vinci*, London 1970.
C. RIPA, *Iconologia*, Roma 1593.
F. RODOLICO, *Le Pietre delle città d'Italia*, Firenze 1965.
H. ROSENAU, *Historical aspects of the Vitruvian Tradition in Town planning*, in «Journal of the Royal Institute of British Architects», n. 10, 1955, pp. 481-487.
H. ROSENAU, *The ideal city in its architectural evolution*, New York 1959.
J. ROSS, *Florentine palaces and their stories*, London 1905.
F. RUGGIERI, *Studio d'architettura civile*, Firenze 1724.
F. RUGGIERI, *Scelta di architetture antiche e moderne della città di Firenze*, Firenze 1755.
M. SALMI, *Firenze, Milano e il Primo Rinascimento*, Milano 1941.
M. SALMI, *Aspetti del Primo Rinascimento: Firenze, Venezia e Padova*, in «Rinascimento», s. II, II (XIII), 1962, pp. 77-87.
M. SALMI, Voce *Rinascimento*, in «Enciclopedia Universale dell'Arte», Firenze 1958-1967, vol. XI, 1963, p. 460.
M. SALMI, *Civiltà fiorentina del primo Rinascimento*, Firenze 1967.
San Niccolò Oltrarno, catalogo della mostra, Firenze 1982.
P. SANPAOLESI, *Le prospettive architettoniche di Urbino, Baltimora e Berlino*, in «Bollettino d'Arte», n. 4, 1949.
P. SANPAOLESI, *Il Palazzo Pitti e gli architetti fiorentini della discendenza brunelleschiana*, in *Festscrift Ulrich Middeldorf*, Berlin 1968, pp. 124 sgg.
P. SANPAOLESI, *Architetti premichelangioleschi toscani* in «Rivista dell'Istituto Nazionale d'Archeologia e Storia dell'Arte», 13-14 (1964-65).
S. SALVINI, *Fasti Consolari dell'Accademia fiorentina*, Firenze 1717.
F. SAXL, *The Classical Inscription in Renaissance Art and Politics*, in «Journal of the Warburg, and Courtauld Institutes», IV, 1940, pp. 29-46.
F. SAXL, *La storia delle immagini*, Bari 1965.

J. von Schlosser, *Die Kunstliteratur*, Wien 1924. Trad. ital.: *La letteratura artistica*, Firenze 1964.
L. Schorn, *Leben der ausgezeichnetften Maler, Bildhauer und Baumeister von Giorgio Vasari*, Firenze 1845-1848.
P. Schubring, *Die Architektur der italienischen Frührenaissance*, München 1923.
L. Scott, (Pseud. Lucy Baxter), *The Renaissance of Art in Italy*, London 1888.
G. Scott, *The architecture of Humanism. A history of taste*, New York 1914. Trad. ital. Bari 1939.
P. Selvatico, *Storia estetico-citica delle Arti del Disegno*, Venezia 1852-1856.
J. Seznec, *La survivance des dieux antiques*, London 1940; trad. it.: *La sopravvivenza degli antichi dei*, Torino 1981
J. Shearman, *Mannerism*, Harmondsworth 1967.
J. Shearman, *Raphael as architect*, in «Journal of the Royal Society of Arts» 5141, CXVI, 1968.
P. Sica, *L'immagine della città da Sparta a Las Vegas*, Bari 1970.
G. Simoncini, *Città e società nel Rinascimento*, Torino 1974.
E. Sisi, *L'urbanistica negli studi di Leonardo da Vinci*, Firenze 1953.
C. Sodini, *Il gonfalone del Leon d'oro nel Quartiere di San Giovanni a Firenze*, Firenze 1979.
G. Spagnesi, *I continuatori della ricerca bramantesca*, in *Bramante tra umanesimo e manierismo*, catalogo della mostra, Roma 1970, pp. 157-210
G. Spini, *Architettura e politica da Cosimo I a Ferdinando I*, Firenze 1976.
A. Springer, *Rafael und Michelangelo*, Leipzig 1883.
K. von Stegmann, H. von Geymller, *Die Architektur der Renaissance in Toskana*, München 1885-1908, 10 voll.
A. Stokes, *The Quattrocento... An essay in italian fifteenth century architecture and sculpture*, London 1932.
M. Tafuri, *L'architettura dell'Umanesimo*, Bari 1969.
C. e G. Thiem, *Andrea di Cosimo Feltrini und die Grotesken Dekoration der Florentiner Hochrenaissance* in « Zeitschrift für Kunstgeschichte», 24, 1961, pp. 1-39.
G. Thiem, *Studien zu Jan der Straet, gennant Stradanus*, in «Mitteilungen des Kunsthistorischen Institutes in Florenz» VII, 1958, pp. 88-111.
H. Thiersch, *Artemis Ephesia*, Berlin 1935.
P. Thovar, E. Repetti, (a cura di) *Notizie e guida di Firenze e de' suoi contorni*, Firenze 1841.
G.B. Uccelli, *Della Badia Fiorentina, Ragionamento storico*, Firenze 1858.
F. Ughelli, *Italia Sacra*, Venetiis 1717.
Valeriano, *Jeroglifici*, Venezia 1625.
B. Varchi, *Storia fiorentina*, Firenze 1857-58.
A. Venturi, *Storia dell'Arte Italiana*, Milano 1901-1940.
A. Venturi, *Raffaello*, Roma 1920.
E. Viollet - le - Duc, 1836-1837, Catalogo della mostra, Firenze 1980.
S. Vitale, *L'estetica dell'architettura. Saggio sullo sviluppo dello spirito costruttivo*, Bari 1928.
T. West, *A. History of Architecture in Italy*, London 1968.
H. Willich, P. Zucker, *Die Baukunst der Renaissance in Italien*, Postdam 1929.
R. Wittkower, *L'architettura del Rinascimento e la tradizione classica*, in «Casabella», 1959, 234, pp. 45-48.
R. Wittkower, *Architectural Principles in the Age of Humanism*, London 1949.
R. Wittkower, *Principî architettonici nell'età dell'umanesimo*, Torino 1964.
M. Wundram, *Art of the Renaissance*, London 1972.
F. Zeri, *Eccentrici fiorentini*, in «Bollettino d'Arte», XLVII, 1962.
M. Zocca, *Sommario di Storia Urbanistica delle città italiane*, Napoli 1961.
P. Zucker, *Raumdarstellung und Bild-Architektur in Florentiner Quattrocento*, Leipzig 1913.
P. Zucker, *Space Concept and Pattern Design in Radio-centric City Planning*, in «Art Quarterly», n. 2, vol. XIV, 1956, n. 4, pp. 439-444.

INDICE GENERALE

Stampato per conto di G.C. Sansoni Editore Nuova S.p.A.
da Conti Tipocolor, Calenzano, Firenze
nel mese di gennaio 1984
Fotolito eseguite dalla Zincotipia Moderna, Firenze